roma
dennis hopper
brad pitt chri

BRAD PITT
DIANE KRUGER

BILL 2

INGLOURIOUS BASTERDS
THE NEW FILM BY QUENTIN TARANTINO

ROLLING

QUENTIN TARANTINO/PRODUCED BY LAWRENCE BENDER

KILL

KILL BI
THE FOURTH FILM BY QUENTIN TA
KILL BILL SOUNDTRACK OUT NOW

**„Když pracuji na filmu, chci, aby byl pro mě vším.
Chci mít pocit, že bych pro něj klidně i zemřel.“**

TOM SHONE

TARANTINO

RETROSPEKTIVA

Tom Shone

TARANTINO
Retrospektiva

Czech translation rights arranged with PALAZZO EDITIONS LTD,
15 Church Road, London SW13 9HE, UK.
www.palazzoeditions.com

Z anglického originálu TARANTINO A Retrospective
vydaného nakladatelstvím Palazzo Editions Ltd.
přeložil Petr Štika.

Vydal DOBROVSKÝ s.r.o.,
Květnového vítězství 332/31, 149 00 Praha 4,
v edici Knihy Omega v roce 2018.
Odpovědný redaktor: Lucie Brabcová
Úprava obálky a předtisková příprava: Pavel Tůma - RITA
Tisk: EUROPRINT a.s.

ISBN 978-80-7390-850-8

Knihy z edice Knihy Omega můžete zakoupit na:
www.knihydobrovsky.cz, www.knihyomega.cz
e-mail: nakladatelstvi@knihydobrovsky.cz
tel.: +420 267 915 405

STRANY 2–3: Portrét od Levona Bisse, 2012.

OBSAH

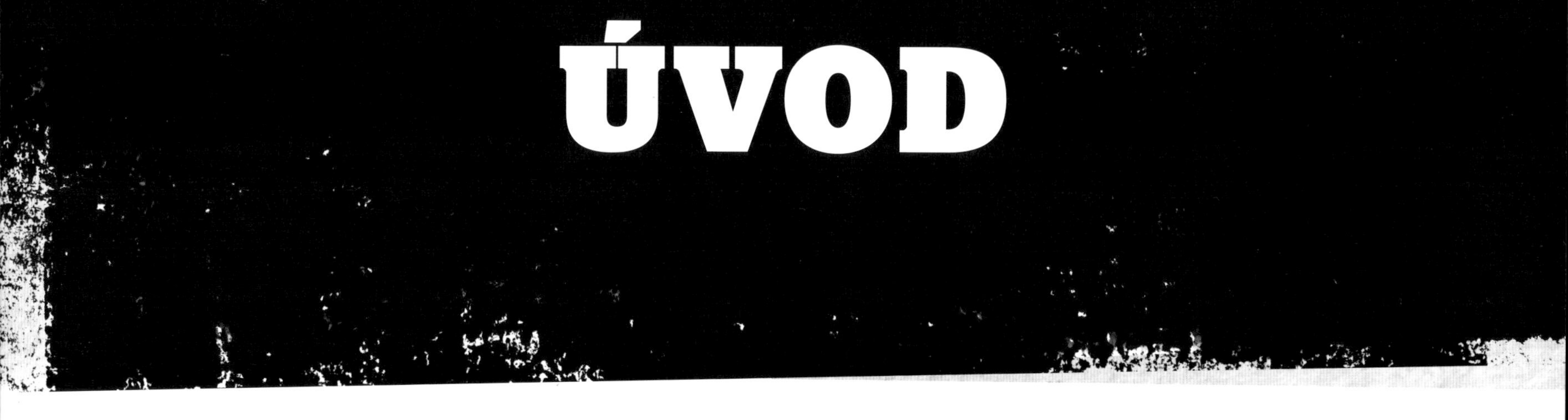

ÚVOD

Když Quentin Tarantino začíná pracovat na novém filmu, nejprve se vydá do papírnictví a koupí si tam dvousetpadesátistránkový zápisník spolu s několika černými a červenými fixami. Dříve často pracoval na veřejnosti: v restauracích, barech, kavárnách nebo na zadních sedadlech kombíků. Zkrátka kdekoli, jen ne doma. Nedávno ale napsal scénář k filmu *Nespoutaný Django* na balkoně ložnice ve svém rozlehlém sídle v Hollywood Hills. Z balkonu je vidět plavecký bazén, pomerančovník a v dálce se rozpínají porostlé pásy zeleně. Má tam malé reproduktory, aby mohl kdykoli poslouchat hudební kompilace, které si sám vytváří.

Tarantino vstává mezi desátou a jedenáctou dopoledne, vytáhne ze zásuvky pevnou linku, odšourá se na balkon a dá se do psaní. Pokud jde všechno tak, jak má, jeho pracovní den trvá šest až osm hodin. Dialogy jsou pro něj to nejjednodušší. Říká, že výroky svých postav nepíše, ale spíše přepisuje. Nejlepší okamžiky někdy přijdou až tehdy, když už si myslí, že je scéna hotová. Například až do poslední chvíle nevěděl, že se gangsteři ve filmu *Gauneři* začnou mezi sebou hádat o barvě svých jmen. Netušil ani, že pan Světlý vytáhne z boty žiletku.

PROTĚJŠÍ STRANA:
Pasáž z *Pulp Fiction* promítnutá na Tarantinovu tvář.
VPRAVO:
Doma v Hollywood Hills, 2013.

O svém tvůrčím procesu říká: „Moje hlava je jako houba. Poslouchám, co lidé říkají, pozoruji osobité chování každého z nich. Někdo mi řekne vtip a já si ho ihned zapamatuju. To platí i pro zajímavé příběhy, které mi lidi vyprávějí. Když začnu pracovat na nových postavách, z mé propisky se stane anténa. Přijímá všechny ty informace a najednou se k životu probudí postavy, které jsou více či méně hotové. Jejich dialogy v pravém slova smyslu netvořím. Jen jim dovolím povídat si mezi sebou."

Když Tarantino píše scénář, často zavolá jednomu ze svých přátel a řekne: „Poslechni si tohle…" Následně mu přečte to, co zatím napsal. Nejde mu ani tak o to, aby mu dotyčný danou pasáž pochválil, ale chce ji slyšet ušima někoho jiného. Poté, co se v roce 2004 na filmovém festivalu Stiges Tarantino spřátelil s filmovým kritikem Elvisem Mitchellem, přečetl mu v atriu jednoho losangeleského hotelu scénář k filmu *Grindhouse: Auto zabiják*.

Mitchell k tomu poznamenal: „Dokonce i to auto si žilo vlastním životem. Přitom se ale vůbec nepodobalo modelu KITT 2000 ze seriálu *Knight Rider*. Tarantinův obdiv k postavám byl ohromující. Z jeho čtení bylo patrné, že se každá z nich stala svébytnou entitou, která má svůj vlastní argumentační styl. Když předčítal všechny ty stránky scénáře, bylo fascinující slyšet, jak jde každé postavě o něco konkrétního. Většinou touží po tom, aby lidé v jejich okolí chápali jejich pohnutky."

VPRAVO: Patrick Fraser fotografuje Tarantina mezi filmovými kopiemi v jeho kalifornském domě, 2013.

50pcs.
CASE
"BLUE"

Jakmile Tarantino dokončí scénář, napíše ho jedním prstem na psacím stroji Smith Corona, který mu zůstal po bývalé přítelkyni a který používá již od dob *Gaunerů*. Přestože má IQ 160, je dyslektik, a když byl v devátém ročníku na střední škole v Harbor City, Los Angeles, ze studií odešel. Protože mu moc nejde pravopis a nevyniká ani v interpunkci, často dá svůj scénář přepsat nějakému příteli nebo profesionálnímu typistovi. „To, co napíšu, se vůbec nedá číst," říká k tomu Tarantino. Poté dá vyrobit třicet nebo pětatřicet kopií a uspořádá ve svém domě party.

„Vždycky pošlu výtisk Harveymu Weinsteinovi a dalším lidem a potom se u mě doma během celého dne střídají nejrůznější přátelé, pijeme šampaňské a slavíme. Pokaždé když někdo přijde, dostane kopii scénáře. Neoznačuju je vodotiskem, nic takového. Prostě posedáváme u mě doma, povídáme si, jíme a pijeme."

Uvnitř jsou zdi domu celé pokryté filmovými plakáty. Najdete tam také bronzové sochy Mii Wallaceové z *Pulp Fiction*, Louise, Melanie a Maxe Cherryho z *Jackie Brownové* a Pana Světlého z *Gaunerů*. Všechny je na Tarantinovu zakázku zhotovil jeden texaský umělec. Promítací sál, který se nachází v jednom z křídel domu, byl navržen tak, aby připomínal kina za starých časů. Ode zdi ke zdi tam podlahu pokrývá koberec

„Kdybych se ve scénáři pokoušel ztvárnit postavu Quentina, byl by hlučný, okouzlující, citlivý a tak milý, že byste tomu možná ani nevěřili. V každém případě by to ale byl pořádnej magor!“
— Paul Thomas Anderson

s kosočtvercovým vzorem, na kterém podél stěn stojí nízké mosazné sloupky, mezi nimiž je natažené lanové sametové zábradlí. V sále je v řadách rozmístěno zhruba padesát sedadel pro hosty. Vepředu pak stojí červená pohovka, na které Tarantino sedává, když sleduje filmy sám. Není neobvyklé, že se v noci vrátí domů po dvojité projekci a ihned zamíří do svého soukromého kinosálu, kde ještě zhlédne třetí a někdy i čtvrtý snímek. Zakloní hlavu a s pootevřenými ústy upírá zrak na plátno.

Nikdo nezná klišé z Tarantinových rozhovorů pro média tak dobře jako on sám. Vysloužil si přezdívky jako „motorová huba“ nebo „maniak“. Vždy si to nakráčí do místnosti, zuřivě gestikuluje, ale jeho hlas je někdy překvapivě tichý a jeho gesta působí téměř žensky. Když se pokouší vysvětlit svůj pohled na věc, často se prstem dotýká ďolíčku v bradě. Jeho ego o sobě dává neustále vědět, ale jeho nadšení, ať už pro vlastní práci nebo pro tvorbu jiných, je tak bezbřehé, že to celé působí téměř jako projev velkorysosti.

„Kdybych se ve scénáři pokoušel ztvárnit postavu Quentina, byl by hlučný, okouzlující, citlivý a tak milý, že byste tomu možná ani nevěřili. V každém případě by to ale byl pořádnej magor,“ prohlásil v roce 2003 v rozhovoru pro *Vanity Fair* jeho přítel, režisér Paul Thomas Anderson. „Do jeho role bych obsadil někoho, kdo má opravdu koule, chůzi hromotluka, a při tom všem je velmi citlivý.“

NAHOŘE: Tarantino pózuje pro portrét Martyna Goodacra, 1994.
DOLE: S dlouholetým spolupracovníkem producentem Harveym Weinsteinem na hollywoodské premiéře *Hanebných panchartů*, srpen 2009.

NAHOŘE: S Daryl Hannahovou, pro kterou napsal roli Elle Driverové ve filmu *Kill Bill* (2003).

Zmíněný citlivý přístup se nejvíce projevuje v jeho vztahu k hercům. Sám je koneckonců jedním z nich a velmi si užívá, když může někomu splnit sen tím, že jej obsadí do určité role. Když nějakou postavu ušije přímo na míru některému herci a chce mu tu novinu sdělit, často se vyhýbá oficiálním komunikačním kanálům.

Daryl Hannahová popisuje, jak jí Tarantino přišel oznámit, že pro ni má roli ve filmu *Kill Bill*: „Účinkovala jsem v jedné divadelní hře v Londýně, když tu se po konci představení Quentin zjevil v mé šatně. Řekl mi, že letěl až do Londýna, aby se podíval, jak hraji v divadle. Přišel mi říct, že pro mě napsal roli ve svém novém filmu. Nikdy předtím jsem se s ním nesetkala. Tvrdil, že mě viděl v nějakém snímku, který jsem natočila pro jednu kabelovou televizi. Já sama jsem výsledek nikdy neviděla a už si ani nepamatuju, jak se to jmenovalo. Zeptala jsem se ho, kde je skrytá kamera. V takovou chvíli prostě nevíte, jestli tomu vůbec můžete věřit. O pár měsíců později mi poslal scénář. Bylo to úžasné."

Než se Tarantino definitivně rozhodne, má ve zvyku s hercem, kterého zvažuje pro určitou roli, strávit nějaký čas. Kořeny tohoto návyku sahají do doby, kdy se jeden večer na Sunset Strip opil s Timem Rothem, jemuž se chystal nabídnout roli v *Gaunerech*. Než obsadil Johna Travoltu do *Pulp Fiction*, pozval ho k sobě domů a skončilo to tím, že do ranních hodin společně zpívali *You're the only one I want*.

Má také v oblibě dlouhé scény, někdy až desetiminutové, které obsahují co nejmenší počet střihů. I tato tradice začala už při natáčení *Gaunerů*. Na scéně poskakuje z místa na místo, s každým se vybavuje a přibližně každých devadesát vteřin se ozve jeho hurónský smích. Když se ale pustí do režírování, ztiší se. „Quentin vám pokyny šeptá, což je fajn, protože si pak připadáte jako jeho komplic," poznamenal k tomu David Carradine při natáčení filmu *Kill Bill*. „Má v sobě neuvěřitelné nadšení. Hlavní prioritou je pro něj to, jakým způsobem bude na diváka působit právě natáčená scéna. Balancuje na hraně mezi posedlým vizionářem a úzkostlivým ochráncem."

Tarantino je jedním z mála dnešních režisérů, kteří při natáčení nepoužívají videomonitor. Kompozici záběru zkontroluje vždy před začátkem práce na konkrétní scéně, ale dále se již soustředí pouze na to, co se děje před kamerou. Během taneční scény v Mazaném králíčkovi v *Pulp Fiction* tancoval spolu s Johnem Travoltou a Umou Thurmanovou, pouze mimo záběr, a když scéna skončila, zatleskal jim. Následně své herce pochválil: „Celých těch třináct hodin jsme vás pozorovali se zatajeným dechem."

Tarantino svému štábu při natáčení pouští mnoho filmů. „Quentin toho ví o filmech více než snad kdokoliv jiný, což se projevuje i při každodenní práci," popisuje Brad Pitt vznik filmu *Hanebný pancharti,* kdy se každý čtvrtek konal filmový večer. Režisér promítal vše od *Hodný, zlý a ošklivý* přes německé propagandistické filmy až po obskurní speciality typu *Dark of the Sun*.

TATO STRANA:
Přátelé a spolupracovníci:
(nahoře) Tarantino se raduje ze své hvězdy na hollywoodském chodníku slávy se Samuelem L. Jacksonem v roce 2015;
(vlevo dole) Při udílení cen Critic's Choice Awards s Timem Rothem v roce 2011;
(vpravo dole) Při propagaci *Pulp Fiction* s Johnem Travoltou v roce 1995.

KANGOL
BACK TO BACK

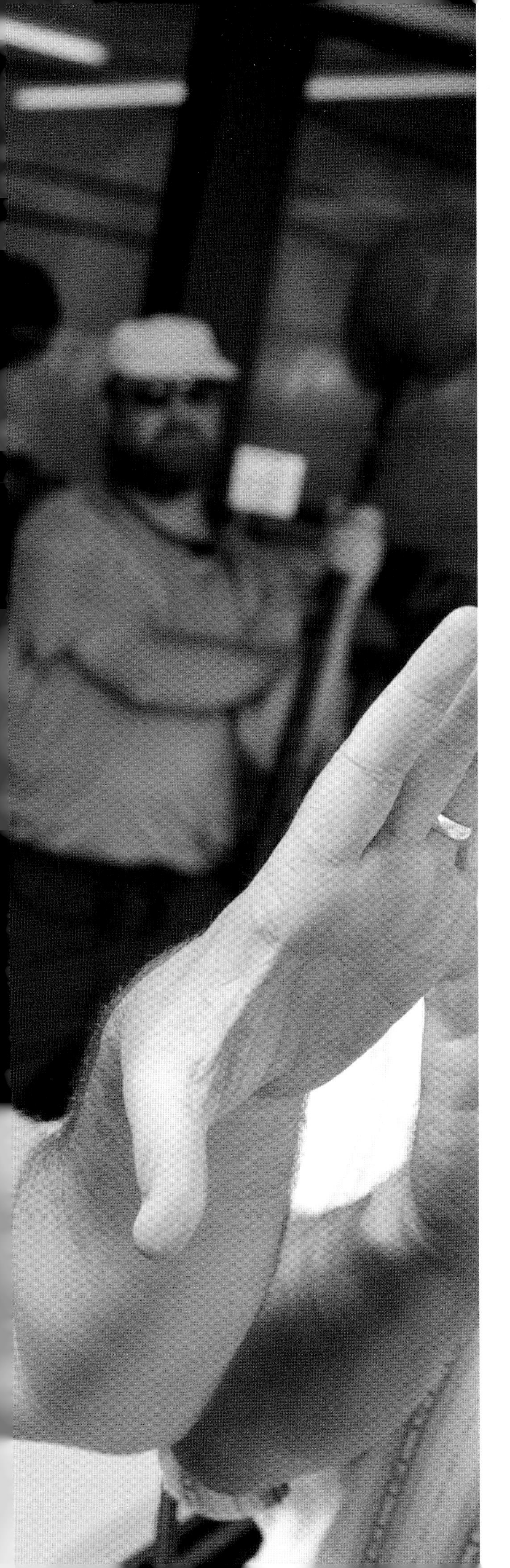

Po každém natáčecím týdnu se Tarantino rád oddává večírkům. V sobotu často ponocuje a v neděli to dospává, aby měl dost sil na práci, která ho čeká v pondělí. „Quentin je velmi neústupný ve svém přesvědčení, že je potřeba se také bavit," říká Carradine. „Jde do toho s velkou vervou, což je na něm okouzlující. Málokdy v tom zklame." Při práci na *Kill Bill* vzali Tarantino a jeho štáb útokem bary v Pekingu, kde často trávili celou noc, a také brali extázi na Velké čínské zdi. Při natáčení *Nespoutaného Djanga* navštěvovali noční podniky v New Orleans. „Zůstávali jsme tam do šesti nebo sedmi ráno a v neděli se z toho zotavovali. Někdy jsme si jen pustili nějaký film. V pondělí už jsme zase byli na place," říká Tarantino. „Když přijde víkend, jediné, co se mi chce, je pořádně se ztřískat. Potřebuju úplně vypnout."

Sally Menkeová stříhala každý Tarantinův film od *Gaunerů* po *Hanebné pancharty*, dokud v roce 2010 náhle nezemřela na srdeční záchvat. Pracovala vždy z domova, nikoliv ve studiu. V době, kdy točili *Kill Bill*, už mezi nimi panovalo takové porozumění, že spolu poprvé mluvili až pět měsíců po zahájení natáčení. Menkeová pracovala na hrubém střihu obou filmů, zatímco Tarantino pokračoval ve filmování.

„Jsme něco jako filmařský manželský pár," prohlásila o jejich spolupráci Menkeová. „U Tarantina jde o to najít správnou kombinaci. Studujeme i pasáže z jiných filmů, ale jen proto, abychom našli pro naši scénu tu správnou atmosféru. Například při střihu té scény z *Kill Bill*,

VLEVO: Tarantino komponuje záběr při natáčení *Auta zabijáka*, 2006.
NAHOŘE: Filmoví „manželé". Quentin a jeho kamarádka a střihačka Sally Menkeová na udílení cen American Cinema Editors Awards v Beverly Hills, 2007.

NAHOŘE: „Opravdoví umělci kradou, nevzdávají pocty." Střih rvaček v *Kill Bill* vycházel z detailních záběrů z dílny Sergia Leoneho.
PROTĚJŠÍ STRANA: Portrét od Spencera Weinera, 2009.

ve které se Uma utká s Šílenou osmaosmdesátkou, jsme se inspirovali několika detailními záběry z filmů Sergia Leoneho. Naším stylem je imitovat, nikoliv vzdávat poctu. Jde nám o to filmový jazyk rekontextualizovat tak, aby působil v novém žánru svěže. Zacházíme do nejmenších detailů."

Tarantino má v oblibě sledovat reakce diváků. *Jackie Brownovou* viděl v Magic Johnson Theaters třináctkrát bezprostředně po uvedení a ve svém žlutočerném Mustangu objel osm kinosálů v Los Angeles, aby zjistil, jak obecenstvo reaguje na *Auto Zabiják*. Na Štědrý den v jedenáct dopoledne také přišel na projekci *Osmi hrozných* v Del Amo Mall v Torrance, kde vyrůstal a kde také natočil velkou část *Jackie Brownové*.

Tarantinovy názory na vnímání kinematografie jsou plné paradoxů. Na jedné straně sledování filmu považuje za subjektivní zážitek: „Když můj film uvidí milion lidí, chci, aby se v hlavě každého z nich odehrával jiný snímek," prohlásil. To částečně vysvětluje jeho neochotu odpovídat na otázky ohledně významu názvu filmu *Gauneři* (angl. *Reservoir Dogs*) nebo ohledně toho, co obsahuje kufřík v *Pulp Fiction*. Zároveň dodává: „Rád si také zahrávám s vašimi emocemi a líbí se mi, když někdo to samé provádí mně. Na tom si ujíždím. Vztah mezi režisérem a divákem je vlastně sadomasochistický, přičemž divák je v pozici masochisty. To mě hrozně baví! Když pak po filmu třeba jdete na jídlo, máte sakra o čem mluvit. Vždyť jste ten večer byli v kině!"

Právě to dělá Tarantina Tarantinem, to pnutí mezi dvěma rolemi. Na jedné straně je režisér geniální sadista, který si diváky pěkně povodí, a na druhé pak něžný milenec, který živí jejich subjektivitu. Režíruje totiž z první řady.

„Více než cokoliv jiného jsem filmový fanatik," říkal v rozhovorech v roce 1992, kdy vtrhl na scénu s *Gaunery*. „Do filmu jsem prostě úplný magor." Většina režisérů by něco takového prohlásila s nádechem sebeironie, ale u něj to působí, jako by si na hruď připínal čestný odznak. Svým způsobem sám sebe vnímá především jako filmového fandu a až v druhé řadě jako režiséra. Právě to je v jádru jeho identity.

V době, kdy Tarantino pracoval ve videopůjčovně Video Archives na Manhattan Beach, sbíral novinové výstřižky o nových snímcích Briana De Palmy, např. o *Zjizvené tváři* z roku 1983 nebo o *Dvojníkovi* z roku 1994, a v období, které uvedení do kin předcházelo, je shromažďoval ve svém sešitu. Na premiéru pak šel v poledne a sám. Tam si ujasnil, jak vlastně vypadá děj filmu, a pak na něj šel znovu večer s jedním ze svých přátel.

„Ve věku od 17 do 22 jsem si dělal seznamy všech filmů, které jsem ten daný rok viděl, a do toho se počítala i kina, která uváděla starší tituly," říká k tomu Tarantino. „Pokud se jednalo o nový snímek, jeho číslo jsem si zakroužkoval. Vybral jsem si pak své oblíbené filmy a udělil jim své malé osobní ocenění. Tehdy jsem za rok shlédl vždycky stejný počet filmů – 197 nebo 202. A to jsem byl tehdy na mizině a za lístky do kina jsem musel vždy platit sám. V době, kdy jsem na filmy chodil nejčastěji, byl můj průměr 200 filmů ročně."

„Nepovažuju se jen za režiséra, ale za chlápka od filmu, který má k dispozici všechny snímky, co byly kdy natočené. Když se mi něco líbí, zkombinuju věci, které se ještě nikdy zároveň v jednom filmu neobjevily.“

„Nikdy jsem nic nemiloval tolik jako filmy. Ani si nepamatuju, že by to někdy bylo jinak.“

DOLE: Tarantino si ve svých filmech často zahraje nějakou méně důležitou postavu. Na snímku v roli pana Hnědého ve svém prvním velkém filmu *Gauneři* (1992).

Film *U konce s dechem* (1960) natáčel Jean-Luc Goddard na přenosné kamery Arriflex, které připevnil k nákupním vozíkům. Rozvinul tak syntax amerických gangsterek a přetavil je do své vlastní verze kinematografického jazzu. Ukázal tak světu, jak lze přistupovat k tvorbě nezávislého filmu. Tarantinovi se povedlo něco podobného v podobě *Gaunerů* a *Pulp Fiction*, ve kterých spojil explozivní násilí, dlouhé záběry a vulgární hlášky k popukání, které se týkaly všeho od hamburgerů až po Madonnu. Zároveň pomohl nezávislému filmu dostat se do své druhé fáze, ve které rozpočty začaly překračovat 100 milionů dolarů. „Miramax je vlastně dítko Quentina Tarantina," poznamenal na toto téma zakladatel Miramaxu Harvey Weinstein. „Díky tomu má zelenou. Může dělat cokoliv, co se mu zachce." Podle slov spisovatele Clancyho Sigala „Tarantino stojí na hollywoodské křižovatce, na níž se střetává provinilý smích a sadistická brutalita".

Podobně jako Goddard si i Tarantino ve svých filmech rád půjčuje od jiných filmařů, odkazuje na ně a vzdává jim poctu. Tu a tam použije nějaký výrok, situaci, postavu či celou scénu z jiného filmu, ale hned nato udělá neočekávány úkrok stranou a vzniklé klišé tak zůstane viset ve vzduchoprázdnu.

„Říkejte tomu, jak chcete: plagiátorství nebo intertextualita. Tarantino si ale umí cokoliv přivlastnit a vtisknout tomu vlastní rukopis," píše James Mottram ve své knize *Sundance Kids*. V roce 1993 prohlásil Graham Fuller, že „Tarantino není postmoderní autor, ale spíše post-postmoderní. Má v sobě totiž neutuchající zájem o pop-kulturní jevy a myšlenky, které již samy o sobě vycházejí z dřívějších inkarnací nebo jsou určitým způsobem zprostředkované či předžvýkané". Nedělá to ani tak proto, že by chtěl všem ukázat, že umí chytře navázat na předešlé, ani proto, že by chtěl divákovi gratulovat za to, že daný vtip pochopil. Hlavně chce, aby se každý mohl zapojit do hry, ve které se žongluje s očekáváními a výsledky. Ze všeho nejvíc si chce hrát.

„V prvních deseti minutách devíti z deseti snímků vám film prozradí, o jaký žánr se bude jednat. A to platí i pro spoustu titulů, které se na plátna dostanou, nikoliv jen těch, které marně hledají vydavatele," prohlásil Tarantino. „V podstatě vám prozradí všechno, co potřebujete vědět. No a když se pak v zápletce schyluje ke zvratu, divák to čeká, což platí i ve chvíli, kdy jej má film do děje vtáhnout. Zkrátka dokážete všechno odhadnout dopředu. Vlastně ani nevíte, že to víte, ale víte to. Musím přiznat, že je docela zábava jít proti takovým očekáváním. Nejprve diváka přivedu na stopu, kterou ale sleduje pouze podvědomě, a pak jdu přímo proti takovému vzniklému očekávání, díky čemuž se publikum na filmu aktivně podílí. O to mi jde, když jsem v roli vypravěče. Na pozadí filmu ale musí být lidské srdce."

Když se Tarantino poprvé objevil na scéně, kritici se do něj okamžitě pustili a přitom se ve většině soudů mýlili. Podle nich se vyžíval v krvavé podívané. Označili jej za krysaře vedoucího publikum do světa bezprecedentního násilí, které má jen minimální souvislost s reálným světem. Recenze za recenzí neustále opakovala stále tu stejnou mantru: násilí, násilí, násilí a odtrženost od reality. Filmový kritik David Thomson napsal: „Tarantino nezná a už vůbec v sobě nemá ten život, který je vlastní filmům Howarda Hawkse. Jeho postavy jako by se odvíjely od herců či kurzů herectví. Lze předpokládat, že se nikdy nesetkal se skutečným gangsterem. Rozhodně nikdy neviděl, jak to vypadá, když někomu ustřelíte hlavu. K americké filmové historii ale přistupuje se zbožným obdivem." Toto nařčení se opakovalo tak často, že jej začali papouškovat i jeho kolegové. „Lidé mají s Quentinovými filmy ten problém, že se zdá, jako by popisovaly spíš jiné filmy než samotný život," prohlásil Roger Avary, spoluautor *Pulp Fiction*. „Hlavním filmařským trikem je žít a následně o tom životě točit filmy."

Abychom byli spravedliví, Tarantino tento mýtus často živil sám, když novinářům předhazoval udičky v podobě výroků jako „Pro mě je násilí čistě estetickou záležitostí. Pokud by někdo řekl, že nemá rád ve filmech násilí, je to podobné, jako by odmítal taneční scény". Jindy zase prohlásil: „Já ani nevím, co znamená výraz ‚nemotivované násilí'."

Jenže když strávíte život sledováním filmů, nepřestane být životem. Tarantinovy snímky jsou mnohem hlouběji zakořeněné v jeho osobních prožitcích, než si lidé myslí. To ale neznamená, že musí být nutně autobiografické. Přísně rozlišuje mezi filmy jako *Kill Bill*, které jsou zasazené přímo do „filmového vesmíru, ve kterém přijímám a téměř až fetišizuji kinematografické konvence", a těmi, které se odehrávají „v jiném vesmíru, kde se realita a filmové konvence střetávají". Pro jeho nejlepší dílo je charakteristický šok, který způsobují tyto kolize. V dějových liniích

NAHOŘE: Na fotografii z roku 2007 v kině New Beverly Cinema ve West Los Angeles, jež nedávno koupil a ve kterém si sám vzal na starost většinu dramaturgie. Promítá zde výhradně z filmových kopií.

dochází k nepředvídaným zvratům, kdy velmi „filmové" události spadnou do klína postavám, které typicky filmové vůbec nejsou. Tito lidé pak vyšilují, hašteří se, ztratí nad sebou kontrolu nebo přijdou o všechno jen kvůli tomu, že právě sedí na záchodě. Občas nějaká pistole vystřelí sama od sebe, jeden člověk zastřelí druhého kvůli krekrům nebo mezi zloději vznikne konflikt proto, že se nemohou shodnout na barvách, které si přidělují jako kódová jména. A divák se směje a vidí v tom sám sebe. Ne snad proto, že by se někdy podílel na ozbrojené loupeži nebo že by někdy zastřelil někoho kvůli jídlu. Důvodem je to, že když postavy otevřou ústa, ozve se dialog jako tento:

VINCENT
V Paříži dostaneš pivo u McDonalda.
A víš, jak říkaj čtvrtlibráku se sejrem v Paříži?

JULES
Oni mu neříkaj čtvrtlibrák se sejrem?

VINCENT
Ne. Maj tam metrickej systém.
Věděli by kulový, co je to čtvrtlibrák.

JULES
Tak jak teda?

VINCENT
Říkaj mu Royale se sýrem.

JULES
Royale se sýrem?
A jak říkají Big Macu?

VINCENT
Big Mac je Big Mac, ale říkaj Le Big Mac.

JULES
A jak říkaj Whopperu?

VINCENT
Nevím, v Burger Kingovi jsem nebyl.

NAHOŘE: Tarantino proslul svými nezapomenutelnými dialogy, v nichž postavy jako Jules a Vincent v *Pulp Fiction* debatují o popkultuře předtím, než spáchají další zločin.

Na tomto dialogu je skvělé to, že publikum nerozesměje jen Vincentův nonsens na konci, ale i všechny repliky, které mu předchází. Kdyby byl autorem někdo méně schopný, vložil by mu do úst pointu, jež by sršela ostrovtipem. Tarantino ale vždy hledá něco, co se bude více podobat zaškobrtnutím, která jsou tak charakteristická pro každodenní konverzace. „Snad jeho největší scenáristickou předností je to, že se dokáže naprosto pohroužit do rozhovorů mezi lidmi," píše filmový kritik Elvis Mitchell, „obzvláště takovými, kteří mají velkou důvěru ve své vyjadřovací schopnosti, a snoubí v sobě Roberta Towna, Chestera Himese a Patricii Highsmithovou."

Jinými slovy, v Tarantinově světě je rozhodně mnoho reality. Nikoliv v jeho pop-artové vizuální estetice ani v důmyslném propojení žánrových klišé, ale zkrátka a dobře pokaždé, když jedna z jeho postav otevře ústa. Jeho snímky jsou černými komediemi na pomezí mezi filmem a realitou, kterou jim dodávají právě dialogy. Stejně jako u všech revolučních myšlenek se i Tarantinovy postřehy dnes zdají být něčím samozřejmým, nicméně v jejich jádru je velmi jednoduchý princip: „Většina z nás ve svém každodenním životě nemluví o ději," poznamenal. „Často se nejpalčivějším tématům vyhýbáme a místo toho mluvíme o kravinách nebo prostě o něčem, co nás zajímá. Gangsteři nemluví jen o věcech, které souvisí se samotným zločinem. Neleští si neustále pistole, neřeší tu či onu vraždu. Spíš se zaměří na něco, co v ten den slyšeli v rádiu, nebo na kuře, které měli včera k večeři. Nebo třeba na holku, se kterou se nedávno seznámili."

Je to tak. Gangsteři ve filmu *Kmotr* (1972) neposedávají zapředeni do družného rozhovoru o textech jejich oblíbených písní. V *Mafiánech* (1990) Martina Scorseseho se postavy nepohádají o televizních seriálech, přestože ve *Špinavých ulicích* (1973) se objeví spor o významu slova „mook", který lze vnímat jako předznamenání některých Tarantinových dialogových postupů. Než přišel Tarantino, filmaři se jen málokdy přiznali k tomu, že sami chodí do kina tak často jako on a jeho přátelé. Ke konci osmdesátých let ale došlo díky videorekordérům k revoluci v oblasti domácího kina. Popkultura tak prorostla každodenním životem veřejnosti do takové míry, že si začala více všímat sama sebe. V roce 1990 jsme mohli pozorovat, jak se v *Show Jerryho Seinfelda* Jerry a George dohadují o tom, zda má Superman smysl pro humor či nikoliv („nikdy jsem ho neslyšel říct něco opravdu vtipného"). Ve *Smrtonosné pasti* z roku 1988 pošťuchuje Alan Rickman v roli Hanse Grubera postavu Johna McClanea (Bruce Willis): „Další sirotek zkrachovalé kultury, kterej si myslí, že je John Wayne, Rambo nebo šerif Dillon?" McClane na to odpoví: „Já jsem měl vždycky slabost pro Roye Rogerse. Jipí-ki-jej, ty sráči!" To je nejlepší tarantinovská hláška, kterou nenapsal sám Quentin Tarantino.

Sarah Kerrová píše ve své recenzi filmu *Pulp Fiction* pro *New York Review of Books*: „Zdá se, jako by uměl přemýšlet stejně jako publikum. Došlo mu, že už mají po krk toho, že každý scénář prokouknou během pěti minut."

Tarantinovi se podařilo vystihnout ducha poloviny 90. let tak, jak už nikomu po něm. Diváci se tak naladili na jeho šíleně zábavné a často neuvěřitelně vulgární dialogy. Něco podobného jsme v 80. letech mohli pozorovat u Davida Mameta. Tarantino přinesl do mainstreamu myšlenku, že násilí může být legrační, a možná až příliš tím ovlivnil celou generaci filmařů. V letech, která následovala po *Pulp Fiction*, si nebylo možné nevšimnout boomu filmů, v nichž postavy páchají zločiny a glosují přitom popkulturu, např. *Mizerové, Láska a pětačtyřicítka, Nabít a zabít, Obvyklí podezřelí* nebo *Too Many Ways to Be No. 1*. Mitchell k tomu dodává: „Ať už se podíváte do jakékoli kavárny, veřejné knihovny nebo na zadní sedadla kombíků někde v Jižní Kalifornii, najdete tam scenáristy, kteří se pokouší napodobit jeho low-tech autorský rukopis. Hrbí se nad svými sešity, kvůli čemuž budou muset později pravidelně navštěvovat chiropraktika. Tak úporně se ho snaží imitovat. Chtějí, aby i na jejich tvorbě byly patrné skvrny od potu a kávy – jako by se jednalo o filmovou verzi již z výroby ošoupaných bot značky Martin Margiela."

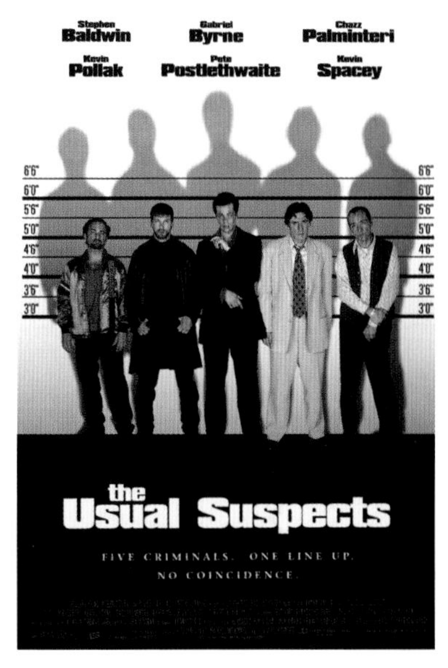

DOLE: Mezi snímky inspirované Tarantinem patří *Obvyklí podezřelí* (1995) Bryana Singera a *Nabít a zabít* (2006) Paula McGuigana.

Canon
Canon

Vlna jeho imitátorů dnes již opadla. Dnes, pětadvacet let od uvedení *Gaunerů,* se zdá až podivné, že by se někdo měl pohoršovat nad scénami plnými násilí v tomto snímku. Tehdy byli kritici toho názoru, že se jedná o pouhé „na efekt dělané a provokativní stylistické cvičení plné filmařské brutality". To zjevně ještě netušili, že přijde *Kill Bill*. Tarantino jako tvůrce však prošel v průběhu let vývojem. Dekonstruktivní komedii z pouličního prostředí vyměnil za pompézní dobové parodie, mezi které patří např. *Hanebný pancharti* nebo *Nespoutaný Django*, jež lze označit za šíleně sadistické variace na béčkové filmy, které hledají oporu v realitě nikoliv prostřednictvím dialogů mezi postavami, ale v krutých etapách dějin, to vše zremixováno a přetvořeno po tarantinovsku. Tomuto bývalému *enfant terrible* je nyní 54 a je dvojnásobným držitelem Oscara. Je nyní součástí filmařského kánonu, na který se dříve tolik odkazoval.

„V Hollywoodu už nejsem outsider," řekl při promítání *Nespoutaného Djanga* v Directors Guild, což je instituce, které se Tarantino první dvě dekády svého působení vyhýbal. „Znám spoustu lidí. Mám je rád a oni mají rádi mě. Myslím, že jsem docela dobrým členem téhle komunity, a to jako člověk i jako profesionál. Myslím, že jsem na ně tehdy v roce 1994 docela udělal dojem, což bylo fajn, ale cítil jsem se jako outsider, neortodoxní rebel. Tuhle pozici jsem si nechtěl ničím pokazit. Dodnes si dělám věci po svém, ale zároveň jsem neodešel ze scény. Svým způsobem mám dodnes pocit, že musím dokázat, že sem patřím."

VLEVO: Režisér, jehož sláva si v ničem nezadá s filmovými hvězdami. Quentin pózuje pro kamery na Filmovém festivalu v Cannes v roce 2008.

„Chtěla jsem jméno, které by zaplnilo celé plátno," řekla Connie McHughová, Tarantinova matka, která pocházela z Clevelandu v Ohiu. Tehdy pracovala jako zdravotnice a dělala všechno pro to, aby se distancovala od své buranské dělnické rodiny. Její otec, majitel autoservisu, měl násilnické sklony. Jakmile dostala příležitost, utekla do Kalifornie, kde žila se svou tetou. Když se seznámila s povalečem Tonym, Tarantinovým otcem, který se považoval za herce a chvástal se tím, že chodil na hodiny herectví v Pasadena Playhouse a zároveň v Burbanku jezdil na koních. Connie chlapci zas tolik nezajímali, ale provdala se za něj jen kvůli tomu, aby se dostala z domu. Jejich vztah však trval pouhé čtyři měsíce. Nikdy mu ani neřekla, že jí je pouhých čtrnáct. Odešel ještě dříve, než zjistila, že je těhotná.

„Pocházím ze smíšené rodiny. Moje matka je umělecký film, zatímco můj otec béčkový. Ti dva se odcizili a já se celou svou kariéru snažím přivést je zpátky k sobě.“

„Quentinův otec ani nevěděl, že má syna," řekla k tomu Connie, která pro své dítě vybrala jméno podle svých dvou oblíbených postav. Tu první z nich hrál Burt Reynolds v seriálu *Gunsmoke*, druhá z nich byla slečna Quentin z románu *Hluk a vřava* od Williama Faulknera. Kombinace laureáta Nobelovy ceny a hvězdy televizního seriálu? Jak je vidět, už od narození mu byla souzena role toho, kdo spojuje dohromady zdánlivě neslučitelné.

Celé to zní jako scény z Tarantinova filmu – od „nedobrovolného svazku" Faulknera a Reynoldse až po postavu náctileté nevěsty, již ženich zanechal u oltáře a která musela své dítě vychovávat v ústraní. Nejvíce to připomíná první díl *Kill Bill*, ve kterém je postava Umy Thurmanové zanechána svému osudu poté, co ji postřelili na její vlastní svatbě. Původně si myslí, že její nenarozené dítě zemřelo, a tak se vydá na cestu za krvavou pomstou, která ji nakonec zavede až k Billovi, jejímu bývalému milenci, jenž se vydával za „otce nevěsty".

Taková už ale je Tarantinova metoda: nasoukat do sebe genetické vlivy a osobní prožitky jako matrjošky. Sám k tomu říká: „Moje filmy jsou neuvěřitelně osobní, ale nikdy se nepokouším o to, aby divák pochopil, jak moc. Mým úkolem je tu osobní stránku zakamuflovat tak, abych ji tam

STRANA 24: V roce 1991 ve věku dvaceti osmi let natáčel svůj první celovečerní film *Gauneři*. VLEVO: Quentinův otec Tony Tarantino na snímku z roku 2015.
PROTĚJŠÍ STRANA: To je ale dvojka! Quentinova matka pojmenovala syna podle postav Quinta Aspera ze seriálu *Gunsmoke* (nahoře) a Quentina z románu *Hluk a vřava* Williama Faulknera (dole).

viděl jen já nebo lidé, kteří mě dobře znají. *Kill Bill* je například neuvěřitelně osobní, ale do toho nikomu nic není. Součástí mojí práce je, aby se tam takové vlivy otiskly, ale musím je skrýt v rámci určitého žánru. Možná jsou tam metafory pro to, co se momentálně děje v mém životě, nebo dokonce přímo popisuju, jak se věci mají. Je to ale pohřbené pod žánrovými nánosy. Není to, jako když spisovatel popisuje, jak vyrůstal a jak se to nakonec otisklo do jeho románu. Cokoliv se ale děje v mém životě, to se musí zákonitě promítnout do filmu. Pokud by to tak nebylo, asi by bylo něco špatně."

Pár týdnů předtím, než Tarantino začal točit *Gaunery*, jej přijali do workshopu Director's Lab v rámci festivalu Sundance. Vydal se tam spolu se Stevem Buscemim s cílem pracovat na několika scénách z filmu před profesionálním publikem, ve kterém byli také Terry Gilliam, Stanley Donen a Volker Schlöndorff. Jeden z filmařů se ho zeptal: „Pracoval jsi už na podtextu?"

„Ne, co to je?" zeptal se tehdy osmadvacetiletý Tarantino.

„Aha, jasně. Ty si myslíš, že jen proto, že jsi autorem, víš o díle úplně všechno. Tak to ale není. Zatím jsi odvedl pouze práci scenáristy, ale režírování tě teprve čeká. A kvůli tomu musíš zapracovat na podtextu."

NAHOŘE: Mladého Tarantina silně ovlivnil režisér westernu *Rio Bravo* Howard Hawks.
PROTĚJŠÍ STRANA: Mezi filmy, které v něm vzbudily lásku ke kinematografii, patří *Vysvobození* Johna Boormana a *Tělesné vztahy* Mikea Nicholse.

Sedl si a začal psát: „Po čem nejvíce touží pan Bílý v této scéně? A co chci já jako tvůrce, aby si publikum ze scény odneslo?"

Tarantino si najednou uvědomil jednu věc: „Čím více jsem toho napsal, tím více mi docházelo, že ten film je vlastně vztahem mezi otcem a synem. Pan Bílý v tu chvíli hrál roli otce pana Oranžového. Pan Oranžový byl jeho synem, ale svého zatím nic netušícího otce zradil a mermomocí se to snažil před ostatními co možná nejdéle tajit, protože ho sžíraly pocity viny. Pan Bílý ale věří Joe Cabotovi, který je v této situaci metaforickým otcem. A tak neustále opakuje: ‚Neřešte to, počkáme, až dorazí Joe. Pak bude všechno v pořádku. Všechno bude v pohodě.'

A co se nestane, když se Joe skutečně objeví? Zabije pana Oranžového. Následně si pan Bílý musí vybrat mezi svým metaforickým otcem a metaforickým synem. Přirozeně zvolí syna, což je osudová chyba. Chyba, ke které ho ale vedly správné důvody. To je docela vážná situace."

V mnoha jeho filmech se objevuje motiv pomsty a postava otce. I v těch ostatních je pak patrná namyšlenost puberťáka, který v době dospívání neměl nikoho, kdo by jej srovnal do latě a naučil ho co a jak. Tarantino tak tyto věci hledal ve filmu. V jeho díle je patrná fascinace určitou extrémně násilnickou podobou maskulinity a hemží se to v něm vychloubáním, výhružkami a osobními zásadami. Právě ty pak Tarantino ohlodá na kost a podrobí nemilosrdné dekonstrukci a ponížení.

Sám k tomu dodává: „Může to působit divně, ale když vyrůstáte bez otce, vydáte se ho hledat jinam. Jste tak rozpolceni a nevíte, kterým směrem se vydat dřív. Když jsem byl dítě, vůbec jsem nepřijímal za své předepsané principy dobra a zla. Chtěl jsem si ve svém srdci najít vlastní pravidla. A protože jsem neměl nikoho, kdo by mi ukázal cestu, vydal jsem se dobro a zlo hledat ve filmech Howarda Hawkse. Svým způsobem jsem je tam i našel. Viděl jsem, jakou etiku ve svých snímcích člověku předkládá, například co se týče vztahů mezi muži nebo mezi muži a ženami. Jedna holka, s kterou jsem se o tomhle bavil, mi řekla, že jsem si vybral dobrý vzor. Že mě vychoval líp, než by to dokázala polovina otců. Nesnažím se nacpat tohle do svých filmů, ale asi se to tam stejně nějak odrazí."

Po dobu několika let Connie nechávala svého syna u matky, zatímco studovala zdravotnickou školu. V devatenácti ji zaměstnali v jedné ordinaci v Hacienda Heights. V té době se po koncertě v piano baru v Monrovia Court seznámila se svým druhým manželem, pětadvacetiletým muzikantem Curtem Zastoupilem. Nosil bradku a potrhanou vestu a jezdil fárem Volkswagen Karmann Ghia. Vzali se, přestěhovali se do Manhattan Beach, což byla středostavovská čtvrť pár mil jižně od letiště, a Quentina si vzali s sebou. Tento bystrý, hyperaktivní a předčasně vyspělý chlapec, který dával přednost společnosti dospělých, se po cestě z Knoxvillu do Los Angeles pokoušel přečíst každý billboard či reklamu. Svého nového otčíma zbožňoval, vzal si jeho příjmení, neustále se s ním chtěl zvěčňovat ve fotoautomatech a do školy chodil v jeho těžkých kanadách.

„Vlastně jsme byli parta dětí, co spolu žily," vypráví Connie, která později do jejich domu přizvala i Curtova mladšího bratra Cliffa a svého rovněž mladšího bratra Rogera. Ti všichni se pak střídali v péči o Quentina poté, co Connie dostala práci ve zdravotní pojišťovně Cigna. „Můj bratr říkal, že je to jak vyrůstat v Disneylandu. Když jsem byla doma s Quentinem, náš život se točil kolem něj. Měli jsme lovecké jestřáby. Šermovali jsme. Z jednoho bytu nás vyhodili kvůli našim šíleným koníčkům poté, co nás viděli šermovat na balkoně. Můj manžel byl muž mnoha tváří, a takové jsme měli i přátele. Nikdy jsme nenechali Quentina doma bez dozoru. Když jsme se šli věnovat lukostřelbě, jel s námi. Brali jsme ho vždycky s sebou do kina bez ohledu na to, jestli byl ten film pro něj vhodný. Tak to bylo už od jeho tří let." Ve věku šesti let zhlédl dvojitou projekci, v jejímž rámci promítali krvavý western Sama

Peckinpaha *Divoká banda* (1969) a hororový příběh z venkova *Vysvobození* (1972).

„To mě vyděsilo k smrti," říká k tomu Tarantino. „Chápal jsem, že se Ned Beatty stal obětí znásilnění? To ne. Ale bylo mi jasné, že se zrovna dvakrát nebavil." Ve věku osmi let jej vzali na film *Tělesné vztahy* (1971) režírovaný Mikem Nicholsem, který ztvárňuje válku mezi pohlavími. Když došlo na scénu, ve které Art Garfunkel žadoní, aby se s ním Candice Bergenová vyspala, se slovy „No tak, pojďme na to!", ze zadní řady se ozvalo: „Mami, a co po ní vlastně chce?" V celém sále vybuchly salvy smíchu.

„Máma a její přátelé mě brali do barů, kde hráli bezva rhythm and bluesovou muziku. Já tam s nimi popíjel koktejl Shirley Temple, kterému jsem, myslím, tehdy říkal James Bond, protože se mi jméno ‚Shirley Temple' nelíbilo. Dávali jsme si mexické jídlo a kapela Jimmyho Soula nám k tomu hrála nějakou hudbu ve stylu sedmdesátých let, která se do koktejlového baru výborně hodila. Bylo to super. Díky tomu jsem neuvěřitelně vyspěl. Když jsem byl ve společnosti vrstevníků, měl jsem pocit, že jsou neskutečně dětinští. Radši jsem se poflakoval s prima dospělými."

Když smíte všechno, je to nějakou dobu zábava, ale nakonec vám dojde, že je to nestabilní. Pak se začnete pídit po pravidlech. Když bylo Tarantinovi devět, jeho matka se s Curtem rozvedla. Quentin přišel domů a našel byt prázdný, aniž by cokoliv tušil. Curt byl pryč. Connie o tom nechtěla mluvit. Tarantino se proto pohroužil do četby komiksů. Měl pocit, jako by se s Curtem rozešel i on sám. Když mu učitelka divadelního kroužku řekla, že jméno Tarantino zní fakt dobře, nenápadně se k němu vrátil. Tou dobou už začal psát scénáře, což dělal od šesté třídy, kdy zplodil variaci na *Poldu a banditu* Burta Reynoldse jménem Captain Peachfuzz and the Anchovy Bandit a ještě jeden další scénář inspirovaný jeho láskou k Tatum O'Nealové, nadměrně vyspělé náctileté televizní hvězdičce, jejímiž plakáty měl polepenou celou svou skříňku ve školní šatně.

NAHOŘE: Manhattan Beach v Kalifornii, kde Tarantino strávil svá formativní léta. PROTĚJŠÍ STRANA: Umění napodobující život. Tarantinovi chyběl otcovský vzor, který by mu ukázal cestu životem, a jako dítě strávil mnoho hodin za školou sledováním televize, stejně jako mladý Butch v *Pulp Fiction*.

Connie vypráví: „Ke Dni matek mi psal napínavé příběhy. Každý rok jsem od něj dostala povídku (ke Dni matek). Jenže on mě v nich vždycky zabil. A pak mi řekl, jak moc ho mrzí, že jsem v příběhu umřela a že mě má moc rád."

Vztah mezi Quentinem a jeho matkou šel od desíti k pěti. Přestěhovali se do losangeleské čtvrti South Bay nedaleko mezinárodního letiště, která byla posetá uniformními domky a nacházela se přímo mezi plážemi pro vyšší vrstvy a nebezpečným gangsterským ghettem, jež se rozpínalo na východ odtamtud. Zapsala ho do tamní školy, ale Quentin tam chodit nechtěl a často se schovával v koupelně, dokud jeho matka neodešla do práce. Celý den si pak četl komiksy a díval se na televizi. Když se Connie vracela domů, slýchala, jak tam Quentin prostřednictvím figurek vojáků ztvárňuje hlasité kung-fu souboje z Carson Twin Cinema, jejichž nedílnou součástí byly sprosté nadávky. „To nejsem já, mami, to ty figurky!" volal na svou matku, když si stěžovala na jeho vyjadřování. „Celé dny spal, celé noci se díval na televizi a neustále něco škrábal na papír," vzpomíná Connie. „Promiňte, že jsem nepoznala, že to je projev génia. Mně to spíš přišlo jako vyhýbání se zodpovědnosti a život s hlavou v oblacích. Jediné, co ho zajímalo, byly filmy a Hollywood. Myslela jsem, že se z toho zcvoknu."

Do školy se mu přestalo chtít chodit brzy po nástupu do první třídy. Nedokázal se soustředit a nudilo ho všechno kromě dějepisu, který mu připomínal filmy. V deváté třídě ho ze školy vyhodili. Tarantino vzpomíná: „Zavolali mámě, a když se mě zeptala, odpověděl jsem: ‚Jo, odešel jsem ze školy.' O pár dní později mi řekla: ‚Nechám tě odejít ze školy pouze pod tou podmínkou, že si seženeš práci.'"

Bylo mu patnáct a nevěděl, co dělat. Často se dostával do malérů, chodil domů pozdě a pil. Dokonce ve Walmartu ukradl román od Elmora Leonarda. Když ho policie zadržela, dostal domácí vězení na celé léto. Celou tu dobu si jen četl ve svém pokoji. Nakonec se přihlásil na Školu herectví Jamese Besta v Toluca Lake, jež byla pojmenovaná po absolventovi, který v seriálu *The Dukes of Hazzard* hrál šerifa Rosca P. Coltrana. Tarantino se tehdy oblékal jako člen gangu. Kožená bunda, na hlavě šátek, náušnice v jednom uchu. Často vedl dlouhé debaty se svým učitelem, Jackem Lucarellim, kterého se marně snažil přesvědčit o kvalitách Sylvestera Stallona.

„Moje filmy jsou neuvěřitelně osobní, ale nikdy se nepokouším o to, aby divák pochopil, jak moc. Mým úkolem je tu osobní stránku zakamuflovat tak, abych ji tam viděl jen já nebo lidé, kteří mě dobře znají.“

„Moji rodiče říkali: ‚Jednoho dne bude režisérem.' Já ale nevěděl, co to znamená. Chtěl jsem se stát hercem, protože jako dítě chce každý hrát ve filmu."

VPRAVO: Učitel herectví Jack Lucarelli na Filmovém festivalu v Beverly Hills v dubnu 2010. Učil Tarantina, jak to chodí ve filmovém průmyslu, a později si zahrál pistolníka v Tarantinově oskarovém snímku *Nespoutaný Django*.

Rich Turner, jeho spolužák, ho pak vozil domů, ale Tarantino se vždycky nechal vysadit u výjezdu z dálnice Interstate 405. „Vždycky zmizel kousek od dálnice," vzpomíná Turner. „Jeho dům jsem tak nikdy neviděl."

Tarantino si našel práci v jedné pobočce jihokalifornské sítě pornokin Pussycat. Aby místo dostal, lhal o svém věku. Dnes k tomu říká: „Pro mě v tom byla neuvěřitelná ironie. Konečně jsem dostal práci v kině, jenže v takovém, do kterého se mi chodit nechtělo." Přivydělával si také výzkumy trhu pro obchodní centrum v Torrance nedaleko svého domova. Nějakou dobu také pracoval v jedné letecké společnosti jako headhunter, až si nakonec našel místo ve Video Archives na Manhattan Beach.

Videopůjčovna Video Archives se nacházela v malém nákupním středisku poblíž rušné křižovatky na Sepulveda Boulevard. Ve skutečnosti to byl malý obchůdek, mezi jehož regály bylo jen tak tak dost místa pro zákazníky. Na obrazovkách běžely od rána do večera filmy. Zaměstnanci si pouštěli, co se jim zamanulo. Pokud zatoužili po filmu od Piera Paola Pasoliniho, prostě si jej pustili. Tarantino to komentuje slovy: „Přišlo mi, že je to nejskvělejší místo, jaké jsem kdy viděl. Vlastně by se dalo říct, že bylo až příliš úžasné. Na tři roky jsem ztratil tvůrčí ambice."

Když v roce 1985 z obchodu odešel jeden prodavač, Roger Avary přesvědčil majitele, aby zaměstnal jednadvacetiletého Tarantina. Netrvalo dlouho a Quentin pro své zákazníky pořádal minifestivaly. Každý z nich byl věnovaný některému z jeho oblíbených subžánrů: „Dva chlapi a holka" (*Jules a Jim*, *Banda pro sebe* nebo *Všude jiný děvče* od Howarda Hawkse), „Pár chlápků na misi" (*Kam orli nelétají*, *Děla z Navarone*), „Učitel, na kterého nezapomenu" (*Panu učiteli s láskou*, *Společnost mrtvých básníků*), „Matce přírodě přeskočilo" (*Žáby*, *Willard*, *Noc králíků*).

NAHOŘE: Jediné místo, kde ho filmy nezajímaly. Quentin si svou první práci našel v Jižní Kalifornii v kině Pussycat, kde se promítaly pornofilmy.

„Když pracuju na filmu, snažím se alespoň trochu redefinovat žánr. Z každého z nich udělám svoji tarantinovskou verzi. Považuju se za studenta filmu. Skoro jako bych se připravoval na profesuru v oboru kinematografie a v den, kdy zemřu, ji konečně získám. Tohle studium trvá celý život."

ADULT
ACTIO

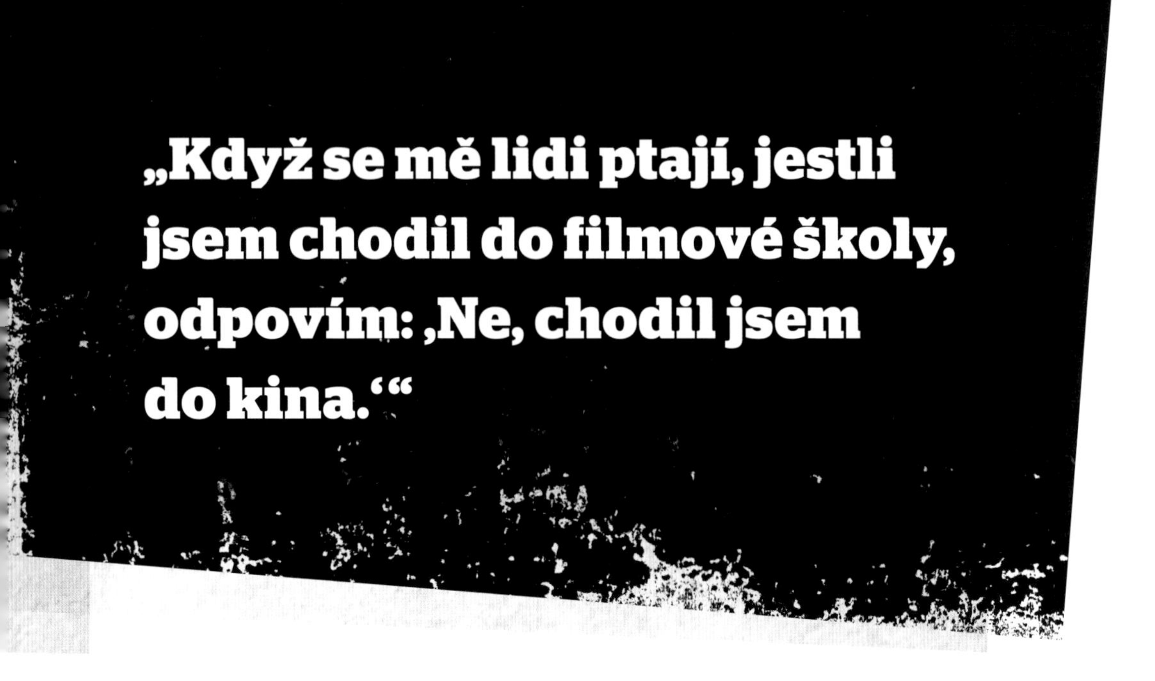

„Když se mě lidi ptají, jestli jsem chodil do filmové školy, odpovím: ‚Ne, chodil jsem do kina.‘“

STRANY 34–35: Tarantino a jeho věčná posedlost filmem. Ve videopůjčovně ve skotském Glasgow počátkem 90. let. DOLE: Jen několik z mnoha filmů, které Tarantino studoval a promítal, když pracoval ve videopůjčovně Video Archives.

„Každý týden jsem to obměňoval. Byl třeba týden Davida Carradina nebo Nicholase Raye nebo týden swashbucklerů. Většinou jsem se to snažil ušít na míru zákazníkovi. Přišla třeba žena v domácnosti, a že by ráda nějaký film. Mně bylo dvacet čtyři, jí padesát čtyři, tak jí přece nedám *Mazací hlavu* nebo *Forbidden Zone* nebo nějaký kung-fu film. Jestli má ráda Toma Hankse, nebudu se jí snažit vnutit *Pánskou jízdu*, ale doporučím jí *Vůbec nic společného*. Zeptám se ‚A viděla jste *Vůbec nic společného* s Tomem Hanksem a Jackie Gleasonovou?‘“

Video Archives byla více než jen práce. Tarantino o ní poznamenal: „Ten obchod byl jako týdeník *Village Voice* a já v něm figuroval jako filmový kritik Andrew Sarris.“ Právě tam si tříbil svůj filmový vkus a ujasňoval si své vlastní hodnoty.

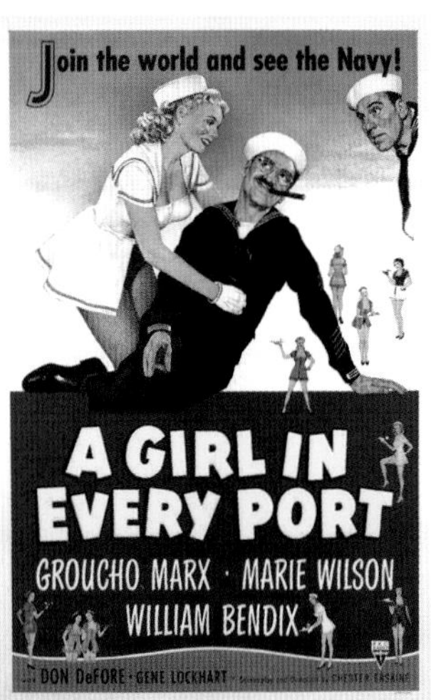

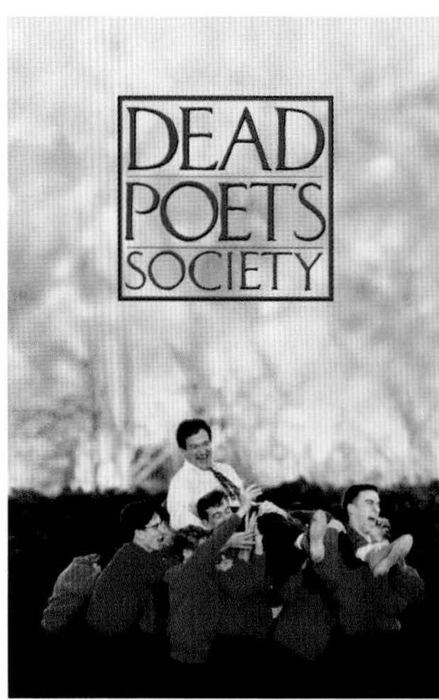

Ale ani tím to nekončilo. Později se proslavil tím, že dokázal ve svých filmech napodobit každodenní rozhovory, obzvláště pak takové, ve kterých se lidé zapáleně dohadují o nějakých popkulturních detailech. Takových diskusí absolvoval nejvíce právě ve Video Archives, kde se jako filmový fanda flákal ze všeho nejčastěji a tříbil si tak smysl pro detail a diskusní strategie. Avary k tomu říká: „Občas jsme se předháněli, kdo ví víc. On vyhrál. Quentin je prostě databanka. Je to už dávno, co jsem tenhle souboj vzdal."

To trvalo tři roky, po kterých Tarantina začala trápit otázka, zda bude celý život o filmech jen mluvit, nebo je začne i točit. Jeho ambice se opět probudily k životu. Jednou dokonce svolal všechny zaměstnance k poradě ohledně převzetí obchodu zaměstnanci. „‚Běžte za rodiči a každý si půjčte 6 000 dolarů. Ty, ty a ty. Myslím to vážně.' Nikdo ale neměl zájem. Já to místo miloval. Fakt jsem do něj dával všechno. Ale pravdou je, že kdyby se ten projekt povedl, možná bych nikdy nenatočil *Gaunery*. Nejspíš bych vlastnil Video Archives a pracoval tam."

Avary dodává: „Quentin měl jen dvě možnosti: úspěch jako režisér, nebo prodavač ve videopůjčovně. Nic mezi tím." Pro Tarantina to bylo hop nebo trop.

NAHOŘE: Z podivínů z videopůjčoven se stali nositelé Oscarů. Quentin Tarantino a Roger Avary si v roce 1995 přebírají Oscara za *Pulp Fiction* v kategorii Nejlepší scénář.

SCÉNÁŘE

Jednoho večera seděl Tarantino u svého spolužáka Craiga Hamanna v San Francisco Valley, pili koktejly Black Russian a sledovali reprízy *Miami Vice*. Toho dne došlo na šestnáctou epizodu třetí série jménem *Theresa*, ve které hrála jedenadvacetiletá Helena Bonham Carterová v roli Crockettovy přítelkyně závislé na heroinu.

„Wow," říká Hamann. „Jak se jim podařilo dostat ji do tohohle seriálu?"

„Ty jo, koukni na ten širokej záběr," říká Tarantino.

„Ale pak to podělali tím nevkusným prostřihem."

„Hele, Craigu, musíme natočit svůj vlastní film."

„To je super nápad, Quinte, ale kde na něj vezmeme prachy?"

Ten večer se příliš nacamrali na to, aby se dobrali k nějakému konstruktivnímu závěru. Druhý den ráno ale Tarantino Hammanovi zavolal a k tématu se vrátil.

„Craigu, ten film prostě musíme udělat. Máš nějaké nápady?"

„No, jeden bych měl."

„O co jde? Sem s tím!"

„No..."

„No tak, nenapínej mě!"

„Je to o týpkovi, co jako dárek k narozeninám objedná nejlepšímu kámošovi prostitutku. Ale všechno se pokazí."

„Můj hlavní cíl je vyprávět příběh, který bude strhující. Důležité pro mě je, že můj film diváka naprosto pohltí."

Tarantinovi se to líbilo, takže řekl kamarádovi, ať napíše scénář. O několik měsíců později dostal v kavárně na Ventura Boulevard do ruky scénář, který měl 30–40 stránek. „Nevadilo by ti, kdybych si to vzal domů a připsal k tomu pár scén?" zeptal se. Nakonec se scénář rozrostl na 80 stránek. Vznikl tak celovečerní film *My Best Friend's Birthday*, který společně natočili v průběhu následujících tří let za pouhých 5 000 dolarů. Použili k tomu starou 16mm kameru Bolex, do které se vešlo jen asi 30 m filmu, což znamenalo, že cívku museli měnit jednou za dvě a půl minuty. Z filmu se dochovalo pouhých 36 minut poté, co většinu postihla zkáza při požáru laboratoře. I z části, která přežila, je ale zřejmé, že se možná jedná o jediný případ, kdy Tarantinův film zachránil herecký výkon samotného režiséra.

V roli ukecaného DJ Clarence, který pracuje v místní rozhlasové stanici jménem K-Billy radio, je Quentin jediným světlým místem jinak ponuře osvětlených a poněkud křečovitých scén zaznamenaných na černobílý film. Když se s postavou poprvé setkáváme, vykládá o tom, jak ho ve věku tří let zachránilo před sebevraždou sledování *Partridge Family* („Říkal jsem si: ‚Podívám se na *Partridge Family* a pak se zabiju.'"), a uráží lidi, co mu volají do studia („Ne, já nehraju na přání. Je mi úplně jedno, co ve svým pořadu hraje Unruly Julie."). V průběhu filmu pak například omylem vyšňupe pudr proti svědění, protože si myslí, že jde o kokain, sežene prostitutku pro svého „nejlepšího přítele", diskutuje o přednostech Branda a Elvise („Nejsem teplej, ale vždycky jsem říkal, že kdybych si to měl rozdat s chlapem, třeba proto, že by na tom závisel můj život, vybral bych si Elvise."), a to celé za zvuků *Ballroom Blitz* od kapely Sweet. Tarantinův hlas je nezaměnitelný, přestože samotný film je jeden velký chaos. Zmíněný dialog nakonec skončil v *Pravdivé romanci*, stejně jako hrdinka: prostitutka, která odejde od svého pasáka.

MISTY
Poslední tři roky jsem tam pracovala v Kmartu.

CLARENCE
Vážně? V jakém oddělení?

MISTY
Audio nahrávky.

CLARENCE
Ty máš ale štěstí! Já jsem taky dělal v Kmartu!

MISTY
Opravdu?

CLARENCE
Celou dobu jsem se snažil dostat do oddělení audio nahrávek,
ale šoupli mě do oddělení dámských bot.

MISTY
Nekecej! Vždycky mi bylo líto těch chlápků, co trčeli v oddělení bot. Ty starý ženský, co si tam chodily boty zkoušet, si vždycky nechaly přinést 50 párů, než se konečně rozhodly.

CLARENCE
Jo, ale já mám tak trochu úchylku na nohy, takže se to dalo vydržet.

Po několika letech, kdy neměl dost peněz na vyvolávání filmů, se Tarantino rozhodl podívat se, co má vlastně hotové.

„Začal jsem to dávat dohromady, a byl jsem z toho zdrcený. Vůbec to nevypadalo tak, jak jsem si to představoval. Bylo to k ničemu. Pokud bych to měl dokončit, vyžadovalo by to další rok a půl postprodukce, takže jsem si raději řekl, že to budu brát jako filmovou školu. Naučil jsem se, jak se film dělat nedá. Takže jsem začal psát scénáře, abych sehnal peníze na skutečný film."

STRANA 38: Herci snímku *Pravdivá romance* v propagačním videu v roce 1993.
STRANA 39: Christian Slater ve snímku ztvárnil Clarence Worleyho, milovníka filmů na útěku před gangstery. Tuto postavu napsal Tarantino částečně podle sebe.
NAHOŘE A PROTĚJŠÍ STRANA: Hrdličky vyrazily na cestu. Alabama (Patricia Arquettová) a Clarence prchají s ukradenou zásobou kokainu ve snímku *Pravdivá romance*.

VPRAVO: Tarantino se postupně zapsal do všeobecného povědomí jako scenárista. Doprovázel také režiséra Tonyho Scotta na jeho propagačním turné.
DOLE: Plakáty *Pravdivé romance* a *Takových normálních zabijáků*.

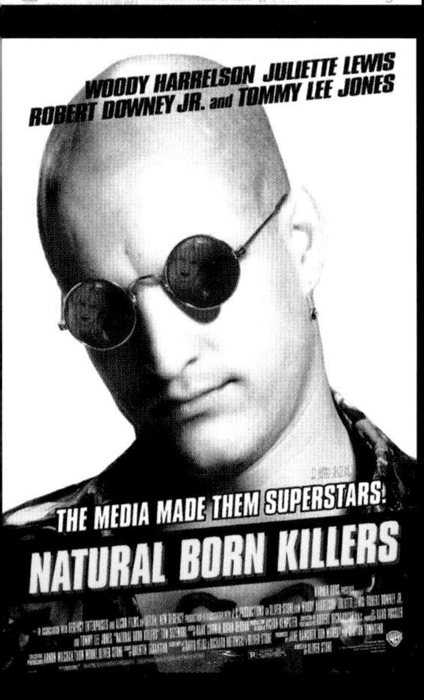

Hamann tou dobou pracoval jako asistent pro agentku Cathryn Jaymesovou a Tarantina jí představil. Rozhodla se, že dá mladému filmaři šanci, a začala jeho ranou tvorbu propagovat v Hollywoodu. Ale Tarantinova múza byla v té době poněkud záludná. Zdálo se totiž, že mu více vyhovuje převzít scénář po někom jiném a vtisknout mu svůj rukopis do té míry, že už byl de facto jeho. Jeho následující dva projekty přišly na svět jako pohrobci něčeho, co neslo název *Open Road*. Šlo o osmdesátistránkový film ve stylu *Po zavírací době*, v němž businessman nabere šílenou stopařku a ocitne se tak v jednom městečku amerického středozápadu, z kterého se vyklube hotové peklo. Scénář napsal Roger Avary, Tarantinův kamarád z Video Archives. V Tarantinově verzi se z businessmana stal prodavač v obchodě s komiksy, který se také jmenoval Clarence, jenž se vydá na cestu nikoliv se stopařkou, nýbrž s prostitutkou jménem Alabama. Zároveň pilně pracoval na scénáři o dvou zločincích na útěku – Mickeym a Mallory. Vše psal rukou a svazky papírů spojoval gumičkou. Tento projekt se nakonec rozrostl na úctyhodných 500 stran.

„Pořád se mi to nedařilo ukončit," řekl o tom Tarantino, který scénář nakonec rozdělil na dvě části, čímž vznikla *Pravdivá romance* a *Takoví normální zabijáci*. Prvního ze dvou zmíněných se nakonec ujal Tony Scott poté, co Tarantino přepracoval pro společnost CineTel scénář k *Úderem půlnoci* Rutgera Haurea. Pro stejné studio točil Scott film *Poslední skaut* a v průběhu natáčení Tarantina pozval na jeden večírek. Požádal ho, zda by si mohl přečíst scénáře, na kterých Quentin pracoval. Ten mu přinesl *Pravdivou romanci a Gaunery* a dal mu následující instrukce: „Přečti si první tři stránky. Pokud se ti to nebude líbit, zahoď to."

Tímto způsobem testoval, zda má jeho čtenář dostatečnou odvahu. Originál scénáře k *Pravdivé romanci* začíná dlouhou diskusí o orálním sexu. Tarantinovy se do té doby ve studiu nepodařilo dostat text přes první kolo čtení. Vždy se dozvěděl to samé: příliš krvavé, příliš zlomyslné, příliš vulgární. „Fuj! Ty postavy jsem od začátku nesnášel," napsal jeden ze čtenářů pro Miramax. „Koho zajímají tihle lidé a jejich příběh? Oba stojí za hovno, pokud bych měl ocitovat je samotné." Další z nich byl naprosto znechucen vulgarismy v textu a napsal Tarantinově manažerce tento vzkaz:

> *Milá Cathryn, jak se opovažuješ mi posílat takové sračky? To ses asi posrala, ne? Chceš vědět, co si o tom myslím? Jak ty na mě, tak já na tebe: jdi do prdele!*

Scott si oba scénáře pročítal v letadle na cestě do Evropy a byl nadšen. „Než jsme přistáli, už jsem věděl, že musím zfilmovat oba. Když jsem to řekl Quentinovi, on opáčil: ‚Vzít si můžeš jen jeden.'" Scott si vybral *Pravdivou romanci*. „Pro mě to byl jeden z nejdotaženějších scénářů, jaké jsem kdy četl. Celý film je taková podivná směsice. Já ho vnímám jako černou komedii."

Největší změny, které Scott provedl, se týkaly chronologie. Příběh byl původně vyprávěn na přeskáčku, podobně jako *Gauneři*, a končil tím, že Clarence umírá v přestřelce, čímž umožňuje Alabamě, aby utekla i s penězi.

INTERIÉR, ČERVENÝ MUSTANG V POHYBU, BÍLÝ DEN

Alabama se v autě řítí po dálnici. DJ v rádiu se nejspíš snaží být vtipný. Začne hrát píseň Little Arrows *od Leapy Lee. Alabama propukne v pláč. Zastaví na krajnici.*

INTERIÉR, ČERVENÝ MUSTANG V POHYBU, BÍLÝ DEN

Písnička hraje dál. Ona si otře oči ubrouskem, který vytáhne z kapsy a nakonec hodí na přístrojovou desku. Vytáhne pětačtyřicítku a hlaveň si vloží do úst. Natáhne kohoutek a podívá se na svůj odraz ve zpětném zrcátku. Ihned odvrátí zrak a zadívá se přímo před sebe.

Sevře pistoli pevněji a prst umístí na kohoutek.

Její oči spočinou na ubrousku na palubní desce. Všimne si, že jsou na něm napsaná slova.

ALABAMA
(čte z ubrousku)
Jsi tak boží!

DOLE: Christian Slater dostává instrukce od režiséra Tonyho Scotta na place v Los Angeles.

Odloží zbraň.

Alabama vystoupí z auta, otevře kufr a vyjme z něj kufřík. Hledá a nakonec najde komiks Sergeant Fury, který jí Clarence koupil.

Alabama navždy odchází od auta, v jedné ruce komiks a v druhé kufřík.

ZATMĚNÍ OBRAZU.

„Clarence jsem ve skutečnosti já. Byl to ode mě takový sebevražedný, punkový tah," říká Tarantino. „*Pravdivá romance* je nejspíš můj nejosobnější scénář, protože postavu Clarence jsem vytvořil podle toho, jaký jsem tehdy byl já sám. Pracuje v obchodě s komiksy, podobně jako já ve videopůjčovně. Když ten film vidí lidé, s kterými jsem se tehdy přátelil, přepadne je melancholie. Pro nás všechny jsou tam ukryté vzpomínky na určitou dobu. Když jsem to viděl poprvé, bylo to zvláštní, protože jsem se díval na draze natočenou verzi mých domácích videí, mých vzpomínek."

Scottova *Pravdivá romance* je zřejmě nejoptimističtější film, jaký byl kdy natočen podle Tarantinova scénáře. Jeho nihilismus je zde utlumen díky Scottovým zkušenostem z reklamního průmyslu. Je to pestrobarevná pop-artová pohádka, ve které najdeme růžové Cadillaky pod modrou oblohou, natočené za použití agresivních filtrů. Christian Slater a Patricia Arquette zde hrají milence podobné těm z filmu *Zapadákov*, kteří se vydají na cestu s balíkem ukradeného kokainu. V ději se v rychlém sledu střídají padouchové, z nichž se každý objeví na plátně jen pár minut a pak vyklidí pole pro toho dalšího. Mezi nimi najdeme například Garyho Oldmana jako drogového dealera, který uvízl v pasti, nebo Brada Pitta jako chlápka, jenž je neustále příliš zhulený na to, aby si všimnul, že má na verandě ozbrojené hrdlořezy („Nepovyšuj se nade mě!"), a Bronsona Pinchoda jako poskoka jednoho hollywoodského producenta.

Nejvíce ale ve filmu zazářil Dennis Hopper jako Clarencův otec Clifford, bývalý policajt a nyní sekuriťák, a také Christopher Walken jako mafií najatý zabiják, kterého za ním poslali, aby ho vyslýchal. Oba herci si nechali ujít možnost hrát v *Gaunerech*, ale to nám vynahradili tím, že zde ztvárnili úžasný duel mezi dvěma drsňáky. Hopper pokuřuje chesterfieldku, posmívá se Walkenovi a sype na něj z rukávu urážky o tom, že v žilách

VLEVO NAHOŘE: Alabama se opírá o kapotu svého růžového Cadillacu. VPRAVO NAHOŘE A PROTĚJŠÍ STRANA: Christopher Walken (Vincenzo Coccotti) si vynahrazuje promarněnou příležitost v *Gaunerech* rolí zabijáka, který mučí Clifforda (Dennis Hopper) v *Pravdivé romanci*.

Sicilanů „koluje černá krev". Walkena to tak pobavilo, že by si člověk mohl na chvíli myslet, že se nad Hopperem smiluje. Během natáčení těchto scén často nedokázali zadržet smích a hlášky jako „jsi tak trochu lilek" nebo „jsi ananasový meloun" jsou výsledkem jejich improvizace.

Onen proslov o Sicilanech má původ u jednoho z Tarantinových přátel, který u něj jednou přespával. Tarantino k tomu říká: „Věděl jsem, že Cliff musí toho chlápka šíleně urazit a donutit ho tak, aby ho zabil. Bylo mu jasné, že kdyby ho začal mučit, prozradí mu, kde je Clarence, což samozřejmě nechtěl. Já jsem věděl, jak chci, aby scéna skončila, ale nechtěl jsem ten dialog napsat strategickým způsobem. Nechtěl jsem tu scénu piplat. Prostě jsem ty dva dal do jedné místnosti. Věděl jsem, že Cliff nakonec musí začít vykládat o těch Sicilanech, ale netušil jsem, co bude říkat Coccotti. Prostě se dali do řeči a já to zaznamenal. Připadám si skoro jako podvodník, že jsem si přivlastnil zásluhy za ten dialog. To jsem nebyl já, ale ty postavy. Vnímám to tak, že se jedná o hereckou improvizaci, ve které já hraju všechny postavy zároveň. I proto rád píšu na papír – pomáhá mi to právě v tomhle procesu. Já to tak mám."

„Lidé mi často říkají: ‚Píšeš skvělé dialogy'. Já si ale v takovou chvíli připadám jako podvodník, protože ty dialogy ve skutečnosti nepíšu já, ale moje postavy."

NAHOŘE: Woody Harrelson a Juliette Lewisová pózují pro propagační fotografii filmu *Takoví normální zabijáci*, 1994.
PROTĚJŠÍ STRANA: Otec Clifford a syn Clarence mají v *Pravdivé romanci* vratký vztah, což je podle Tarantina velmi autobiografické.

Je velmi výmluvné, že sáhl tak hluboko, právě když psal rozhovor, jehož prostřednictvím se otec obětoval za svého syna. Tarantinovo dílo se přímo hemží vztahy otec–syn, které v sobě mají různou míru oddanosti, nebo naopak destruktivnosti. Například v *Gaunerech* najdeme vztah mezi panem Oranžovým a panem Bílým, jehož hrál Harvey Keitel („otec, kterého jsem nikdy neměl"), který začne neutuchající loajalitou a prostřednictvím zrady dospěje až k vraždě. Dále tu máme Butche Coolidge v *Pulp Fiction*, který vyrůstal bez otce, ale přesto s sebou všude nosil hodinky, jež mu po něm zůstaly. A nejvíce ze všeho je tento motiv patrný v postavě Billa v *Kill Bill*, což je Tarantinovo nejupřímnější vymítání ďábla v podobě ambivalentního vztahu k otcům biologickým i adoptivním. Sám Tarantino děj označil za „podtext, který je tak čitelný až je to vlastně text". Nejdojemnější je ale scéna v *Pravdivé romanci*, která se odehraje mezi Clarencem a Cliffem poté, co se usmíří po tříleté odluce. Tarantino o ní prohlásil: „Je to nejautobiografičtější scéna, jakou jsem kdy napsal."

CLARENCE
Vždyť jsem od tebe, sakra, nikdy nic nechtěl. Když se s tebou máma rozvedla, chtěl jsem někdy po tobě něco? Ne! Nechtěl. Často jsem tě celé měsíce neviděl. A prudil jsem tě kvůli tomu? Ne! Vždycky jsem jen řekl ‚Ok, žádnej problém. Máš toho moc, já to chápu.' Celou tu dobu, co ses opíjel, ukazoval jsem na tebe prstem nebo pomlouval tě? Ne! Všichni ostatní jo, ale já ne! Jak vidíš, vím, že jsi prostě špatnej rodič. Tahle role ti prostě moc nejde. Ale vím, že mě i tak máš rád. Já si normálně umím se vším poradit. Kdybych fakt nepotřeboval pomoc, neprosil bych se tě o ni. Ale když mě odmítneš, tak je to v pohodě. Vodprejsknu a nebudu dělat cavyky.

Takoví normální zabijáci stejné štěstí neměli. Nejprve se Tarantino marně pokoušel tento příběh natočit sám s rozpočtem 500 000 dolarů a následně se rok a půl snažil sehnat peníze, kde se dalo. Nakonec scénář v roce 1991 prodal dvěma ambiciózním čerstvým absolventům, Jane Hamsherové a Donu Murphymu, za pouhých 10 000 dolarů. To bylo právě v době, kdy šli do produkce *Gauneři*. Když se navzdory všem očekáváním z tohoto filmu stal trhák, Tarantino se pokusil scénář odkoupit zpět, ale na to už bylo pozdě. Práva mezitím prodali společnosti Warner Bros., která do role režiséra obsadila Olivera Stonea. Ten se pokusil k sobě přetáhnout polovinu herců z *Gaunerů*, včetně Tima Rotha, Steva Buscemiho a Michaela Madsena. Posledně jmenovaný vzpomíná: „Oliver Stone mi zavolal a říká: ‚Když obsadím tebe, vydělám 2,5 milionu, přičemž rozpočet na film je 20 milionů. Když to ale dám Woodymu Harrelsonovi, utržím 30 milionů a mých z toho bude 5. To taky udělám.' Mezitím mi volal Quentin a přemlouval mě: ‚Nesmíš do toho jít s Oliverem, on to posere!'"

Stone scénář přepsal, ale zachoval v něm některé dialogy, ve kterých je znát Tarantinův rukopis, včetně rozpočítávání „Eenie, meenie, minie, moe", které Mallory pronáší na začátku, nebo rozhovor mezi Waynem a Mickeym, ve kterém hodnotí sériové vrahy („Na Mansona nemáš!" „No, je dost těžký překonat krále."). V Tarantinově verzi jsou ale Mickey a Mallory jen vedlejší role. On se soustředí na televizního reportéra Wayna Galea, kterého ve Stoneově filmu hraje Robert Downey jr., a jeho produkční tým, v němž figuruje kameraman, zvukař a asistent. Tarantino je pojmenoval Scott, Roger a Julie podle svých kolegů z Video Archives.

INTERIÉR, PŘENOSOVÝ VŮZ, DEN

Roger se prohrabuje krabicí donutů. Scott na něj našvenkuje a následně nazoomuje.

ROGER
Kde je sakra ten čokoládovej s krémovou náplní? Vzal si někdo můj čokoládovej s krémovou náplní? Jestli jo, tak ten je můj.

Detail na Rogera, který se dívá do kamery.

ROGER
Já jsem si ukázal na čokoládovej s krémovou náplní. Viděl jsi mě, že jo?

Wayne začne mluvit. Kamera našvenkuje z Rogera na detail Waynovy tváře.

WAYNE
Byl jsi přece u toho. Viděl jsi, že by ho dával do krabice?

Kamera přejede zpátky na detail Rogera.

ROGER
V tu chvíli jsem se zabýval něčím jiným. Musel jsem vysvětlovat Scottovi určitý nuance filmovýho umění.

Kamera zoomuje zpět na širokoúhlý záběr.

SCOTT
Jo, jasně. Víš, co mi říkal? Tvrdil že *Indiana Jones a Chrám zkázy* je Spielbergův nejlepší film.

Wayne se rozesměje. Slyšíme, jak se směje i Scott.

WAYNE
(směrem k Rogerovi)
Děláš si srandu, že jo?

ROGER
(stále se soustředí na krabici s donuty)
Myslím to úplně vážně, stejně jako to, že se vrátím do toho obchodu s donuty a nacpu tomu blbýmu Mexičanovi ksicht do těsta za to, že zapomněl na můj čokoládovej s krémovou náplní. Dejte mi tu druhou krabici.

PROTĚJŠÍ STRANA: Glorifikovaný zločin. V *Takových normálních zabijácích* média v rozhovoru s odsouzencem Mickeym hltají každé jeho slovo. NAHOŘE: Režisér Oliver Stone natočil mnoho scén *Takových normálních zabijáků* kamerou natočenou o 45 stupňů a s použitím barevných filtrů, čímž se snažil podtrhnout napětí a šílenství v hlavách postav.

„Jestli se vám líbí moje věci, tenhle film se vám možná líbit nebude. Pokud ale máte rádi Oliverovu tvorbu, nejspíš budete nadšení.“

Je těžké si představit, že by se podobná scéna plná ostrého, ale zároveň uvolněného humoru, dostala do konečné verze filmu Olivera Stonea, pro který je charakteristický frontální útok na všechny smysly. Vrstvená koláž filmařského přístupu Roberta Richardsona v *Takových normálních zabijácích* možná předznamenává směsici stylů, která se objevila v Tarantinově pozdější tvorbě: v *Kill Bill*, v *Hanebných panchartech* nebo v *Nespoutaném Djangovi*. „Jako satirik je ale dost neohrabaný," napsala Janet Maslinová pro *New York Times*. „Pokud se podíváme pod povrch *Takových normálních zabijáků*, najdeme jen značně banální představy o Mickeym, Mallory a zlých médiích." Souhlasili s ní i jiní. „Satira vyžaduje určitý chladný odstup, ale Stoneův styl je osobní a rozžhavený do běla," napsal Hal Hinson pro *Washington Post*. „Je možné, že se naše společnost řítí do takové kalamity, jakou popisuje v *Takových normálních zabijácích* Oliver Stone, ale hysterie, kterou ve filmu vykresluje, zjevně vyvěrá z jeho nitra."

Zdaleka nejlepší komentář k tomuto snímku ale poskytl samotný Tarantino: „Kéž by se Stone prostě doslova držel mého scénáře," prohlásil poté, co si vyžádal, aby v titulkách nefiguroval jako scenárista, ale „spoluautor příběhu". „Jeho největší problém je ten, že jeho doslovnost vyruší jeho energii, ale zároveň je jeho energie hnacím motorem jeho doslovnosti. On je něco jako Stanley Kramer ve velkém stylu." Za takovou analýzu by se nemusela stydět ani Pauline Kaelová.

Z peněz za *Takové normální zabijáky* si Tarantino koupil třešňově červený Chevrolet Malibu, kterým později John Travolta jezdil v *Pulp Fiction*. To ale přišlo až později. Ve věku kolem pětadvaceti let nebyl Quentin zrovna dvakrát spokojeným člověkem. Žil v jednopokojovém bytě přímo pod letovým koridorem u losangeleského letiště. Jezdil otlučenou Hondou Civic, docházel na hodiny herectví a sbíral jedno profesní odmítnutí za druhým. Ke konci osmdesátých let se zkrátka zdálo, že se jedná o dalšího zkrachovalého génia, kterému se nepodařilo prorazit ve světě filmu. Mezi jeho přáteli se vykládal vtip, že pokud chcete poslat dopis Quentinovi, na obálku musíte napsat „Quentin Tarantino, samotný okraj filmového průmyslu". On to nesl dost těžce. „V té době jsem byl takový ten typický rozhněvaný mladý muž, protože jsem toužil po tom, aby mě lidi brali vážně, a dost mě štvalo, když se mi to nedařilo," okomentoval toto období Tarantino. „Právě díky téhle frustraci jsem ale napsal *Gaunery*."

Když se 4. července 1989 účastnil grilovací party u svého kamaráda, herce Scotta Spiegela, představili mu producenta Lawrence Bendera. Byl to hubený pohledný mladík židovského původu. Pocházel z Bronxu a původně se pokoušel o kariéru tanečníka baletu, ale pak mu to překazilo zranění a on se vydal na dráhu producenta. Benderovi se krátce předtím podařilo sehnat peníze na Spiegelův slasherový film *Narušitel*, který se ale k jeho zděšení dostal pouze na videokazety. Přemýšlel o tom, že z branže odejde. Jinými slovy, choval v sobě podobnou deziluzi a zmařené ambice jako Tarantino.

Bender vypráví: „Ani jednomu z nás se tehdy nedařilo. Byli jsme oba outsideři. Marně jsme se snažili vybojovat si místo ve filmovém světě."

Když mu představili pětadvacetiletého Tarantina, zarazil se: „Tarantino. To jméno mi přijde neuvěřitelně povědomé. Četl jsem jeden scénář, jmenovalo se to *Pravdivá romance*, ale to byl asi jiný Tarantino..."

„To je můj scénář," vykřikl Tarantino.

„Vážně? Ten byl fakt super. Vynikající."

Bender se ho zeptal, na čem právě pracuje. Tarantino mu ukázal scénář pro *Takové normální zabijáky* a řekl mu, že má další nápad na příběh o zpackané loupeži, jehož středobodem by bylo setkání lupičů po incidentu a který by se odehrával v reálném čase. Postupně se každý z nich objeví na scéně a oznámí, že někoho zastřelili, někdo byl zraněn, někoho zabili, někdo je tajný polda, ale samotnou loupež divák nikdy nevidí.

„Jak mi tak ten příběh vyprávěl, věděl jsem, že jsme na stopě něčemu opravdu velkému," prohlásil Bender, který Tarantina pobídl k tomu, aby scénář napsal.

V tu chvíli Tarantino jakž takž vycházel s penězi díky honoráři, který obdržel za účinkování v *The Golden Girls*. Vydal se tedy do papírnictví, koupil si sešit a propisky – dvě červené a dvě černé. Za pouhých tři a půl týdne napsal scénář ke *Gaunerům*, přestože samotný nápad se datoval do dob, kdy pracoval ve Video Archives a dával dohromady jeden regál s filmy o loupežích, jako

PROTĚJŠÍ STRANA: Woody Harrelson a Juliette Lewisová jako manželé-zabijáci Mickey a Mallory Knoxovi v *Takových normálních zabijácích*.
NAHOŘE: Tarantino, nový hollywoodský talent, 1993.

„Byli jsme oba outsideři. Marně jsme se snažili vybojovat si místo ve filmovém světě.“

— Lawrence Bender

například *Rvačka mezi muži*, *Topkapi* nebo *Případ Thomase Crowna*.

„Přišlo mi příšerné, že v těhle filmech často provedli tu loupež, ale pak jim vždycky hodil osud nějaký klacek pod nohy," řekl k tomu Tarantino. On místo toho zvolil styl, který později pojmenoval „nejdříve odpovědi, až pak otázky". U něj se vše odvíjelo od bodu, kdy celý původní plán vzal za své. Každá postava pak dostala vlastní „kapitolu", která poskytla částečné rozřešení té záhady. „Vždycky jsem *Gaunery* vnímal jako román, který nikdy nenapíšu," řekl k tomu. „Nevím, jestli by v něm tahle dramatická struktura vůbec fungovala. Byla to prostě moje teorie – že kdybyste vzali romanopisecký postup a naroubovali ho na film, mohlo by to působit v kině skvěle. Stejně to i sestříhat a odvyprávět."

Jednoho večera o pár týdnů později zavolal Tarantino Benderovi, který tou dobou bydlel ve West Hollywoodu. „Neměl auto a já si nemohl dovolit zaplatit za kopie, tak jsem nasedl do auta a jel za ním," vypráví producent, jenž po příjezdu našel Tarantina shrbeného nad starým psacím strojem Smith Corona, který patřil jeho přítelkyni, jak pečlivě přepisuje jednu stránku za druhou. Dříve při kopírování scénářů využíval pomoci svých přátel, ale ti jeden po druhém odpadli. Bender si výsledek přečetl a našel v něm mnoho pravopisných chyb, totální absenci formátování a také nepopiratelně geniální nápady.

„Wow, to je mimořádné," řekl mu. „Dáš mi nějaký čas, abych sehnal peníze?"

„Ne, to už jsem slyšel tolikrát," odvětil Tarantino, který už se mnohokrát předtím spálil. „Zapomeň na to. Něčemu takovému nevěřím."

Chtěl *Gaunery* financovat sám a udělat z nich supernízkorozpočtový černobílý film, natočený na 16mm kamery, to vše za pouhých 10 tisíc dolarů. Jako herce chtěl do filmu obsadit přátele a sám hrát pana Růžového, zatímco Eddieho by hrál Bender. „Nikdo mi na to nechtěl dát peníze, ale já jsem si řekl, že přece nestrávím další rok tím, že budu o natáčení jen mluvit," vzpomíná. „Měl jsem za sebou šestileté období, ve kterém jsem se snažil získat smlouvu na film. Nikdo ale nechtěl riskovat a dát mi třeba milion dolarů."

Bender ho požádal o šest měsíců.

„Ani náhodou. Dám ti dva měsíce s tím, že to případně můžeme protáhnout o jeden další."

Na papírový ubrousek napsali smlouvu a podepsali ji. Tarantino se přestěhoval zpět k matce, aby ušetřil na nájmu, a Bender mezitím obcházel nejrůznější lidi se scénářem. Jeden potenciální investor jim nabídl 1,6 milionu dolarů, pokud konec udělají ve stylu filmu *Podraz*, kde všichni mrtví najednou vyskočí na nohy. Jiný jim nabídl půl milionu, pokud by nechali jeho přítelkyni hrát roli pana Světlého. Další potenciální zájemce byl údajně připraven prodat svůj dům, jen kdyby mohl ten film režírovat. Bender vzpomíná: „Moc jsem to nedával znát, ale měl jsem pocit, že máme před sebou něco velkolepého. Ne snad, že bych někdy dřív něco podobného zažil, ale prostě jsem to cítil v kostech."

Za sedm měsíců od té doby začali točit. Tarantino o tom říká: „Měl jsem v plánu to pojmout opravdu partyzánsky, tak jako Nick Gomez při natáčení *Zákonů přitažlivosti*. Přestal jsem věřit v to, že mi někdo opravdu dá peníze. A hned na to jsem prostředky získal."

NAHOŘE: Konečně chvíle na odpočinek. Tarantino a producent Lawrence Bender během natáčení průlomového *Pulp Fiction* v roce 1994.
STRANY 54–55: Portrét od Levona Bisse, 2012.

REŽISÉR

GAUNEŘI

1992

„Tento film je věnován následujícím lidem, kteří mě inspirovali: Timothy Carey, Roger Corman, Andre de Toth, Chow Yun-Fat, Jean-Luc Godard, Jean-Pierre Melville, Lawrence Tierney a Lionel White..."

Tato slova najdeme na úvodní stránce scénáře ke *Gaunerům*. Tarantino se tak vůbec netají tím, že si půjčuje od jiných, a nezapomíná na Lionela Whitea, scenáristu Kubrickova *Zabíjení*, a Timotyho Careye, který v tomto filmu hrál. Zmiňuje také Chow Yun-Fata, v jehož filmu *City on fire* figuruje tajný polda, který infiltruje bandu zlodějů, již se chystají pro svého plešatícího šéfa vykrást klenotnictví. Najdeme tu i Lawrence Tierneyho, veterána mezi herci a hvězdu filmu *Dillinger* z roku 1945, kterého Tarantino obsadil do role mafiánského kmotra Joe Cabota. Francouzský režisér Jean-Pierre Melville („Godard, z kterého jsem nevyrostl"), jehož gangsteři, oblečení do elegantních plášťů, byli dokonalým ztělesněním estetiky francouzské nové vlny. Tarantino samozřejmě nezapomněl ani na samotného Godarda, jehož filmy *U konce s dechem* (1960) a *Banda pro sebe* (1964) významnou měrou ovlivnily Tarantinovu estetiku, ve které se mísí zdánlivě neslučitelné vlivy.

„Skuteční umělci kradou, neskládají nikomu pocty," prohlásil. „Jestli má moje dílo něco do sebe, je to díky tomu, že si něco vypůjčím tu od toho a jindy od támhletoho. Všechno to smíchám dohromady, a když se to někomu nelíbí, ať na to nechodí, že jo..."

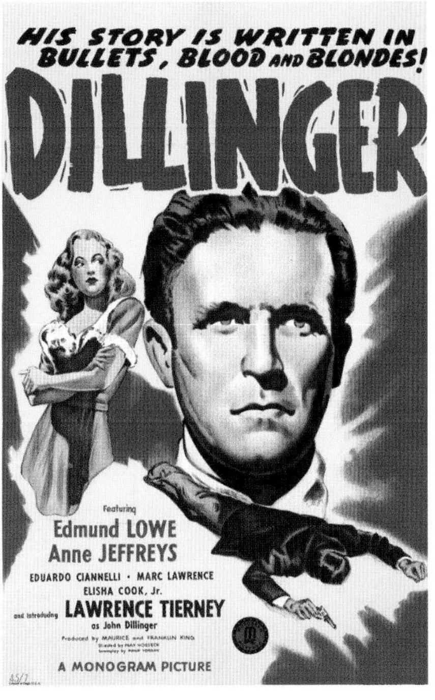

NAHOŘE: Tarantino pracuje na scénách z *Gaunerů* se Stevem Buscemim (uprostřed) a Tomem Sizemorem (vpravo) na režisérském workshopu v rámci filmového festivalu Sundance.
VLEVO: Tarantinův debut si nepokrytě vypůjčuje strukturu děje a motivy z gangsterek jako *Zabíjení* (1956) Stanleyho Kubricka nebo *Dillingera* (1945) Maxe Nossecka.

„Tenhle film není pro každého. To nikdy nebylo mým cílem. Nechci tím nikoho shazovat. Říkám jen, že jsem ho natočil pro sebe, a kdokoliv, koho to zajímá taky, se ke mně může přidat."

NAHOŘE: Zahloubaný na place při natáčení svého prvního celovečerního filmu. Tarantino často říkal, že *Gauneři* byli jeho „velkou odměnou za vytrvalost".
PROTĚJŠÍ STRANA: *Gauneři*. Na scénách v bistru Uncle Bob's Pancakes je patrné, že se z Tarantina stal vyspělý režisér.

Tato metoda, pomocí níž vznikly Tarantinovy rané scénáře, se později vyvinula v jeho základní tvůrčí postup, kterého se držel následující tři dekády. Někdy se dějem jiných filmů inspiroval, jindy si jejich části vyloženě vypůjčoval, a to do takové míry, kterou by mnozí scenáristé neustáli. Tarantino vždy následně představil divákovi svoji vlastní verzi, která se od originálu lišila natolik, že nebylo možné jej obvinit z plagiátorství. Vžilo se pro to adjektivum „tarantinovský". Tvůrci remixu, rappeři, Andy Warhol nebo Jean-Luc Godard – ti všichni by mu jistě rozuměli. Z *Přepadení vlaku z Pelhamu* (1974) si například vypůjčil nápad, že si zloději v gangu zvolí kódová označené podle barev, ale jen Tarantina by mohlo napadnout, že je to poštve proti sobě a že se začnou hádat o tom, kdo bude mít jakou barvu. Podle jeho slov to ale vlastně ani nebyla jeho zásluha. „Ty postavy se začaly hašteřit jako školáci o tom, jakou kdo bude mít barvu. Mluvily o tom dál a dál a já to jen zapsal. Pak jsem sám jen zíral." Tarantino nechal své postavy volně se pohybovat v rámci jeho jasně vytyčených narativních mantinelů. „Pokud nějaká postava udělá něco opravdového, co nezapadá do původního plánu, no, tak to prostě udělá. Já si nehraju na Boha a nesnažím se do toho zasahovat. Takový je můj způsob práce. Nechám postavy improvizovat a sám jsem jako soudní zapisovatel, který to jen zaznamenává."

Šlo by jej také připodobnit k někomu, kdo plánuje loupež. Je bezpočet režisérů, kteří svůj debut na stříbrném plátně věnovali příběhům o přepadení. Nebyl to jen Tarantino se svými *Gaunery*, ale také Woody Allen (*Seber prachy a zmiz*), Michael Mann (*Zloděj*), Wes Anderson (*Grázlové*) a Bryan Singer (*Obvyklí podezřelí*). Mezi loupeží a filmovým debutem, který má sám o sobě podobu přepadení ze zálohy, začíná vyvstávat nápadná podobnost. U obou hraje velkou roli kolize mezi původním plánem a neočekávanými zádrhely a náhodami, které se stanou až v den, kdy k samotné události má dojít. Obojí od členů týmu vyžaduje schopnost improvizovat. Všichni se musí umět přizpůsobit změnám, ke kterým dochází. U obojího platí také to, že když se to povede, na konci čeká pořádný pytel peněz, ale zároveň zde platí Murphyho zákon – když se něco může pokazit, pokazí se to.

Pokud byl prvním členem Tarantinova gangu Lawrence Bender, druhý z nich byl Monte Hellman, kultovní režisér dvou westernů, které měl Tarantino v oblibě: *Střelba* a *Jízda v bouři*. Díky Benderovým konexím se Tarantino s Hellmanem seznámil v jedné zmrzlinárně na Hollywood Boulevard jménem C. C. Browns. Hellman si nejprve myslel, že mu Quentin nabízí post režiséra jeho filmu.

NAHOŘE: Harvey Keitel (pan Bílý) byl jako zkušený herec a producent pro film velkým přínosem.
PROTĚJŠÍ STRANA: „Ještě půl litrů krve a je po něm." Když Tim Roth natáčel krvavé scény, ve kterých postupně umírá, celé hodiny ležel na zemi v kalužích sirupu.

Tarantinovi vlilo do žil odvahy to, že se mu nedlouho předtím podařilo prodat scénář k *Pravdivé romanci*. Tentokrát trval na tom, že film bude režírovat on sám. Hellman se do projektu zapojil jako výkonný producent a oslovil s ním studio Live Entertainment, které se dříve zabývalo distribucí pornofilmů. Jeden z představitelů studia jménem Richard Gladstein se projektu ujal a dal mu seznam deseti herců s tím, že pokud se jim podaří obsadit jednoho z nich, poskytne jim na natáčení 1,3 milionu dolarů. Pokud obsadí dva, budou to dva miliony. Na seznamu figurovali Christopher Walken, Dennis Hopper a Harvey Keitel.

Ukázalo se, že Lily Parkerová, manželka Benderova učitele herectví, znala Keitela z Actors Studio, takže se jim podařilo dostat do jeho rukou kopii scénáře. Keitel vzpomíná: „Prostě mi řekla: ‚Mám pro tebe scénář a myslím, že se ti bude líbit.' Když jsem si ho přečetl, velmi mě to oslovilo. Quentin měl v sobě nový způsob pohledu na odvěká témata, jako jsou přátelství, důvěra, zrada a vykoupení."

Keitel si scénář přečetl jednoho sobotního večera a následujícího rána zavolal Benderovi. Na záznamníku mu svým nezaměnitelným brooklynským přízvukem nechal vzkaz: „Dobrý den, tohle je vzkaz pro Lawrence Bendera. Tady Harvey Keitel. Četl jsem scénář *Gaunerů* a rád bych si s vámi o něm promluvil."

Herec vzpomíná na první setkání s Tarantinem předtím, než ho definitivně obsadil: „Otevřel jsem dveře a tam stál takový nemotorný chlápek, civí na mě a říká: ‚Harvey Keitel?' Vyslovil to jako ‚kítl' a já ho hned opravil, že je to ‚kaitl'. A tak všechno začalo. Nabídl jsem mu něco k jídlu a on toho snědl fakt hodně. Zeptal jsem se ho: ‚Jak se stalo, že jsi napsal takový scénář? Vyrůstal jsi v nějaké drsné čtvrti?' On odvětil, že ne. Ptal jsem se dál: ‚Měl někdo z tvé rodiny cokoliv do činění s nějakými drsňáky?' Opět odpověděl, že ne. Já říkám: ‚Tak jak je sakra možný, že jsi napsal tohle?' A on odpověděl: ‚Dívám se na hodně filmů.'"

A tak obsadili roli pana Bílého. Nejenže do toho Keitel šel, ale Tarantino a Bender díky tomu měli v kapse 1,5 milionu dolarů, Tarantino si směl ponechat post režiséra a mohli se vrhnout na casting pro ostatní role. Keitel se znal s Christopherem Walkenem a Dennisem Hopperem a snažil se je přesvědčit, ať do toho jdou také. Oba odmítli, ale scénář už koloval mezi agenty a herci a čím dál víc se dostával do kurzu. Keitel všem zaplatil letenky do New Yorku. On sám cestoval první třídou, Tarantino a Bender druhou. Účelem cesty bylo dohlédnout na casting v malé kanceláři na 57th Street. Dorazilo více než šedesát herců a jejich úkolem bylo nadávat svázanému Benderovi, který hrál zajatého policistu. Mezi kandidáty byli i George Clooney, Samuel L. Jackson, Robert Foster a Vincent Gallo.

„Líbí se mi představa, že se divák směje, a najednou bum! O chvíli později jsou zdi od krve.“

NAHOŘE: Šéf gangu Joe Cabot ztvárněný Lawrrencem Tierneym (napravo) uděluje ostatním přezdívky jako režisér, který rozdává role.
PROTĚJŠÍ STRANA: Michael Madsen v roli pana Světlého míří na svůj cíl.

James Woods dostal nabídku hrát roli, o které všichni předpokládali, že je to pan Oranžový, a později byl naštvaný na svého agenta, že nabídky na honorář nepřijal. „Fakt jsme si užili už jen proces výběru té správné kombinace herců," říká k tomu Tarantino.

Michael Madsen během konkurzu původně četl part pana Růžového, který Tarantino napsal sám pro sebe. S režisérem se nikdy předtím nesetkal. „Stál tam se založenýma rukama, zatímco Harvey seděl bosý na gauči," vzpomíná Madsen. „Já jsem se ucházel o roli pana Růžového a Quentin říká: ‚OK, tak mi ukaž, co v tobě je.' To byl jeden z mála případů, kdy jsem si dialog nacvičil. Předvedl jsem pár scén s panem Růžovým. Když bylo po všem, Quentin se na mě podíval a povídá: ‚To je všechno? Aha, dobře. Nejsi pan Růžový, ale pan Světlý. A pokud ne, pak ve filmu nebudeš vůbec.'"

Steve Buscemi se původně zaměřil na role Eddieho a pana Oranžového, ale po přečtení scénáře trval na tom, že bude pan Růžový. V poslední den konkurzů vyšel Tarantino za Buscemim do čekárny a řekl mu: „‚Roli pana Růžového jsem napsal pro sebe, takže prostě musíš jít dovnitř a ukrást mi ji. Jinak ji nedostaneš. Nebudu ti házet klacky pod nohy, ale zadarmo ti nic nedám. Musíš mi tu roli prostě vzít. Tak do toho!' No, a přesně to on udělal." Tarantino mu novinu, že roli dostal, sdělil na záchodcích o několik hodin později. „Quentin vejde dovnitř a začne močit do vedlejšího pisoáru. Potom mi říká: ‚Jo, mimochodem, dám ti tu roli pana Růžového.'" vypráví Buscemi.

Mezitím si v Los Angeles přečetl scénář Tim Roth a líbila se mu role pana Oranžového, ale i přesto se odmítl zúčastnit konkurzu. Keitel ho vzal do cukrárny a pokoušel se ho přesvědčit, ale bez úspěchu. Nakonec vzal Tarantino Rotha do jeho oblíbeného filmového baru na Sunset Boulevard jménem Coach and Horses a pořádně se spolu namazali. „Přehraju ti cokoliv, co budeš chtít," prohlásil Roth někdy kolem dvou ráno. Tarantino začal psát nějaký dialog na pivní tácky. Poté koupil ve večerce další piva a společně se vydali do hercova bytu, kde si pročetli celý scénář pětkrát po sobě. „Byli jsme úplně namol," vzpomíná později Roth. „To byl jediný případ za posledních několik let, kdy jsem něco četl." Roli dostal. Posledním členem gangu byla střihačka Sally Menkeová, jejíž nejvýznamnější práce do té doby byl seriál *Želvy ninja*. „Ozvala jsem se jim, Tarantino mi poslal scénář jménem *Gauneři* a mně to přišlo úžasné," řekla k tomu. „Úplně mě to dostalo. Mým hrdinou byl Scorsese, obzvláště kvůli tomu, že spolupracoval s ženou-střihačkou jménem Thelma Schoonmakerová, a tenhle scénář měl podobný tón. Když jsem později zjistila, že se na tom podílí Harvey Keitel, rozhodla jsem se, že tu práci musím dostat. Nikdy jindy jsem o žádný projekt takto neusilovala. Byla jsem na túře v Kanadě na jedné odlehlé hoře v Banffu, když tu jsem zahlédla telefonní budku. Zavolala jsem jim a oni mi potvrdili, že jsem tu práci dostala. Vykřikla jsem radostí tak hlasitě, že se mi vracela ozvěna z okolních hor."

Když se celý tým sešel v Malibu u Harveyho Keitela, někteří herci, především Eddie Bunker (pan Modrý) a Lawrence Tierney, si začali vyměňovat historky z dob, kdy byli zavření. „Richard Gladstein a já jsme se podívali jeden na druhého a prohlásili jsme: ‚To je ono, to je už samotný film. Právě v něm jsme,'" řekl Bender. Vznikla tak sevřená skupina, že ji Keitel přirovnal ke dvanácti apoštolům z *Posledního pokušení Krista*. Tarantino později odjel mírně opilý zpět do svého bytu v Glendale. Nepamatoval si, že by kdy byl tak šťastný. *Pokud neztratím tah na branku, vznikne skvělý film*, pomyslel si údajně. *Tyhle týpky bych mohl obléct do bílých košil a postavit je proti bílé zdi a stejně bych měl slušný film*.

Natáčení *Gaunerů* začalo 29. července 1991 a trvalo pouhých pět týdnů. Natáčelo se třicet dní v San Fernando Valley. V průběhu prvního týdne udělali úvodní scénu v Uncle Bob's Pancakes a v kanceláři. Druhý týden se točily exteriéry, včetně honičky, přestřelky a únosu auta panem Růžovým. Třetí a čtvrtý týden připadly na scény ve skladu, což byl ve skutečnosti pohřební ústav na rohu North Figueroa a 59th Street ve čtvrti Highland Park. Kameraman Andrzej Sekula točil na film s nejnižší citlivostí, jakou Kodak vyrábí, tedy 50 ASA, protože jen tak měl výsledek výrazné barvy, které odpovídaly Tarantinovým představám. Museli nasvítit celý sklad, čímž teplota stoupla na 43 stupňů. Bylo tam takové horko, že kaluž krve, ve které ležel Tim Roth a která byla ve skutečnosti sirup, neustále vysychala a Roth tak zůstával přilepený k podlaze. Její množství reguloval k tomuto účelu najatý medik („OK, ještě půl litru a je mrtvý.").

Chtěl jsem, aby červená byla tak červená, až budou vylézat oči z důlků, aby modrá byla modrá, aby černá byla opravdu černá, a ne šedivá," komentoval natáčení Tarantino. „Každý záběr jsme museli doslova vypotit. V tom skladišti bylo jako v horkovzdušné troubě. Všichni jsme se tam smažili zaživa, ale stálo to za to, protože film díky tomu získal ty syté barvy."

Většinu filmu Tarantino režíroval s očekáváním, že každou minutu mu může někdo zaklepat na rameno a vyhodit ho. On a Bender vtipkovali, že jsou nejméně zkušení lidé na place. Když natáčeli přestřelku a útěk pana Růžového, neměli dost peněz na to, aby zavřeli celou ulici, a dopravu řídili jen dva policisté. Buscemiho dostalo, když mu Tarantino řekl: „Celé to proběhne následovně. Vystřílíš zásobník na policajty, a jestli budeš mít zelenou, naskočíš do auta a odjedeš."

„Jestli budu mít zelenou?" odpověděl Buscemi. „Chceš mi říct, že jsi nenechal zastavit provoz?"

„No, tak napůl. Křižovatka je uzavřená z téhle a téhle strany. A policajti říkali: ‚Pokud budete respektovat semafory, můžete jet.'"

Buscemi nakonec v jednu chvíli nezastavil na značce stop. Tarantino se krčil na zadním sedadle a ve vysílačce se ozvalo: „Tohle se nesmí! Projeli jste stopku! Poldové jsou pěkně nasraní!"

Loupež nasimulovali během zkoušek, takže všichni věděli, co se během ní stalo, ale tyto scény netočili. Když došlo na scénu s mučením zajatého policajta, Tarantino požádal Kirka Baltze, který jej hrál, aby improvizoval proslov, v němž úpěnlivě prosí Michaela Madsena, ať ho nezapaluje. Tento rozhovor ve scénáři nebyl. Baltz k tomu říká: „Věděl jsem, že tomu chlápkovi se nedávno narodilo dítě, takže jsem při nácviku vymyslel repliku ‚Stal jsem se nedávno otcem…' Jakmile jsem to řekl, Michael ztuhl. Otočil se na mě, pak na Quentina a prohlásil: ‚Já nechci, aby tohle říkal.' Ale Quentin odpověděl: ‚Mně se to líbí. Necháme to tam.'"

Jediný herec, který dělal Tarantinovi problémy, byl Tierney, kterému mimo jiné Quentin věnoval tento scénář (ve kterém pronáší repliku „mrtvý jako Dillinger"). Tierney byl v minulosti ve vězení kvůli řízení pod vlivem alkoholu a napadení. Než natáčení započalo, Tarantino se na party v Actors Studio setkal s Normanem Mailerem, který Tierneyho obsadil do svého filmu *Drsňáci netančí*. Quentin na to vzpomíná následovně: „Říkám mu: ‚Ty jsi pracoval s Lawrencem Tierneyem, že jo? Přemýšlím, že bych ho obsadil do jedné role.' On odpověděl, že s Tierneym jsou potíže. Řekl: ‚Podívej, Lawrence tě zpomalí přibližně o 20 procent. Když s tím budeš dopředu

NAHOŘE A PROTĚJŠÍ STRANA: Přestože ve filmu samotné odříznutí ucha divák nevidí, tento kontroverzní násilný čin připravil snímek o mainstreamové publikum.

počítat, budeš v pohodě.' Jdi někam, Normane Mailere! On tě zpomalí o 80 procent! Kde jsi vzal ten nesmysl o 20 procentech? Kamarád mi říká: ‚On zpochybňuje tvoji pozici?' Ne, Lawrence mě má rád. Je to milej chlap. On nezpochybňuje moji pozici, ale veškerý pravidla kinematografie!"

Několik dní po začátku natáčení začal Tierney obviňovat Michaela Madsena, že kvůli němu zapomíná svoje repliky.

„Uděláme to takhle," řekl mu Tarantino. „Chci, aby sis šel svůj text procvičovat s Michaelem, a potom to všechno zvládneme."

„Nepotřebuju tvoje rady, ty jeden sráči," zavrčel na něj dvaasedmdesátiletý herec.

„Trhni si, Larry," vypálil zpět Tarantino.

Jindy zas Tierney šel po natáčecím dni domů, opil se a ze své pistole ráže .357 Magnum vystřílel zásobník přímo do zdi. Několik kulek proniklo až do sousedního bytu, kde spala nic netušící rodina. Skončil ve vězení, odkud ho museli dostat na kauci a dopravit zpátky na scénu. „Momentálně mu hrozí tak pět let natvrdo," stěžuje si Tarantino. „Má trestní záznamy, z nichž některé sahají až čtyřicet let zpátky. Má škraloup, vůbec by u sebe neměl mít zbraň." Když se natáčení chýlilo ke konci, už nevěděl, co si počít. „Já toho chlápka prostě nezvládám," přiznal se Chrisu Pennovi, který hrál Eddieho.

Střih dokončili pouhé tři dny před začátkem filmového festivalu Sundance 1992, takže kopie, které tam dorazily, sotva stihly zaschnout. V programu film popisovali jako „kombinaci stylů Jima Thompsona a Samuela Becketta". Gladstein byl svědkem toho, jak scéna s uříznutým uchem vyvolala bouři protestů. „Ze začátku mi nedocházelo, že Sundance filmy podobných žánrů běžně neuvádí, což ode mě bylo dost naivní," prozradil Gladstein spisovateli Peteru Biskindovi. „Sledovat tento snímek v rámci takového publika bylo šokující. Slyšeli jste, jak lidé lapají po dechu."

Tarantino se ale nevzdával. Na poslední projekci *Gaunerů* v Egyptian Theater se ho někdo zeptal: „Jak zdůvodníte všechno to násilí v tomhle filmu?"

Na to opáčil: „Nevím jak vy, ale já mám rád filmy plné násilí. Jestli mě něco uráží, jsou to věci od studia Merchant Ivory."

Film nezískal žádná ocenění, ale jednoznačně se stal „nejdiskutovanějším filmem festivalu", jak napsali v *Los Angeles Times*. Tim Roth to okomentoval následovně: „Bylo to fakt divoké. Prodávali lístky i v autobusech a chtěli sto dolarů za jeden."

Distributora ale stále ještě neměli, protože Harvey Weinstein ze studia Miramax váhal kvůli té scéně s řezáním ucha. Harvey řekl Tarantinovi: „Bez této scény by to vlastně byl mainstreamový film. S ní se ale dostává do své vlastní škatulky. Bez toho výjevu by bylo možné to promítat ve třech stovkách kin, kdežto takhle jen v jednom. Kdybychom vystřihli třicet sekund, mohlo by to úplně změnit pozici filmu na americkém trhu."

Weinstein použil svou manželku Eve a dceru Maude jako pokusné králíky: „Když došlo na tu scénu s uchem, obě vyskočily ze židle jako čertík z krabičky. Na ženy zjevně musíme zapomenout."

Při odchodu řekla Eve svému manželovi: „Je mi úplně jedno, o jak kvalitní film se jedná. Tohle je prostě nechutné!"

„Ta scéna by nebyla tak znepokojivá, nebýt té písničky. Slyšíte tu kytaru, chytne vás to, začnete si podupávat a užíváte si tanec Michaela Madsena, ale najednou prásk! Je pozdě, stali jste se komplici.“

„Chci dělat filmy, co mají koule. Chci, aby vycházely ze stejného zdroje jako *Gauneři*, od stejného autora a člověka.“

Weinstein k tomu dodává: „Vyšly ven z promítacího sálu a byly fakt naštvané - na mě, na Quentina, na celý ten film." Weinstein se cítil trapně a režisérovi se omlouval. „Pro tvoji ženu jsem to netočil," odsekl Tarantino.

Eve a Maude stály před sálem patnáct minut a poté se vrátily a zhlédly zbytek filmu. „Myslel jsem, že se vám ten film vůbec nelíbí, tak proč se vracíte?" zeptal se jich Weinstein. „Chtěly jsme vědět, co se stane dál," odpověděla Eve. Scéna v konečné verzi zůstala.

Gauneři šli do distribuce 23. října 1992. To je vše, co víme. Všechny pokusy určit, kdy se děj odehrává, jsou marné. Ano, Tarantinovi gangsteři posedávají v kavárnách a mluví o významu textu *Like a Virgin* od Madonny, ale jinak se zdá, že popkulturní fenomény, které je ovlivnily, spadají spíše do sedmdesátých let, kdy Taratino vyrůstal: Stealers Wheel, filmy s Pam Grierovou, seriály jako *Get Christie Love* nebo *Honey West*, zatímco jejich šviháckė obleky jako by pocházely z předchozí dekády. Vypadají tedy jako gangsteři z let šedesátých, ulítávají si na hudbě z let sedmdesátých a vedou kavárenské filozofické debaty, které byly typické spíše v devadesátých letech. Už od začátku se zdá, že jsme vstoupili do Tarantinovy představivosti, ve které je to dost „každý pes jiná ves", což se později projevilo například ve scénách z Mazaného králíčka v *Pulp Fiction*, kde zazní bok po boku Marilyn Monroe a Buddy Holly, a to jen proto, že Jayne Mansfieldová má volno. Travoltův Vincent Vega použil frázi „muzeum oživlých voskových figurín", což je zřejmě nejpřiléhavější shrnutí vlastní tvorby, kterého se nám od Tarantina dostalo.

Gaunery sice nejde snadno zařadit do určitého období, ale nic takového nemůžeme říct o prvních recenzích, které na film vyšly. Ty působily dojmem, že jde o rok 1892, nikoliv 1992. Bob Dole kdysi v dávných časech označil Hollywood za „noční můru plnou zvěrstev", vycházely analytické články o „nové brutalitě" a Michael Medved si každý večer stěžoval na příval krvavých filmů, které podle něj plivaly na křesťanské hodnoty, propagovaly mimomanželský sex a sprostá slova, zatímco bohabojní Američané se hrůzou schovávali pod peřinou. Tarantinův film přišel do podobné atmosféry.

„Jediné, čemu Tarantino věnuje péči, je násilí," napsala Julia Salmonová ve svém článku pro *Wall Street Journal*.

„Tento film je jednoduše o ničem. Je to jen na efekt dělané a provokativní stylistické cvičení plné filmařské brutality," přisadili si v *New York Daily News* v recenzi s titulkem „*Gauneři* přetékají násilím".

STRANY 68-69: Ikonická scéna z úvodních titulků podkreslená skladbou *Little Green Bag* od Geroge Bakera. Úplně vpravo vidíme Tarantina jako pana Hnědého.
NAHOŘE A PROTĚJŠÍ STRANA: Tarantino zkouší a natáčí scény ve skladu s Harveym Keitelem, Stevem Buscemim a Kirkem Baltzem.

„Neměl jsem ponětí, jak natočit jedinou scénu. Ale nikdy předtím jsem nebyl tak šťastný. Plnil jsem si svůj sen a věděl jsem, že to bude úžasné.“

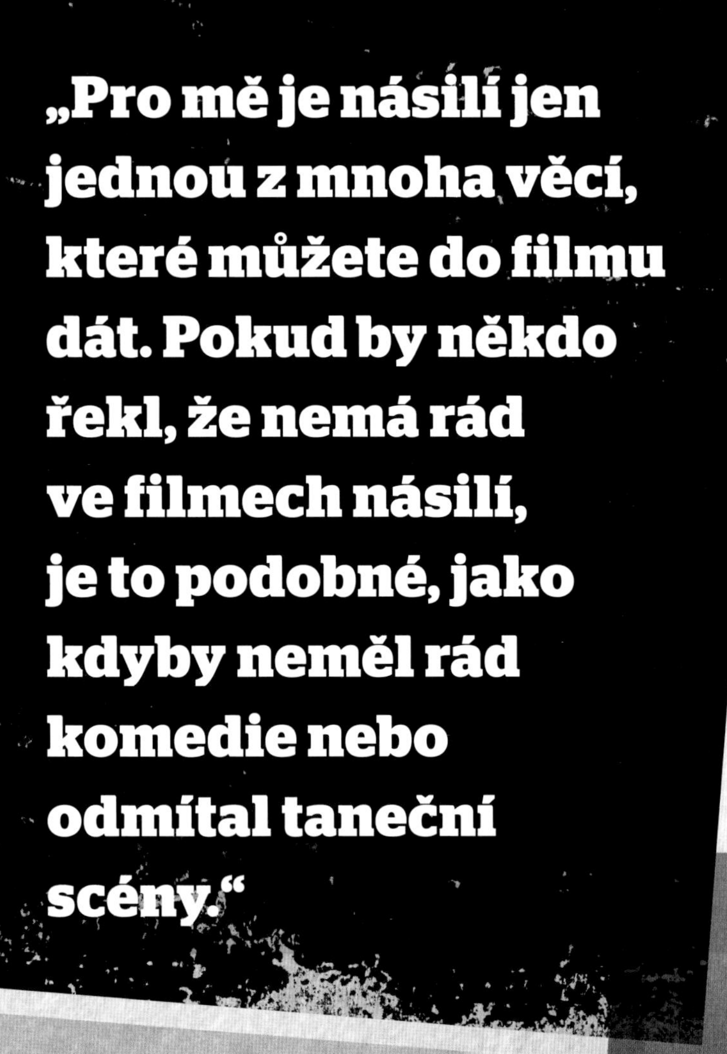

Dokonce i ti, kteří film chválili, přijali za své tezi, že se jedná o nepřetržitý řetězec násilí. „Je to neuvěřitelně dobře natočené, krvavé scény působí nemotivovaně a celkově je to neskutečný zážitek, který si nesmíte nechat ujít," napsal Stanley Kauffmann v *New Republic*.

Dnes, o pětadvacet let později, snad uplynulo dost času na to, abychom si mohli dovolit jemně naznačit kritikům, že se mýlili: *Gauneři* nejsou zas až tolik krvavý film.

Je tam několik přestřelek a pozorujeme také, jak se policajt stane obětí mučení, ale navzdory tomu, co se říká, samotné uříznutí ucha nikdy nevidíme. Zatímco se k tomu pan Světlý chystá, kamera odvrátí zrak a na chvíli zabere kus zdi.

Jak je také všeobecně známo, ve filmu se neobjeví ani samotná loupež či řádění pana Světlého v bance. Scény vykreslují, pouze co se stane předtím a co potom.

„Film o loupeži, ve kterém chybí samotná loupež, akční film, který je zažraný do dialogu, óda na krásy vypravěčství a trocha vyzrálé moudrosti." Takto popsali film v *L.A. Weekly*,

přičemž označili Tarantina za „mistra změn nálad", který si libuje v matení publika a vždy nás přechytračí tím, že neustále přeskakuje mezi rozpustilým humorem a hrůzou, takže se celou dobu divák tetelí blahem. Smějete se, protože si právě někdo utahuje z vraždy. Potom se smějete samotnému faktu, že se něčemu podobnému smějete. A pak se smějete jen tak, protože ten film je prostě skvělý.

Celý snímek na sobě nemá ani gram přebytečného tuku. Trvá devadesát devět minut a neuvěřitelně odsýpá. Není divu, že si lidé stěžovali na násilí, to však nespočívalo ve vulgaritě a nebylo v první řadě pácháno na postavách, ale spíše na filmových postupech. Expozice? Pryč s ní. Chronologie? Pořádně s ní zamíchejme. Flashbacky ale tolik jako flashbacky nepůsobí. Nestane se, že byste nervózně čekali, až se děj vrátí zpátky do skladu, a když zjistíme, kdo že je tím tajným poldou, na napětí to filmu nijak neubere. Tempo se tím naopak zvýší. Tihle chlápci si nemohou dovolit jeden druhému důvěřovat, ale přesně to je potřeba, pokud mají přijít na kloub tomu, kdo to na ně celé narafičil.

PAN RŮŽOVÝ
Co my víme, klidně ta krysa může být on.

PAN BÍLÝ
Ten kluk umírá, protože ho kurva postřelili, čehož jsem byl svědkem, tak o něm laskavě neříkej, že je krysa!

Celý scénář se skládá ze série dialogů, ve se kterých postava A pokouší přesvědčit postavu B, že se věci mají úplně jinak, než si daný člověk myslí. Pan Hnědý se snaží ostatním vysvětlit, že *Like a Virgin* je ve skutečnosti o mužském přirození. Pan Růžový tvrdí, že dávání spropitného je absurdní společenská norma. Pan Bílý uklidňuje pana Oranžového, že nemá na kahánku. Pan Růžový vysvětluje panu Bílému, že na ně někdo ušil boudu. Policajt přemlouvá pana Světlého, aby ho nemučil. A tak dále…

Ve své *Rétorice* popsal Aristoteles tři typy rétoriky – *ethos*, který má za cíl navodit zdání důvěryhodnosti a erudice řečníka, co se daného tématu týče; *pathos*, což je apel na emoce posluchače; nakonec *logos*, jenž apeluje pouze na logiku. Pan Bílý používá pathos, když vysvětluje, že pan Oranžový je nevinný: *Ten kluk trpí, tak neříkejte, že je krysa*. Jméno Joe Cabota je očištěno na základě ethosu – jeho důvěryhodnosti a charakteru.

PAN BÍLÝ
Já a Joe toho máme za sebou hodně. Říkám ti na rovinu: Joe s tímhle svinstvem neměl nic společnýho.

Pan Růžový na to zareaguje tím, že na pana Bílého vytáhne logos nejtěžšího kalibru:

PAN RŮŽOVÝ
Jo tak, ty a Joe se znáte dlouho? Já znám Joea od dětství, ale tvrdit, že to nemohl udělat, je směšný. Jediný, co vím, je, že jsem to nebyl já, protože jedině u sebe vím, co jsem udělal a co ne. Ale rozhodně nic podobnýho nemůžu říct o nikom dalším, protože to nemůžu s určitostí vědět. Co já vím, třeba jsi ta krysa ty.

PAN BÍLÝ
A co vím já? Třeba jsi to ty!

PAN RŮŽOVÝ
No vida, konečně myslíš hlavou.

Zde máme ten klasický Tarantinův tón – tvrdý, útočný, pronikavě inteligentní, skeptický. Je to hlas někoho, kdo už se tolikrát spálil. Pokud by loupež měla opravdu být alegorií pro práci na filmu, pak jsou všechny postavy vypravěči, kteří trvají na tom, že právě jejich verze příběhu je ta pravá. Když se zajatý policajt pokouší přesvědčit pana Světlého, aby ho nemučil, ten na to zareaguje tím nejděsivějším proslovem.

PAN SVĚTLÝ
Takhle, nebudu ti věšet bulíky na nos. Je mi fuk, co víš, nebo nevíš. Budu tě mučit tak jako tak. Ne abych získal informace, ale protože mučit poldu je pro mě zábava. Není nic, co bys mohl říct. Všechno jsem to už slyšel. Není nic, co bys mohl udělat. Maximálně se modlit za rychlou smrt, kterou ale nedostaneš.

NAHOŘE A PROTĚJŠÍ STRANA: Pan Bílý (Keitel) přichází, aby utěšil a bránil zraněného pana Oranžového (Tim Roth).

NAHOŘE: Pan Světlý v klidu upíjí svou limonádu, než začne mučit zajatého policajta. PROTĚJŠÍ STRANA: Tarantino dává Keitelovi režijní pokyny před závěrečnou přestřelkou.

Tarantino vykreslil Madsenovu postavu mistrně. Kamera pozvolna odhalí, že už tam nějakou dobu stojí a srká limonádu. Tarantino ví, že to, co v záběru nevidíme, je stejně důležité, jako to, co je přímo před kamerou. Nejvíce znepokojující není scéna, v níž dojde k uříznutí ucha, což koneckonců divák ani nevidí, ale ten dlouhý statický záběr, kdy pozorujeme, jak pan Světlý odchází ze skladu do svého auta pro kanystr s benzinem. Hudba odezní a nahradí ji zpěv ptáků spolu se zvuky hrajících si dětí. Působí to skoro, jako by se ve zdi kina udělala prasklina a vpustila dovnitř trochu denního světla. Tento moment představuje chvilkové narušení situace, díky kterému si uvědomíte její vážnost.

„To je ve skutečnosti moje oblíbená pasáž toho filmu nebo celkově něco, co se mi podle mě nejvíce povedlo za celou mou kariéru," okomentoval to Tarantino později. „V jediném záběru vezme plechovku s benzinem, jde zpátky a bác! Píseň už zase hraje a on se dá znovu do tance. Tak má podle mě filmařina vypadat."

Další ukázkou je střih, který nás přenese od titulků k druhé scéně, v níž pan Oranžový skučí bolestí na zadních sedadlech auta. Tarantino použije fadeout, efekt odeznívání, což, jak zjistíme později v *Pulp Fiction*, je jedna z jeho nejsilnějších zbraní. Naříkání pana Oranžového tak slyšíme ještě dřív, než ho spatříme. To má naprosto nemilosrdný efekt a hraničí to s výsměchem. V jeden okamžik sledujeme pompézní zpomalené záběry, ve kterých gangsteři odcházejí z restaurace a jejich klábosení nám stále zní v uších. To celé podkresluje George Baker, který zpívá *Little Green Bag*. Jen o okamžik později najednou postavy krvácejí na zadních sedadlech auta, skučí, objímají se, jejich plány jsou v troskách a jejich chlapáctví je to tam. Prostřednictvím jediného střihu ukáže Bůh, nebo v tomto případě režisér, jakým směrem se vše bude ubírat.

Owen Gleiberman napsal v recenzi pro *Entertainment Weekly*: „Podobně jako Huston a Kubrick, kteří používali motiv promyšlené, leč pokažené loupeže, aby ukázali existenciální absurditu dokonalého zločinu, Tarantino vytvořil v podobě *Gaunerů* nihilistickou komedii o tom, jak lidská povaha nakonec zhatí i ty nejdokonalejší plány."

Mezitím se ven vyřítí chudáci pan Modrý (Eddie Bunker) a pan Hnědý (Tarantino), jimž je jasné, jaký osud je čeká.

„Na začátku tyhle postavy neví, že jsou vedlejší," říká Tarantino. „Pokud jde o ně, myslí si, že jsou hvězdami celého příběhu."

TATO STRANA A PROTĚJŠÍ STRANA: Osud je poštval proti sobě. Vyvrcholením Tarantinova prvního filmu je přestřelka mezi hlavními postavami.

Zde můžeme v zárodku pozorovat pseudoheroický popkosmos, který se naplno rozvinul ve filmu *Pulp Fiction*, v němž je hlavní postava jednoho příběhu vedlejším hráčem jiného, přičemž v sobě všichni chovají iluzi či blud, že oni sami jsou hlavní hvězdou filmu svého života. Tarantino si pohrával s myšlenkou udělat antologii již od dob svého angažmá ve Video Archives. Tehdy ho napadlo, že by bylo možné udělat sérii vzájemně propojených filmů, která by se do určité míry podobala trilogii *Milieu* od Fernanda Di Lea: *Kalibr 9* (1972), *La mala ordina* (1972) a *Boss – smrt na zakázku* (1973), v níž figuroval mafiánský poskok, který podrazí svého šéfa, stejně jako rasově rozmanité duo zabijáků – jeden je bílý a druhý černý – mezi nimiž dochází k osobním střetům. Právě při dokončování *Gaunerů* dostal Tarantino přelomový nápad. Co kdyby následující film neudělal jako antologii, ale spíše něco ve stylu Salingerovy *Skleněné rodiny*, jejíž členové se přesouvali z jednoho příběhu do druhého, přičemž hlavní hvězda jednoho z nich hrála vedlejší úlohu v jiném a ve třetím se třeba jen mihla? „Hrozně se mi líbí představa, že každá z těchto postav by mohla být hlavní hvězdou svého vlastního filmu," řekl k tomu Tarantino. „A pokud jde o jejich pohled na svět, když přijdou na scénu, takovými hvězdami také jsou."

Po uvedení vydělali *Gauneři* ve Spojených státech jen 3 miliony, ale celosvětově se z nich stal trhák s kasovními příjmy 20 milionů dolarů. „Celý rok jen podepisoval autogramy," vypráví jeho manažerka Cathryn Jaymesová. I to se odrazilo na novém snímku. Tarantino s filmem triumfálně objel festivaly. Díky tomu byla přítelkyně jedné postavy z *Pulp Fiction* Francouzka, jiná Irka. Tarantino byl v pokušení udělat z těch dvou nájemných vrahů Angličany, aby mohl obsadit Tima Rotha a Garyho Oldmana, ale nakonec se spokojil jen s tím, že jeden z nich nedávno navštívil Amsterdam, a zužitkoval své poznatky z návštěvy Paříže, kam jel zhlédnout retrospektivu Johna Cassavetese. „V Paříži dostanete pivo u McDonalda," zapsal si nevěřícně. „A čtvrtlibráku neříkají čtvrtlibrák, protože mají metrický systém: Le Royale se sýrem! Houby vědí, co je to čtvrtlibrák."

Pulp
Fiction

PULP FICTION

1994

„Když vzniklo *Pulp Fiction*, lidi říkali: ‚Wow, takový film jsem nikdy neviděl. Netušil jsem, že je něco takového ve filmu možné.‘“

Tarantino pracoval ve videopůjčovně Video Archives a snažil se vymyslet způsob, jak natočit film za babku, když ho napadlo udělat antologický film. „Příběhy v něm by byly vlastně ty nejstarší archetypy na světě," řekl. „Viděli jste je milionkrát. Chlap, který má za úkol vzít ven šéfovu partnerku, ale ‚opovaž se jí být jen dotknout'. Nebo boxer, který má nafingovat porážku, ale neudělá to."

Třetí příběh Tarantino označil za „něco jako pětiminutový začátek každého filmu Joela Silvera": Dva nájemní vrazi jdou a zabijí někoho. „Vypadají jako opravdoví drsňáci, skuteční záporáci, jako ti v *Gaunerech*," vysvětluje. „Po celý zbytek filmu pak tyto postavy podrobuji dekonstrukci. Když je divák sleduje dál, vidí, že mají špinavé oblečení, jsou od krve a na tváři mají vrásky… Doslova se rozpadají přímo před vašima očima."

Novinářům Tarantino film popisoval jako trojitou variaci na původní příběhy z 20. a 30. let. Podobné psali pro „pulpové" časopisy Raymond Chandler a Dashiell Hammett. Odkazoval se ale ve skutečnosti na svoje *Gaunery* a dekonstruoval mýtus, který jej vykresloval jako „chlapa, co si ulítává na bouchačkách", a zároveň ukázal vztyčený prostředníček k těm, kteří ho kritizovali za to, že v *Gaunerech* nefigurovaly žádné ženy.

„Nejzajímavější postava, kterou jsem kdy napsal, byla Mia, protože nemám tušení, odkud pochází," řekl. „Nevěděl jsem o Mie o nic víc než Vincent. Všechno, co jsem věděl, byly báchorky. Netušil jsem, jaká vlastně je, dokud nepřišli do Mazaného králíčka a ona neotevřela ústa. Pak se najednou objevila tato postava se svým rytmem řeči. Nevím, odkud se vzala, a proto ji mám tolik rád."

S 50 000 dolary, které vydělal na *Gaunerech*, a s přislíbenými dalšími devíti sty dolary od TriStar Pictures si Tarantino zabalil kufr plný detektivních románů a odletěl do Amsterdamu. Zabydlel se v jednopokojovém bytě hned vedle jednoho kanálu a neměl tam ani telefon, ani fax. Vstal, procházel se po Amsterdamu, vypil dvanáct šálků kávy a celé dopoledne si něco zapisoval do desítek sešitů. Když právě nebyl pohroužen do tvorby, díval se na obskurní francouzské gangsterské filmy, neustále také něco četl – *No Good from Corpse* od Leigh Brackettové nebo deníky Anaïs Ninové – a pokračoval v celosvětovém turné na podporu *Gaunerů*.

Finální verze scénáře měla 159 stran a Quentin ji dokončil v květnu 1993. Na obálku napsal slova „KONEČNÁ VERZE", aby tím zabránil zásahům ze strany studia. Mike Medavoy z TriStaru si scénář přečetl a s díky jej odmítl.

„Měli z toho strach. A nepřipadalo jim to vtipné," řekl o tom Tarantino, který také předložil

PROTĚJŠÍ STRANA: Film *Pulp Fiction* neproslavil pouze svého režiséra, ale znamenal i velký hollywoodský průlom pro Samuela L. Jacksona a vrátil Johna Travoltu do světel reflektorů. NAHOŘE: Mia (Uma Thurmanová) se snaží co možná nejlépe zvládnout trapnou situaci, když je spolu s Vincentem uvedena k jejich stolu v Mazaném králíčkovi.

TATO STRANA: Pumpkin (Tim Roth) a Honey Bunny (Amanda Plummerová) se na poslední chvíli rozhodnou, že vyloupí restauraci.
PROTĚJŠÍ STRANA: Tarantinovi „cool" herci: Samuel L. Jackson, Uma Thurmanová, John Travolta a Bruce Willis (Butch Coolidge).

návrh obsazení. „Třeba u role Pumpkina tam stálo: ‚Bude nabídnuta Timu Rothovi', který tam nakonec opravdu hrál. ‚Pokud to Tim Roth odmítne, navrhnu ji dalšímu na seznamu, a tak dále.' Bylo to černé na bílém, žádné ‚možná'. Takhle to prostě bude. Medavoy si přečetl ten seznam a pak jsme kvůli tomu měli důležitou schůzku. Říká mi: ‚Tim Roth je velmi dobrý herec, ale Johnny Depp je také na vašem seznamu. Já bych tu roli radši nabídl Johnnymu Deppovi. A kdyby to odmítl, měli bychom jít za Christianem Slaterem. To by byla moje volba.'"

Tarantino se ho zeptal: „Vážně si myslíte, že kdyby byl Johnny Depp v roli Pumpkina – který je jen v první a poslední scéně – že by to znamenalo nějaký nárůst v prodejích?"

„Vliv na příjmy to nebude mít vůbec žádné, ale já se budu cítit lépe," odpověděl Medavoy.

„Na to už se nic dalšího nedalo říct," vzpomíná Tarantino. „Pěkně to celou situaci shrnuje. Já ale nechci točit filmy tímhle způsobem."

Všechna další velká studia odmítla, ale pak scénář Bender odnesl Harveymu Weinsteinovi z Miramaxu, který ho přečetl cestou na dovolenou na Martha's Vineyard. „Co to je, kurva? Telefonní seznam?" zeptal se, když viděl, že text má 159 stran. O tři hodiny později zavolal Richardovi Gladsteinovi, který nyní pracoval jako vedoucí výroby pro Miramax a později podrobně popsal jejich rozhovor spisovateli Peterovi Biskindovi:

„Bože, to je brilantní. Zahájení je neuvěřitelné. Je to stejně dobré i dál?"

„Ano, celou dobu."

„Dobře, neodcházej z kanceláře, budu číst dál."

O čtyřicet pět minut později Weinstein zavolal znovu.

„Hlavní postava právě umřela."

„Je to tak."

„Co se stane na konci?"

„Harvey, prostě čti dál."

„Richarde, má to šťastný konec?"

„Ano."

„Ó můj bože! Vrátí se, že jo? Za chvíli zavolám zase."

O půl hodiny později zazvonil telefon znovu.

„Kurva, musíme tento film natočit. Je to neuvěřitelné… Začni vyjednávat!"

O chvíli později znovu zavolal.

„To je tvoje definitivní rozhodnutí?"

„Úplně to žeru. Pospěš si! Tohle bude náš další film."

„Tehdy mě dokázalo hvězdné obsazení mnohem víc nadchnout. Moc se mi líbila představa, že vezmu herce, který se mi vždycky líbil, ale momentálně se ve filmech moc neobjevuje, obsadím ho do svého filmu a všem ukážu, co všechno ten člověk dovede.“

„Chtěl jsem vytvořit na plátně román, ve kterém postavy přichází a odchází. Každá má svůj vlastní příběh, ale objevit se může kdekoli.“

Zpočátku si Tarantino pro roli Vincenta Vegy nepředstavoval Travoltu; napsal ji pro Michaela Madsena. Poprvé oslovil Travoltu s nabídkou role Setha Gecka ve svém scénáři s upíří tematikou *Od soumraku do úsvitu*, který napsal před lety, ale nyní se k němu vrátil po úspěchu *Gaunerů*. Po zkušenostech s Timem Rothem si Tarantino zvykl strávit alespoň jeden den s jakýmkoliv hercem, o kterém uvažoval, že by ho mohl obsadit do jednoho ze svých filmů. Pozval proto Travoltu do svého bytu na Crescent Heights v západním Hollywoodu. Tarantino vzpomíná: „Otevřu dveře a [Travolta] říká: ‚Dobře, dovol mi, abych ti popsal tvůj byt. Tvoje koupelna má ten a ten druh obložení, bla bla. Vím to proto, že tohle je byt, ve kterém jsem žil, když jsem se poprvé přestěhoval do Hollywoodu. Tohle je ten byt, ve kterém jsem získal roli ve *Welcome Back, Kotter*.'" Mluvili až do východu slunce a hráli Tarantinovy deskové hry na motivy *Pomády* a *Horečky sobotní noci*. „Hrát s Johnem bylo fajn," vypráví Tarantino. „Mým snem je udělat hru *Gauneři*." Nakonec Travoltovi kápl božskou ohledně toho, v jaké fázi kariéry se nachází. Dokonce ani neviděl *Kdopak to mluví 2*. „Copak si nevzpomínáš, co o tobě řekla Pauline Kaelová?" zeptal se ho. „Nebo co říkal Truffaut? Co o tobě řekl Bertolucci? Johne, copak nevíš, jak velký význam máš pro americkou kinematografii?"

Travoltu Quentinova láska k jeho práci dojala a zároveň citově zranila. („Jak bych mohl odmítnout, když on na mě takhle?")

Travolta to ale k *Od soumraku do úsvitu* příliš netáhlo. „Nejsem upíří typ," řekl mu.

„Po setkání s Johnem jsem na něj stále myslel, kdykoli jsem psal," řekl Tarantino. Když zjistil, že Madsen přijal roli ve *Wyattu Earpovi*, kopie scénáře *Pulp Fiction* přistála u Travoltových dveří s ručně psanou poznámkou: „Podívej se na roli Vincenta." Po přečtení textu Travolta řekl Tarantinovi: „To je jeden z nejlepších scénářů, který jsem kdy četl – jedna z nejlepších rolí, jakou bych si mohl přát –, ale to bych chtěl vidět, jak mě do tohohle filmu dostaneš."

Tarantino musel bojovat. Harvey Weinstein chtěl Seana Penna nebo Daniela Day-Lewise. V úvahu připadal taky James Gandolfini. Během jednoho nočního telefonátu Tarantinův agent Mike Simpson předestřel Weinsteinovi seznam požadavků: Režisér bude mít konečné slovo, film potrvá dvě a půl hodiny a obsadit bude Tarantino smět kohokoli, kdo ho napadne. Řekl mu: „Buď to teď celé odsouhlasíte, nebo to dáme někomu jinému. Máme dva další zájemce, kteří čekají, že dostanou šanci. Máte patnáct sekund na rozmyšlenou. Když zavěsím, je konec." Simpson vzpomíná: „Harvey neustále mluvil, hádal se se mnou, a já říkám: ‚Dobrá, takže patnáct, čtrnáct.' Když jsem napočítal do osmi, Bob Weinstein řekl: ‚Harvey, musíme na to kývnout.' Harvey odpoví: ‚Ksakru, tak dobře.'"

Harveymu Weinsteinovi se dýchalo o dost snáze poté, co se podařilo obsadit Bruce Willise, obrovského fanouška *Gaunerů*, který chtěl spolupracovat s Quentinem tak moc, že byl připraven i na nižší honorář. Za *Smrtonosnou past 2* dostal částku, která se rovnala celému rozpočtu pro *Pulp Fiction*. Willisovi byla role Butche původně podezřelá: „Bruce měl takový ten přístup ‚Cože? Já nebudu hrát hlavní roli? Budu svázanej někde v zastavárně, zatímco John Travolta bude hlavní hvězda?'" vzpomíná Simpson. Willis ale otočil poté, co se s Tarantinem setkal na barbecue party v domě Harveyho Keitela, během níž se společně šli projít na pláž.

„Jedním z důvodů, proč jsem chtěl Bruce Willise do *Pulp Fiction*, bylo to, že pro mě byl tehdy Bruce Willis jediným slavným hercem, který vypadal, že by klidně mohl být hvězdou padesátých let," vypráví Tarantino, který slyšel, že pracovat s Willisem není jednoduché.

„Tehdy se o Bruceovi vykládalo více špatných věcí než o komkoli jiném. Že je prý schopen vám mluvit i do toho, jaký objektiv máte nasadit na kameru." Ve skutečnosti chtěl Bruce změnit jen jediné slovo ve scénáři: „Je mi to líto, lásko. Musel jsem tu hondu rozmlátit." Původně tam místo „hondu" bylo „auto". Tarantino uznal, že takhle je to vtipnější. „Po zkušenosti s Brucem nebudu už nikdy poslouchat zvěsti o tom, jak je ten nebo onen herec problematický," řekl. „Hned bych do toho s ním šel znova."

PROTĚJŠÍ STRANA: „Hned bych s ním znovu pracoval." Natáčet s hvězdným Brucem Willisem bylo pro Tarantina překvapivě snadné. NAHOŘE: Tarantino na place šeptá své instrukce Johnu Travoltovi.

„Nejzajímavější postava, kterou jsem kdy napsal, je Mia, protože jsem nevěděl, odkud se vzala nebo jaká vlastně je, dokud nepřišli do Mazaného králíčka a ona neotevřela ústa."

Když se do projektu zapojil Willis, Miramaxu se podařilo prodat práva na zahraniční distribuci za 11 milionů dolarů, díky čemuž se Weinsteinovi během okamžiku vrátila původní investice 8,5 milionu dolarů.

Navzdory tomu, že Tarantino v Sundance Samueli L. Jacksonovi řekl, že roli Julese napsal přímo pro něj, málem ho o ni připravil portorický herec Paul Calderon poté, co si jeho výkon v rámci konkurzu vysloužil režisérův aplaus. Weinstein naléhal na Jacksona, aby okamžitě přiletěl do Los Angeles a „úplně Tarantinovi vyrazil dech". Na konkurz přišel v rozmrzelé náladě, unavený a hladový, a v ruce si nesl hamburger. Někdo z castingového týmu mu řekl: „Miluju vaši práci, pane Fishburne." Jackson zuřil. „Do místnosti vejde Sam, v jedné ruce má hamburger a v druhé pití. V místnosti to začne zapáchat jako ve fast foodu," vypráví Gladstein v rozhovoru pro časopis *Vanity Fair*. „Já, Quentin a Lawrence jsme seděli na pohovce a on si to napochodoval dovnitř a začal srkat ten shake a jíst ten burger. Přitom si nás všechny upřeně prohlížel. Krve by se ve mně v tu chvíli nedořezal. Myslel jsem, že vytáhne pistoli a ustřelí mi hlavu. Oči mu vylézaly z důlků. Za chvíli bylo jasné, že to nikdo jiný hrát prostě nemůže."

Konkurzu na roli Mii se zúčastnila snad každá herečka v Hollywoodu. Michelle Pfeifferová, Meg Ryanová, Holly Hunterová, Rosanna Arquettová. Tarantino ale věděl téměř od začátku, že chce Umu Thurmanovou. „Když jsme letěli zpátky do L.A., viděl jsem mu na očích, že to dostane Uma," vypráví Bender. Ona zpočátku roli odmítla, protože ji pohoršovala scéna ukazující anální znásilnění jejího filmového manžela, zločince Marsella Wallace (Ving Rhames). Po tříhodinové večeři v losangeleské restauraci The Ivy a později po dlouhé diskusi v jejím newyorském bytě na téma znásilnění nakonec souhlasila.

PROTĚJŠÍ STRANA A NAHOŘE: Uma Thurmanová se na place rychle stala Tarantinovou múzou.
DOLE: Samuel L. Jackson okouzlil režiséra a producenty při konkurzu na roli Julese Winnfielda a zahájil tak první z šesti spoluprací s Tarantinem.

„Bylo to jako námluvy," popisuje Bender. „Oba se báli závazku pro případ, že by ten druhý řekl ne. Bylo to, jako by ti dva kolem sebe pomalu tančili."

Nebyla jediná, koho zmíněná scéna znepokojovala. Ukázalo se, že se jedná o nepřekonatelnou překážku pro téměř všechny černé herce, s nimiž Tarantino mluvil o roli Marselluse. „Je těžké přemluvit černocha, aby se podílel na scéně, kde je znásilňován," řekl magazínu *Playboy*. „V duchu jsem si říkal: ‚Prosím, ať s tím nemá tak velký problém jako všichni ostatní, protože je prostě fakt dobrý.' Ving si toho všiml a řekl: ‚Dovol mi, abych se zeptal: jak natvrdo to bude v té scéně vyobrazené?' Řekl jsem: ‚Nebude to tak hrozné, ale diváci budou jasně vědět, co se děje. Máš s tím problém?' Říká: ‚Nejenže nemám problém, ale musíš pochopit, že kvůli tomu, jaký jsem, nedostávám často nabídky, abych hrál zranitelné postavy. Tenhle chlápek by nakonec mohl být tím nejzranitelnějším týpkem, jakého kdy budu hrát.'"

Když došlo na natáčení scény se znásilněním, Rhames dostál svému slovu a v jednu chvíli se otočil na režiséra a zeptal se: „Dobře, takže v záběru bude můj zadek, že jo? A co zakryje támhleto?"

Ukázal na Whitakerův rozkrok.

„Nic nebude vidět," ujistil ho Tarantino.

„Nemluvím o tom, co bude vidět. Je mi jedno, jestli to bude v záběru, zaostřené, nebo rozmazané. Nechci, aby se jeho pták dotýkal mýho zadku. Co tam dáme, aby se to nestalo?"

Nakonec pověřili rekviziťáka, ať něco sežene. Vrátil se s tyrkysovým pytlíkem na šperky.

Všichni se rozesmáli. Ving řekl: „Duane, jen si hezky dej svýho ptáka do toho pytlíku a já budu v pohodě."

Naostro se začalo natáčet 20. září 1993 na losangeleském předměstí Hawthorne. To bylo první ze sedmdesáti míst, na kterých film vznikal. V této scéně postavy hrané Timem Rothem a Amandou Plummerovou plynule přejdou od snídaně k loupeži. Tarantino poskakoval po place oblečený v plandavých manšestrákách, špinavém tričku Speed Racer a obnošené baseballové bundě a působil jako malý kluk v zábavním parku. Byl zjevně mnohem uvolněnější a sebejistější než ten úzkostlivý debutant, který režíroval *Gaunery*. Z velké části zaměstnal stejný tým, a to včetně kameramana Andrzeje Sekuly, střihačky Sally Menkeové, kostýmní designérky Betsy Heimannové a producenta Davida Wasca.

Ten také vybudoval hlavní interiér, rekonstrukci restaurace ve stylu Googie, která stála 150 000 dolarů. Pojmenovali ji Mazaný králíček a byla plná filmových kýčů - plakátů Rogera Cormana, automobilů, které sloužily jako stoly pro hosty, a obrovského rychloměru na tanečním parketu - to vše vzniklo v jednom skladu v Culver City. Tarantino prohlásil: „Sršel jsem kreativitou a invencí. Splnil se mi tím můj sen."

Na place byl také jeho starý přítel Craig Hamann, bývalý narkoman, který poradil hercům, jak správně zacházet s „nádobíčkem" (jehla a lžíce), a vysvětlil jim, že heroinový rauš přichází ve vlnách, ne najednou. Travoltovi řekl, jak nasimulovat stav, jaký má člověk na heroinu: „Vypijte co možná nejvíce tequilly a ponořte se do bazénu nebo vany s teplou vodou." Travolta ochotně uposlechl a pseudoheroinový stav si navodil spolu se svou ženou v hotelovém apartmá. Scénu, v níž je předávkovaná Mia přivedena zpět k životu injekcí adrenalinu přímo do srdce, natočili pozpátku, aby bylo dosaženo větší přesnosti.

„Měli jsme různé představy o tom, jak zareaguje na adrenalinovou injekci," řekla k tomu Thurmanová.

PROTĚJŠÍ STRANA: Ving Rhames jako zločinecký boss Marsellus Walace.
NAHOŘE: Natáčení scény, ve které se Mia předávkuje. Napravo vidíme Tarantinův višňově rudý Chevrolet Malibu.
DOLE: Restaurace Mazaný králíček tak, jak ji navrhl Davida Wasco.

„Člověk se většinou při střihu hodně zapotí, ale tohle byla pro střihače skvělá scéna, protože měla vlastní dynamiku a vyzařovalo z ní určité kouzlo - to je Travolta a tancuje přede mnou!“
— Sally Menkeová

„Ale to, co jsem nakonec udělala, bylo inspirováno něčím, co jsem sice nezažila, ale slyšela jsem o tom od lidí, co pracovali na *Dobrodružství barona Prášila*. Ve Španělsku natáčeli scény s tygrem a museli mu dát velkou dávku sedativ, aby to bylo bezpečné. Nakonec mu museli dát adrenalin, aby se probral. To byla moje inspirace."

Pasáž, které se Uma nejvíce obávala, byla taneční scéna s Travoltou. Tarantino přinesl video z Godardova filmu *Banda pro sebe*, aby jí ukázal, jak ve filmu tančí Anna Karina: bez jakékoli choreografie, jako teenager ve svém pokoji, a ne jako tanečník na jevišti. Řekl jí, že nezáleží na tom, jestli je tanec dobrý, špatný, nebo bůhvíjaký. Chtěl, aby si Thurmanová a Travolta užívali.

„Quentin doporučil twist," vypráví Travolta. „A já jsem řekl: ‚No, malý Johnny Travolta vyhrál v soutěži v twistu, když mu bylo osm let, takže znám každou verzi. Ale můžeme přidat další taneční libůstky, které tehdy frčely.' Quentin se ptá: ‚Co tím myslíš?' Řekl jsem: ‚Byly to kroky jako Batman, stopař, plavec, ne jen samotný twist.' Ukázal jsem mu to a jemu se to moc líbilo. Řekl jsem: ‚Umu ty kroky naučím, a když budeš chtít jinou figuru, prostě jen zakřič.'"

Tarantino tu scénu točil na kameru drženou v ruce a střídavě vykřikoval „Watusi! Stopař! Batman!" když chtěl, aby změnili krok. Zároveň ve své mikině a plandavých kalhotách tancoval spolu s nimi. Na konci dlouhého dne svým hercům zatleskal.

„Ta scéna s Umou Thurmanovou a Johnem Travoltou, jak tančí v Mazaném králíčkovi, byla neobvyklá v tom, že byla natočena na playback, tedy za doprovodu oné písničky od Chucka Berryho," vypráví střihačka Sally Menkeová. „Díky tomu byl střih o něco snazší, a bože, bylo to nádherné. Ujasnili jsme si, že použijeme dlouhé záběry, budeme prostřihávat na detaily a někdy na ruce. Člověk se většinou při této práci hodně zapotí, ale tohle byla pro střihače skvělá scéna, protože měla vlastní dynamiku a vyzařovalo z ní určité kouzlo – to je Travolta a tancuje přede mnou!"

Poté, co 30. listopadu 1993 natáčení skončilo, první Tarantinův hrubý střih měl více než tři a půl hodiny. Když si tuto verzi pouštěli poprvé, promítač se zeptal Menkeové: „Je možné, že se mi pomíchaly cívky?" Jedním z největších problémů bylo zkracování sekvence v Mazaném králíčkovi, jíž původně přerušovaly dlouhé odmlky, které ve scénáři vyzdvihuje Mia Wallaceová („Proč máme tu potřebu plácat třeba úplný kraviny, aby nebylo ticho?"). Vince a Mia také původně strávili mnohem delší dobu v jejím domě, kdy si na něm Mia zkouší videokameru, zatímco hrají.

MIA
Teď ti položím pár krátkých otázek, které mě napadly. Díky nim bych více či méně měla poznat, s kým to vlastně jdu na večeři. Moje teorie je, že pokud jde o důležité věci, existují jen dva způsoby, jak může člověk odpovědět. Například jsou na světě jen dva druhy lidí: jedni dávají přednost Elvisovi, druzí Beatles. Fanoušci Beatles samozřejmě mohou mít rádi i Elvise a naopak. Ale nikomu se nelíbí obojí stejně. Něco si člověk musí vybrat. A tahle volba mi prozradí, kdo jsi.

VINCENT
S tím se dá souhlasit.

MIA
Věděla jsem, že mě nezklameš. První otázka: *Brady Bunch* nebo *The Partridge Family*?

VINCENT
Jednoznačně *The Partridge Family,* to se vůbec nedá srovnat.

MIA
V seriálu *Rich Man, Poor Man* se ti víc líbil kdo - Peter Strauss, nebo Nick Nolte?

VINCENT
Nick Nolte, samozřejmě.

MIA
Dáváš přednost *Bewitched*, nebo *Jeannie*?

VINCENT
Bewitched, jednoznačně. I když se mi vždycky líbilo, jak Jeannie oslovovala Larryho Hagmana, „Mistře!"

STRANY 90-91: Tarantino natáčel tanec Mii a Vincenta kamerou drženou v ruce a nakonec svým hercům zatleskal.
TATO STRANA A PROTĚJŠÍ STRANA: „Kouzelná atmosféra." Když Menkeová a Tarantino stříhali scény z Mazaného králíčka, soustředili se na to, aby se neustále střídaly dlouhé záběry a dramatické detaily. Cílem byla ta správná rovnováha mezi napětím a intimní náladou.

Když se blížilo uvedení do distribuce, Tarantino se všemožně snažil, aby očekávání nebyla příliš velká. Poukazoval na film Damona Wayanse *Mo' Money*, který vydělal 34 milionů dolarů s rozpočtem 8 milionů dolarů. Ale Weinstein měl jiné plány. V květnu odvezl Miramax část herců na filmový festival v Cannes, kde Weinstein předvedl trik, kterému říkal „strategie železné opony". Ranní projekce pro novináře byla v den premiéry jen jedna, aby měl film patřičnou odezvu.

Když Janet Maslinová vychválila film v *New York Times* („Toto dílo má takovou hloubku, vtip a ohromující originalitu, že ho to umisťuje do první ligy americké kinematografie"), Weinstein článek nakopíroval a strčil jej pod dveře všech členů poroty. Tarantino řekl Weinsteinovi, že se té akce nezúčastní, pokud bude *Pulp Fiction* odsunuto stranou podobně jako *Gauneři* na Sundance, ale v den předávání cen festivalu naléhal jeho prezident Gilles Jacob na Weinsteina, ať se postará o to, aby se on i herci ceremonie zúčastnili.

„My jsme si mysleli, že dostaneme cenu za scénář nebo režii, něco takového," vzpomíná Weinstein. „No a oni vyhlásili všechna ocenění a já jsem se podíval na Quentina a říkám: ‚Myslím, že dostaneme tu nejvyšší cenu.' Vůbec jsem nedokázal sedět v klidu. Quentin na mě vrhl skeptický pohled, ale najednou prásk! Clint Eastwood vystoupí na jeviště a dává Zlatou palmu *Pulp Fiction*. Díky Bohu, že tam byl Bruce Willis, který mě dokázal uklidnit."

Když nějaká žena protestovala a vykřikla „Pulp Fiction je sračka!", Tarantino jí ukázal vztyčený prostředníček. „Nedělám filmy, které mají lidi spojovat," oznámil, když přebíral cenu, „dělám filmy, které je rozdělují na dva tábory."

Po předávání pořádal Willis večírek v Hotel du Cap a veškerou útratu sám zaplatil – asi 100 000 dolarů. Nakonec na tom tratil snad ještě více než Travolta, který si usmyslel, že poletí na akci soukromým tryskáčem a ubytuje se v jiném hotelu spolu s manželkou a dětmi. Zaplatil tak 30 000 dolarů za privilegium hrát v Tarantinově filmu. „Myslím, že to, že jsem hrál v tomhle filmu, mě spíše stálo peníze," řekl k tomu. „Ale fakt to stálo za to. Quentinův scénář je jako od Shakespeara."

DOLE: Při přebírání Zlaté palmy na 47. ročníku festivalu v Cannes v roce 1995.
PROTĚJŠÍ STRANA: S ikonickým plakátem.

2.A book
ing lurid
matter, and
being charac
teristically
printed on
rough,
unfinished
paper.

BODY SHOP
FRAME STRAIGHTING
MORTARLESS BLDG SUPPLY CO
INSURANCE WORK
RICK'S AU
FRAME S
FOREIGN

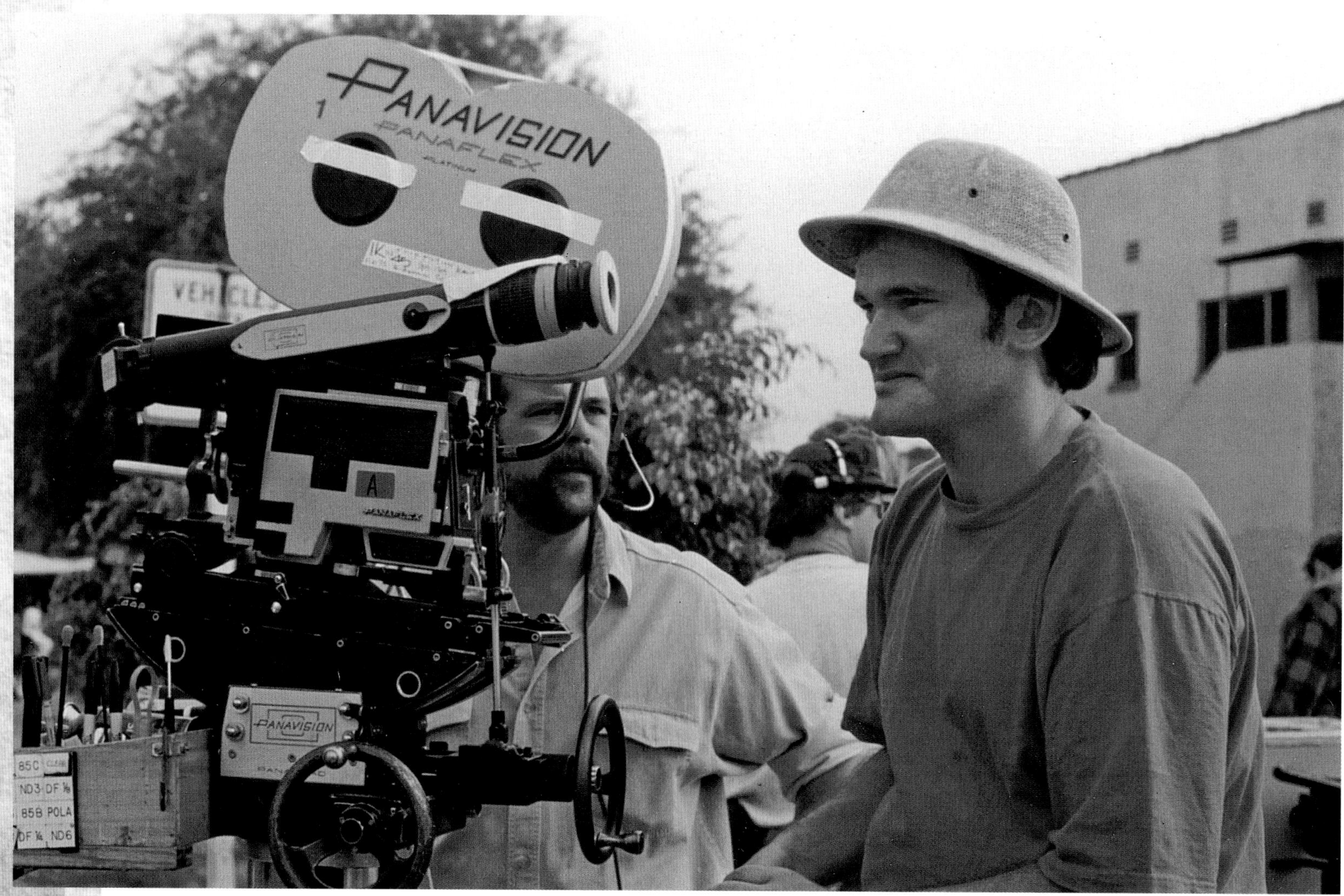
PANAVISION
PANAFLEX
A
PANAVISION
85C
ND3 DF ¼
85B POLA
DF ¼ ND6

„Byl jsem na vrcholu kreativity a představivosti. Plnil jsem si svůj sen."

Tarantino se mýlil. Nedělá jen filmy, které lidi rozdělují. Točí takové, které lidi spojují a rozdělují zároveň. Nechává je, aby do sebe naráželi, vjeli si do vlasů a potom si společně zašli na snídani s palačinkami a slaninou v Hawthorne Grill.

„Každý zná ten rozdíl mezi příběhem a zápletkou, který popsal E. M. Forster: ‚Král zemřel a pak zemřela královna,' to je příběh. ‚Král zemřel a královna pak zemřela žalem,' to je zápletka," připomněl Anthony Lane čtenářům *New Yorkeru* ve své recenzi na *Pulp Fiction*, když šel o něco později film do kin. „S tím by se dalo souhlasit, ale Forster nedokázal předpovědět vznik třetí kategorie, tarantinovskou zápletku, která funguje přibližně takto:

Král zemřel při sexu na kapotě zeleného Chevroletu Corvette a královna zemřela poté, co si dala řezaný crack, který sehnala od dvorního šaška, s nímž byla předtím pohroužena do hovoru o tom, zda je lepší limonáda Tab, nebo Pepsi bez cukru, zatímco si prohlíželi zkrvavené ostatky dvorních dam a pánů, které chvíli předtím postřílela ukradenou pětačtyřicítkou, protože se jí zmocnil žal."

Dokonce i dnes, po dvanácti zhlédnutích, kdy už se člověku všechny dialogy vryly do paměti a kdy se Tarantinův styl pokusilo zkopírovat na tisíc imitátorů, kteří se objevili a zase zmizeli, je možné sledovat jeho propracované mistrovské dílo a nevycházet z úžasu. Přepadení („Nikdo nikdy nevyloupí restauraci, ale proč ne?"), které je narušeno naléhavou malou potřebou. Nájemný vrah, jehož zabijí, když právě sedí na záchodě. Oběť předávkování se probere a stane se tak svědkem manželské hádky, která jako by vypadla ze sitcomu *I Dream of Jeannie*. Boxer, který podrazí svého šéfa, flegmatického mafiána, o němž se ale říká, že někoho vyhodil ze čtvrtého patra kvůli masáži nohou, jen aby na něj narazil na jedné křižovatce, jak si nese jídlo a kolu z nějakého fast foodu. Boxer do něj autem najede, havaruje, probudí se, ti dva se začnou rvát, až se dostanou do zastavárny, kde je zajmou nějací burani. Souboj Titánů je tak přerušen a přebit tím, že do děje vstoupí nový element.

PROTĚJŠÍ STRANA: S vážným výrazem při natáčení scény, ve které Butch za volantem vozu srazí Marselluse. TATO STRANA: Tarantino a producent Lawrence Bender (vpravo) si dávají pauzu při natáčení s Brucem Willisem a Mariou de Medeiros, která hrála Butchovu přítelkyni Fabienne.

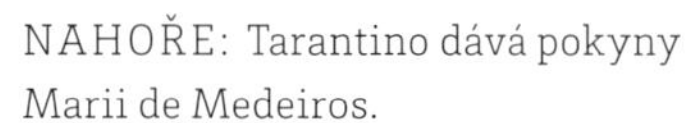

NAHOŘE: Tarantino dává pokyny Marii de Medeiros.
DOLE: „Nepotřebuju, abys mi říkal, jak dobrý mám kafe, jasný?" Tarantino se ujal role Jimmieho, komplice, který pomáhá Julesovi a Vincentovi zbavit se Marvinova těla.

„Tato struktura mu umožňuje vykreslit své postavy jako nedobrovolně vzájemně propojené, ale zároveň bezmocně izolované. Dokáže tak věrně vyobrazit tajuplnost světa a malost lidí v něm," napsala Sarah Kerrová v *New York Review of Books*. Dodává k tomu, že „z řad povalečů povstal první génius".

Tarantinova metoda je vzít charakteristické znaky žánru, jež jsou povědomé i těm, kteří filmy sledují povrchně, a podrobit je silám a vlivům, které se překvapivě podobají těm, jež fungují v našem světě. Ve světě, kde zbraně někdy vystřelí samy od sebe, lidé potřebují na záchod a zkrátka se může stát úplně cokoliv. Tento kontrast se objevil také v *Gaunerech*, ale odehrával se v pečlivě kontrolované podobě mezi tím, co gangsteři říkají (např. mluví o Madonně) a co dělají (vylupují banky).

Pokud byli *Gauneři* dílem, v němž Tarantino ukázal, že na to má, *Pulp Fiction* se stal filmem, který si patřičně užil. Od první scény – v níž Amanda Plummerová a Tim Roth přepadnou restauraci a kterou Sekula natočil v sépiovém nádechu, zatímco na konci se ozve zvonivý Stratocaster Dicka Dalea a jeho skladba *Misirlou* – Tarantino nechá delirium pohánět každou akci, čímž povolí formální sevření a vytvoří tak krásnou dějovou Möbiovu pásku, ve které je vedlejší postava jednoho příběhu klíčovým hráčem toho dalšího.

„Dokonce i hlavní děj působí jako vedlejší," poznamenal Anthony Lane. „Občas si říkáte, že někde nad tímto podsvětím se odehrává hlavní příběh. Je to bizarní trik; představte si, že byste z *Krále Leara* vymazali hlavního hrdinu, takže by vám zbyli jen blázniví bratři a sestry a stařec připoutaný k židli."

Film je to bizarní, ale ne bezpředmětný. Jako by zvedl ze země pytel s přísadami, mezi kterými je surfová kytarová hudba, film noir, Godard – ale nejvíce vychází z absurdního dramatu. Patří sem i *Šest postav hledá autora* od Luigiho Pirandella, *Čekání na Godota* od Samuela Becketa, ale nejvíce ze všeho *Rosencrantz a Guildenstern jsou mrtvi* od Toma Stopparda, ve kterém ti dva poslové nesou anglickému králi dopis, v němž je pokyn k popravě Hamleta, ale nakonec jsou sami zajati a popraveni. Ty dvě postavy si mezi sebou vymění jen několik replik, ale mají celou hru na

NAHOŘE: Butch prchá z místa činu na trefně pojmenované motorce Grace.

to, aby se hamletovsky zamýšleli nad tím, že jsou malé ryby, které nakonec smete drama, vyvolané někým jiným. „Děláme na jevišti věci, které by se měly dít mimo něj," říká Guildenstern.

„Což má v sobě určitou integritu, pokud se na každý východ díváš tak, že se jedná o vchod někam jinam."

To se velmi podobá popteologii Julese Winnfielda, který poté, co se na něj snese sprška kulek a žádná ho nezasáhne, dospěje k závěru, že se stal zázrak. „Měli jsme bejt kaput, kamaráde! To, co se tu stalo, je zázrak. A já chci, abys to, kurva, uznal!" Tento výrok funguje na dvou úrovních, protože divák se právě stal svědkem určitého druhu vzkříšení. Z mrtvých vstal Vincent, protože ho přece zastřelil Butch na záchodě, ale teď si to klidně promenáduje kolem díky Tarantinově chronologické smyčce. Butch také odjíždí na motorce jménem Grace.

Pokud tu je nějaký Bůh podobný tomu mstivému z Ezechiela 25,17 („A když uvalím svou mstu na Tebe, seznáš, že jméno mé je Bůh."), pak je to samotný Tarantino, který se snese shůry mezi ty, jež stvořil, a vesele mele páté přes deváté, zatímco Wolf (Harvey Keitel) na dvorku hadicí umývá Julese a Vincenta. Keitel zde hraje člověka, který působí v zákulisí, kde nejrůznější věci napravuje a zprostředkovává. Tato role není nepodobná té z *Gaunerů*, tím dává Tarantino najevo svou náklonnost k tomuto herci a také je z toho jasně patrné, jak moc porušoval pravidla při práci na debutu. Při uvedení filmu se opět objevily zkazky o Tarantinově lásce k násilí, ale ani tentokrát divák mnoho brutality nevidí.

A to, co vidíme, má křečovitý rytmus nikoli filmového násilí, nýbrž skutečného života: když Butch omdlí za volantem hondy, vůz se místo okázalé bouračky zastaví na chodníku vedle

SLUG
SANTA CRUZ

cedule „není k pronájmu". Následuje „stmívačka". Těch je ve filmu asi půl tuctu, většina z nich po nějaké významné události: Vincent a Mia tančí, Mia se předávkuje, Butch omdlí za volantem hondy, Marsellus ztratí vědomí po jejich rvačce. Účel je vždy stejný: poskočit v čase o kus dopředu a položit otázku: „Co teď?" V každém případě to dodává ději napětí, tajuplnost a odpich. To potvrzuje dojem, že Tarantino není především akční, ale spíše reakční režisér.

Tarantinovo režisérské umění se od dob *Gaunerů* neuvěřitelně rozvinulo, takže si troufá některé scény protáhnout, zatímco jiní by je zkrátili, a naopak krátí to, co by jiní nechali běžet dlouho. Jeho táhlé záběry nyní doplnily godardovské detaily z velké blízkosti: nohy Mii Wallaceové, jak si to cupitají směrem ke gramofonu, zadní část Marsellusovy hlavy s tou pozoruhodnou náplastí, která v sobě nese snad ještě větší tajemství než onen slavný zářící kufr.

Zdá se, že se Tarantinův něžný vztah k jeho postavám realizuje prostřednictvím těchto detailních záběrů. Film je nejgodardovštější ve scénách s Umou Thurmanovou, jíž se v očích leskne uličnictví, její černé mikádo jako by bylo imitací účesu Anny Kariny v *Žít svůj život* a její panteří chůze Tarantina fascinovala stejně, jako když Karina šla přes celý obchod s deskami a Godard vezl vedle ní kameru na vozíku tak, jako by toto byl hlavní důvod, proč Bůh techniku stvořil.

Podobně jako Godard má i Tarantino za cíl určitou povrchnost, což je nejvíce patrné v Travoltově tanci u Mazaného králíčka. Hvězda *Horečky sobotní noci* tancuje twist v obnošených ponožkách jako nějaký strýček o Vánocích. Je to jako sledovat, jak Picasso kreslí dětinského panáčka. Je tu také úžasný okamžik, kdy se Travolta a Butch setkají v Marsellusově baru a na první pohled jsou si nesympatičtí jako psi na ulici. „Nějakej problém, příteli?" zeptá se Butch. „Nejsem tvůj přítel," zavrčí Vincent. Neexistuje žádný důvod pro jejich antagonismus, kromě chladného větru, který vane z budoucnosti, v níž jeden z nich zabije druhého. Oba herci se stali symboly jedné dekády - jeden let sedmdesátých, druhý osmdesátých. Jedná se tedy vlastně o střet dvou ikon. Vesmír jako by nedokázal ustát takovou koncentraci ikoničnosti. Je to, jako kdyby

se srážely atomy nebo jako když krotitelé duchů překříží své paprsky. Vesmír se tak obrátí naruby.

Přes všechno, co pro prodeje filmu udělal, není jasné, zda se Willisův machistický minimalismus hodí k užvaněnému Tarantinovi, který umí psát dialogy pro všechny druhy mužů a žen - všechny, kromě silného málomluvného muže. Nejvíce jako pěst na oko působí ve filmu to, jak Willis nevyzpytatelně špulí ústa ve chvíli, kdy na něj Marsellus apeluje „ser na pýchu". Celá část s Butchem vlastně spočívá v demaskulinizaci Butche. Nezdá se ale, že by Willis inklinoval k dekonstrukci mužskosti. Když unikne Zedovi a Maynardovi, a tedy i sodomizaci, vrátí se k Fabienne (Maria de Medeiros) a musí najednou přepnout na něžná slůvka - „Dala sis ty palačinky, ty borůvkové?" Willis se postaral o to, že se předmětem vtipu staly ženy, nikoli sám Butch. Je možné, že se má příliš na pozoru na to, aby byl ochoten riskovat ponížení. Kvůli tomu tak stojí ve světě Quentina Tarantina osamoceně.

Samuel L. Jackson je ale zcela jiný případ. Jeho hlas přechází z jedné oktávy do druhé, oči mu lezou z důlků a celkově se zdá, jako by se v jeho osobě zhmotnily všechny ty roky, které Tarantino strávil v divočině. Každý z jeho výroků jako by s sebou nesl výbuchy rozhořčení a zraněnou pýchu: „Ten, kdo to tvrdí, nemusel kvůli tobě sbírat kousky lebky, aby tě dostal z průseru." Takovou nevrlost by do této repliky dokázal vložit snad jen Richard Pryor.

NAHOŘE: John Travolta a Bruce Willis si na place povídají vtip. PROTĚJŠÍ STRANA: „Řeším problémy." Winston Wolfe ztvárněný Harveym Keitelem nabízí svou pomoc dvojici zločinců.

STRANY 102-103: Vincentova zbraň omylem vystřelila a zanechala po sobě spoušť.
TATO STRANA A PROTĚJŠÍ STRANA: Vicent Vega a Jules Winnfield patří mezi nejslavnější dvojice postav v historii kinematografie.

Jackson a Travolta jsou skvělými protiklady. Pokud Jackson obrátky zvedá, Travolta je snižuje a vše uhlazuje ospalým projevem, jako by se jednalo o chlapce, který se snaží neprozradit nějaké tajemství. Během večeře se většinu času ani nedokáže podívat Mie do očí a je těžké odhadnout, zda je za tím skromnost nebo stud. Ke konci se zdá, jako by ti dva byli ztělesněním vnitřního souboje, který se odehrává v samotném Tarantinovi, tedy mezi povalečem a člověkem, jenž ujíždí na adrenalinu, lenochem, odborníkem na pulpové historky. Jako by se v něm stále pralo flákačství s touhou práskat bičem.
V podobě *Pulp Fiction* všechny tyto aspekty našly křehkou rovnováhu. Film působí podivínsky a zároveň uvolněně. Je rozvláčný a zároveň jsou v něm rozhodující momenty. Po dvou a tři čtvrtě hodinách děj opíše kruh, a podobně jako v *Gaunerech*, postavy na sebe vzájemně namíří zbraně. Tentokrát nedojde k vzájemné likvidaci, ale k jednostrannému odzbrojení, díky kterému mohou všichni zastrčit pistole do kalhot a spokojeně odejít domů.

David Thomas o tom napsal: „Když se na konci *Pulp Fiction* dějový oblouk ohne a setká se sám se sebou, je na tom něco hluboce, až muzikálně uspokojivého. Je to jakési formální kouzlo, které je zároveň velmi dojemné." Kdo by to byl řekl? Tři dějství, romance, morální vykoupení postav, citáty z bible a šťastný konec.

Filmu *Pulp Fiction* stál 8,5 milionu dolarů a v kasách kin vydělal 214 milionů, čímž se stal prvním nezávislým snímkem, který překonal dvousetmilionovou hranici. Miramax se díky tomu zviditelnil jako ministudio, Johnu Travoltovi se podařilo opět nastartovat vadnoucí kariéru a došlo ke změně směru, kterým se vydala nezávislá filmařina. Weinstein o tom prohlásil: „Byl to první nezávislý film, který porušil všechna pravidla. Jako by pohnul ručičkami na filmových hodinách."

Snímek byl nominován na sedm Oscarů, včetně nejlepšího filmu a nejlepšího režiséra, a Tarantino a jeho spolupracovník Roger Avary si odnesli cenu za nejlepší scénář. „Díky *Pulp Fiction* nabrala moje kariéra úplně nový směr," prohlásil později Tarantino. „Normálně když uděláte film jako *Gauneři*, lidé ze studia vám řeknou: ,To je docela dobré. Možná že kdybychom to příště doplnili něčím, co má větší komerční potenciál, mohlo by nás to posunout dál.' Takže jsem myslel, že udělám ,na koleni' svůj malý artový film, *Pulp Fiction*, a možná to vydělá 30 nebo 35 milionů. ,Tak, teď už ho můžeme zapojit do světa filmových studií naplno. Pojďme mu dát Dicka Tracyho nebo *Krycí jméno U.N.C.L.E.*' Něco takového jsem očekával. To se ale nestalo. Nemusel jsem se zapojit do nějakého komerčního projektu jen kvůli tomu, abych se zviditelnil. Můj hlas a můj styl najednou znal každý, takže jsem si nemusel ušpinit ruce komercí. Stojím a padám se svými schopnostmi."

„Nejsem ten druh režiséra, který by chtěl stavět *Pulp Fiction* do nové perspektivy dvacet let poté. Jedna z věcí, na které jsem nejvíce pyšný, je to, že jsem udělal povídkový film. Tři oddělené příběhy. Pak jsem se pokusil, aby ty tři povídky dohromady vyprávěly jeden celistvý příběh, a povedlo se mi to.“

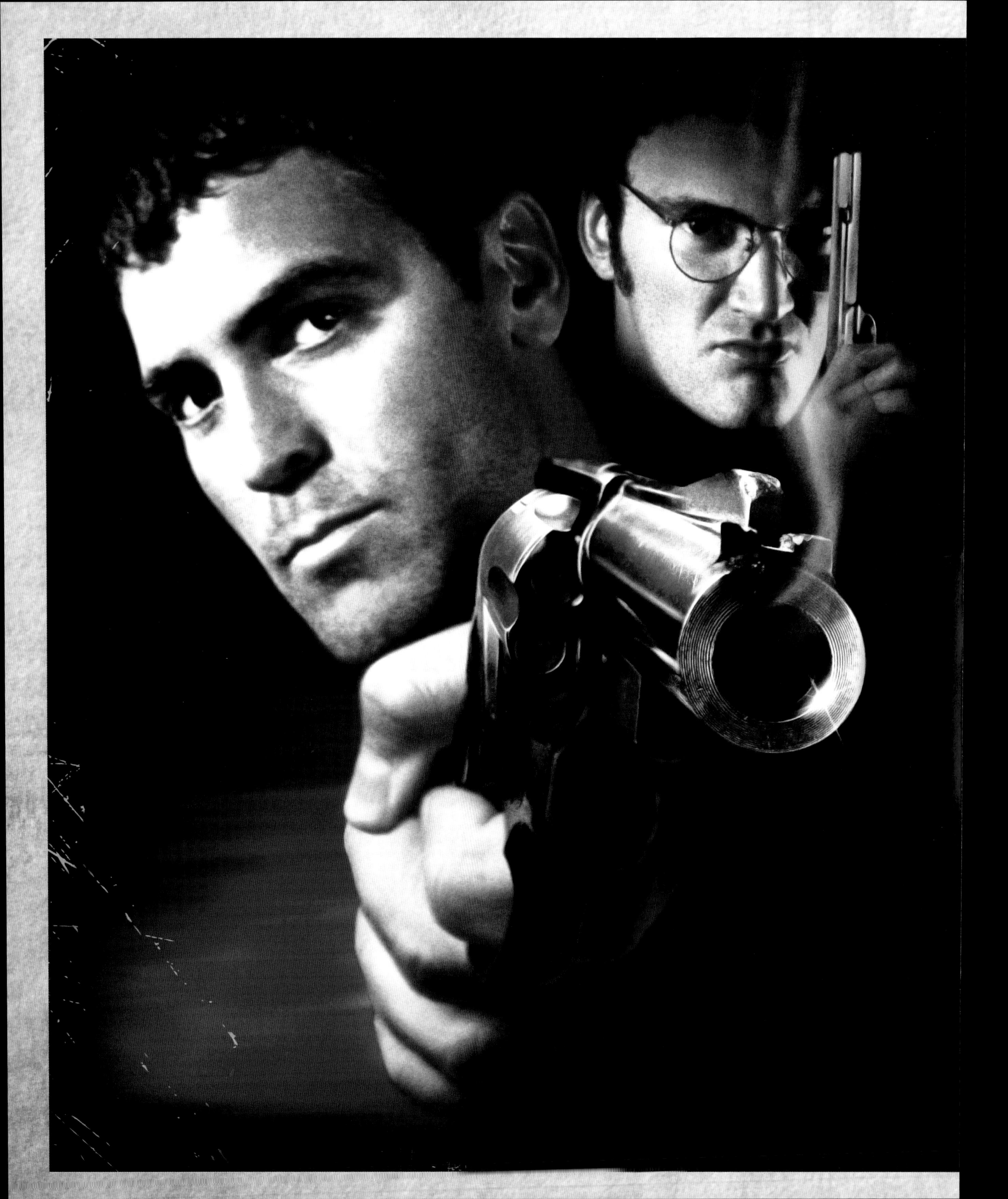

MEZIDOBÍ

ČTYŘI POKOJE

1995

OD SOUMRAKU DO ÚSVITU

1996

„V Americe nejsem slavný na způsob režiséra, ale spíše jako filmová hvězda," říká Tarantino o svém životě po *Pulp Fiction*. Když v té době vešel do baru v Los Angeles, hned se na něj pověsilo několik dívek. K jeho stolu neustále přicházel nikdy nekončící příval fanoušků. Lidé na něj troubili, když jej viděli v autě, a pronásledovali ho v naději, že jim podepíše plakát nebo fotografii. Rád si s nimi povídal o filmech, ale jak šel čas, začínalo to na něj být příliš, například když vstoupil do obchodu s deskami, kterými se chtěl prohrabovat jako „každej normální chlápek".

Když v dubnu roku 1995 zavřeli restauraci Chasen's, Tarantina tam doprovázel jeho kolega-filmař Robert Rodriguez.

„Jakmile se dveře otevřely, okamžitě se objevili lidé s plakáty *Pulp Fiction* a on byl vysloveně v obležení," vypráví Rodriguez. „Quentin mi povídá: ‚Podívej, támhletomu týpkovi jsem podepsal plakát a on se na mě koukal jako na vyvrhele kvůli tomu, že jsem mu jich nepodepsal všech osm.'"

Když ho oslovil jiný přítel, režisér Alexandre Rockwell, zda by se nepodílel na povídkovém filmu, v němž by figurovaly čtyři příběhy, které se odehrály stejnou noc v jediném hotelu, Tarantino se rozhodl, že nastaví zrcadlo své nově nabyté slávě. Jeho příběh měl být o nafoukaném herci jménem Chester Rush, tlučhubovi, který se proslavil účinkováním v komediích. Nastěhuje se do apartmá v tom hotelu a prolévá se šampaňským značky Cristal („Je to kurva Cristal, všechno ostatní jsou chcánky."), mává kolem sebe bankovkami, aby někomu zaplatil za to, že jinému muži v rámci sázky usekne prst sekáčkem na maso.

Tarantino vypráví: „Ta postava začala komicky, protože jsem si říkal, že takového chlapa dokážu zahrát fakt dobře. Nakonec se ale do ní promítla určitá moje traumata, která vyplývala z toho, že jsem „celebrita" – bohužel mě nenapadá lepší výraz. Hraju tam v podstatě sám sebe, když mě zrovna přemůže moje nejhorší já."

Nápad udělat povídkový film vznikl, když Tarantino nějakou dobu přebýval na Manhattanu u Rockwella a jeho přítelkyně, Jennifer Bealsové. „Měl jsem pocit, že patříme do určité nové vlny," vypráví režisér, který se s Tarantinem seznámil na Sundance v roce 1992, spolu s Allison Andersovou, Richardem Linklaterem a Robertem Rodriguezem.

Všichni tito režiséři kromě Linklatera, který ve Vídni točil film *Před úsvitem*, si pronajali apartmá v Chateau Marmont, kde se cpali hamburgery, popíjeli a diskutovali, jakým způsobem budou jejich příběhy vzájemně provázané. „Bylo to jako pyžamová party nebo něco takového," řekl o setkání Rockwell. „Byla to Quentinova noc snů. Všichni jsme se sešli v místnosti, ve které jsme se dívali na video a jedli popcorn. Všichni jsme seděli a mluvili o tom filmu, prostě jsme si převyprávěli základní zápletky těch příběhů. A když jsme ty scénáře spojili, bylo to skvělé, protože bylo až k neuvěření, že k sobě všechny vzájemně pasovaly."

PROTĚJŠÍ STRANA: Plakát ke snímku *Čtyři pokoje*, v němž Tim Roth ztvárnil hotelového poslíčka.
NAHOŘE: Režiséři *Čtyř pokojů*: (zleva doprava): Alexandre Rockwell, Allison Andersová, Tarantino a Robert Rodriguez.

NAHOŘE: Ve své epizodě „Muž z Hollywoodu" si Tarantino zahrál komika Chestera Rushe po boku Bruce Willise, Paula Calderna a Jennifer Bealsové. VPRAVO: Robert Rodriguez (nalevo) a Tarantino se opět setkali při natáčení upířího krimi thrilleru *Od soumraku do úsvitu*. Sarah Kellyová (uprostřed) zdokumentovala vznik filmu ve svém snímku z roku 1997 *Full Tilt Boogie*.

Každá z povídek se musela odehrát ve stejnou noc a ve stejném hotelu a ve všech se musela objevit postava hotelového poslíčka Teda. Toho měl původně hrát Steve Buscemi, ale to se změnilo, když poukázal na to, že poslíčka hrál už ve filmu bratří Coenů *Barton Fink*. Z toho důvodu, a taky při představě, že ho mají režírovat čtyři režiséři, z toho vycouval. A tak oslovili Tima Rotha.

V příběhu „Chybějící ingredience", který točila Andersová, se skupina čarodějnic (Madonna, Ione Skye a Lili Taylor) pokouší přivést zpět k životu striptérku z padesátých let; v Rockwellově části s názvem „Nesprávný muž" se hotelový poslíček připlete do hádky mezi Davidem Provalem a Jennifer Bealsovou, kteří zde hrají manželský pár. V Rodriguezově příběhu „Malí neposluchové" figurují dvě děti, jež zničí hotelový pokoj, zatímco jejich rodiče odjeli z města. A nakonec, v Tarantinově „Muži z Hollywoodu" se rozmazlená hvězda komediálních filmů, Chester Rush (Tarantino), nastěhuje do hotelového apartmá i s několika kumpány, vypůjčí si jednu situaci z *Alfred Hitchcock uvádí* a vsadí se se svým kamarádem, že nedokáže zapalovač Zippo úspěšně zapálit desetkrát po sobě. Pokud ano, dostane Chesterův červený Chevrolet Malibu. Pokud ne, přijde o malíček. Nepodaří se mu to a o malíček přijde hned po prvním pokusu.

„Podobné sázky figurují v příbězích odjakživa," vysvětluje Tarantino. „Řekl jsem si, že existuje způsob, jak do toho vnést svěží vítr: ochutit to trochou reality. Nemuselo se to stát při prvním pokusu, mohl to být ten poslední. Základní myšlenkou je, že se celou dobu schyluje k určité události a divák má pocit, že to bude pořádná jízda. A najednou bum! Je konec. Žádná jízda nebude."

Byl to poměrně rafinovaný nápad. Jediný zvrat zanechá diváka s prázdnýma rukama a ještě po něm chce, aby mu to připadalo vtipné. Mohlo se sice zdát, že tento film poskytne Tarantinovi útočiště před očekáváními, která vznikla na základě úspěchu *Pulp Fiction*, a že by se snad mohl vrátit ke kamarádskému duchu, který znal z dob, kdy pracoval ve Video Archives a byl zcela neznámý. Rozsah produkce jednotlivých příběhů ale ukázal, jak naivní to byla představa. Andersové neuniklo, že apartmá, ve kterém natáčel Tarantino, bylo mnohokrát větší než místnosti ostatních. „Do jeho pokoje by se vešla všechna tři zbylá," poznamenala. „Byla to metafora pro to, co se dělo."

V jedné hádce o tom, kdo by měl režírovat jednu pasáž na konci titulků, řekl Tarantino Andersové: „Víš, pořád říkáš, že jsme jako kapela, jako Beatles, kde se všichni dohadují, kdo bude zpívat hlavní vokál, pak udělají jedno album a rozpadnou se."

Andersová odpověděla: „No, ony existují i jiné typy kapel, které udělají jeden hit a pak zmizí. Něco jako Buckinghams, kde si všichni vzájemně lezou do zadku."

„V tom případě bych si mezi námi přál trochu víc toho lezení do zadku," opáčil Tarantino.

„To jo, ale jen tehdy, pokud všichni lezou do zadku tobě," odpověděla mu Andersová.

Natáčení skončilo těsně před Vánoci roku 1994 a střih byl hotový 9. března. Bob a Harvey Weinsteinovi dohlíželi na to, aby se hrubá verze, která měla přes dvě a půl hodiny, zkrátila na devadesát minut. „Bylo těžké zkracovat Roberta, protože jeho příběh je jako komiks," vypráví Rockwell. „Quentin používá dlouhé záběry, takže se jeho dílo zkracuje také jen obtížně. Kvůli tomu rostl tlak na mě a Alison."

Rockwell později popsal kontroverzi, která kvůli tomu vznikla. „Řekl jsem Bobovi a Harveymu ‚No dobrá, tak to všichni trochu zkrátíme, ne?' A Harvey a Bob se rozesmáli a říkají: ‚Kdo ale řekne Quentinovi, že má svou část zkrátit?' Harvey odpoví: ‚No, řeknu mu, že Alex zkracuje, ale to si pak bude myslet, že mu tím přibyl další prostor, a začne svůj příběh prodlužovat.'" Nakonec měl Rockwell nejkratší část, po něm Andersová, Tarantino a nakonec Rodriguez. Lidem z Miramaxu se do propagace filmu moc nechtělo, takže se záměrně vyhnuli všem festivalům kromě Toronta a nakonec film uvedli do distribuce 25. prosince 1995, díky čemuž na film nevyšly téměř žádné recenze.

„Dříve jsem rád chodíval po ulici s hlavou v oblacích, ale to si teď nemůžu dovolit. Kdybych se každý večer snažil sbalit nějakou holku, pak by sláva byla to nejlepší na světě, ale o to se já nepokouším.“

„Ve skutečnosti si to lze vyložit jako akt milosrdenství, protože čím méně se toho napíše o tomto fiasku, které má potenciál ruinovat kariéry, tím lépe," napsala Janet Maslinová v *New York Times*.

„Pokud bychom na příběhy měli aplikovat hodnoticí škálu turistického průvodce Michelin, jen jeden z nich stojí za to, abychom se za ním vydali (‚Malí neposluchové'), a jeden za to, abychom k němu odbočili, pokud pojedeme kolem (‚Muž z Hollywoodu')," řekl Roger Ebert. „Příběh je to typicky tarantinovský, ale načasování je úplně mimo (kromě jednoho klíčového záběru) a dialogy jsou takové všelijaké."

Film byl v kinech jen pár týdnů a pak se rychle vytratil. Chatrné základy, na kterých stál, nebyly schopné unést tíhu očekávání, která lidé na Tarantina navalili po *Pulp Fiction*. K tomu se navíc přidala první vlna negativních reakcí na jeho slávu. Tarantinovský. Recenzenti nepsali ani tolik o jeho díle, jako spíše o jeho reputaci.

„Z mého jména udělali přídavné jméno dříve, než jsem to čekal," poznamenal Quentin, který začal vyprávět novinářům: „Dříve jsem rád chodíval po ulici s hlavou v oblacích, ale to si teď nemůžu dovolit. Kdybych se každý večer snažil sbalit nějakou holku, pak by sláva byla to nejlepší na světě, ale o to se já nepokouším."

NAHOŘE: „Zdá se, že jsem se dostal do první ligy." Tarantino píše pro své publikum, které chová ve velké úctě, ale často se musí před svými fanoušky a paparazzi skrývat.

Dočetl se o sobě fráze jako „Quentin Tarantino, kterému je ke škodě všech věnováno příliš mnoho pozornosti" a pomyslel si: vy sráči, ten příval pozornosti je vaše práce.

Během následujícího roku Tarantino nerežíroval nic kromě jedné episody *Pohotovosti: Mateřství* (*ER: Motherhood*). Před tlakem, který na něj veřejnost vyvíjela po *Pulp Fiction*, utíkal tím způsobem, že moderoval *Saturday Night Live* a sám byl hostem různých talk show. Objevil se také v jedné epizodě *Simpsonových*. Nabídli mu post režiséra filmů *Nebezpečná rychlost* a *Muži v černém*, ale obojí odmítl. Trochu přepsal scénář Tonyho Scotta s názvem *Krvavý příliv* („Poznáte tam, které části jsem psal já. Jsou to ty kecy o komiksech a Star Treku, ten záchodový humor.") a rovněž se podílel na *It's pat* s Julií Sweeneyovou, kde se ale nakonec objevil jen jeden jeho vtip.

Jeho největší přínos kinematografii byla v tomto období jeho propagace vyznání lásky Hong Kongu, kterou pod názvem *Chungking Express* vytvořil Kar-wai. Tento film vyšel pod hlavičkou Rolling Thunder Pictures, což je distribuční odnož Miramaxu, kterou dal Harvey Weinstein Tarantinovi „na hraní". „Dal jsem se do pláče," prohlásil o filmu. Ne snad, že by byl tak smutný. „Byl jsem neuvěřitelně šťastný, že vidím film, který se mi tak moc líbí."

NAHOŘE: „Díval ses někdy na Star Trek?... Tak já jsem kapitán Kirk a ty jsi Scotty. Potřebuju víc síly!" Tarantinův odkaz na popkulturu v *Krvavém přílivu* (1995) Tonnyho Scotta, který dal vzniknout jednomu z nejslavnějších dialogů v tomto filmu.
DOLE: Brigitte Lin ve scéně z filmu *Chungking Express* (1994), který režíroval Wong Kar-wai. Tarantino jej produkoval pro studio Rolling Thunder Pictures, které je odnoží Miramaxu.

VLEVO NAHOŘE: S přítelkyní Mirou Sorvinovou.
VPRAVO NAHOŘE: Tarantino si odpočinul od režírování a scenáristiky a zahrál si roli Johnnyho Destiny ve filmu *Johnny zapíná rádio* (1995).

Pokud se v tomto období věnoval filmu, bylo to většinou v pozici herce. Když hledal místa, kde by bylo možné natočit *Pulp Fiction*, stihl přitom zahrát štěk v romantické komedii Rory Kellyho *Sleep with Me* (1994), ve které dostal příležitost znovu použít hlášky, kterými se v dobách Video Archives bavil s Avarym: že je *Top Gun* ve skutečnosti homosexuální alegorie („Říkají mu: ne, vydej se cestou gayů, buď gay, je to jasný?").

V roce 1995 začal jeho vztah s Mirou Sorvinovou, která vyhrála Oscara ve stejném roce jako on. Když trávil čas s ní a jejím otcem Paulem, konverzace u stolu v něm podle jeho slov probouzela „staré sny a touhy z dětství". Oba pak přijali role ve filmu *Johnny zapíná rádio*, kde Tarantino hraje Johnnyho Destiny, zdvořilého pseudoboha, který se v ději pravidelně objevuje a připomíná postavám, že žijí ve „městě neomezených možností". Jak je koneckonců u něj zvykem, nehrál ani tak postavu, jako spíše glosátora: Quentin Tarantino, patron nezávislých filmů, módní ornament, s jehož pomocí mohou filmaři dát najevo svůj dobrý vkus. V tomto období se spřátelil také se Stevenem Spielbergem, který mu řekl: „Ve světě kinematografie jsi něco jako frkař."

Následovaly další štěky: *Somebody to Love* od Rockwella, kde si zahrál barmana; *Hands Up* od Virginie Thevenetové, kde ztvárnil překupníka alkoholu, který se zamiluje do ženy zapletené do sado-maso světa; v Rodriguezově *Desperado* byl obsazen do role pašeráka drog, jehož zastřelí po dlouhém monologu o močení do sklenice. Jeho výkon ale opět budil pocit, že představuje nějakého *deus ex machina* a do okolního prostředí nezapadá. Ve filmu se zdá, jako by se vznášel nad vším ostatním místo toho, aby splynul s okolím. Zkrátka tak „probořil čtvrtou stěnu". Následné recenze ho dost otrávily a po dobu následujících několika let se na jejich adresu vyjadřoval dost kriticky. „V každé recenzi se psalo to samé. Já měl vždycky pocit, že jsem v tom daném filmu vtipný, že se mi to fakt povedlo. Oni ale nepsali o tom, že bych hrál špatně, ale spíš ve stylu ‚Máme toho chlápka po krk. Už prostě nechceme, aby nám lezl na oči.'" Jeho herectví nekritizovali, protože on vlastně v pravém slova smyslu ani nehrál.

To se však netýkalo filmu *Od soumraku do úsvitu*, upíří střílečky na základě scénáře, který Tarantino původně napsal za 1 500 dolarů. Ten byl vytvořen s cílem umožnit specialistovi na efekty Robertu Kurtzmanovi ukázat, co

všechno dokáže jeho firma KNB. Výměnou za to právě tato společnost poskytla zdarma svoje služby při natáčení scény s uříznutým uchem v *Gaunerech*. „Tohle je film, který byl bezostyšně šitý na míru drive-in kinům," prohlásil Tarantino, který velmi rád nechal scénář v rukou Rodrigueze a sám si po boku George Clooneyho zahrál jednoho z dvou bratrů – bankovních lupičů. Ti dva se ihned spřátelili a ve svých přívěsech si vzájemně ukazovali dopisy od fanoušků.

Tarantino vzpomíná na čas strávený s Clooneym: „On mě vždycky povzbuzoval. Říkal mi: ‚Vykašli se na ty kretény, co strhali *Johnny zapíná rádio*! Ať jdou do prdele! V celém tom filmu jsi byl zdaleka nejlepší, kámo! Máš můj respekt, a nejen můj. A skvělej budeš i v tomhle filmu!'"

Od Clooneyho to bylo velmi mazané. Přesně takový vztah měli totiž předvést i před kamerami. Quentin hraje mladšího bratra jménem Richard Gecko, výbušného bledého podivína, který neustále vyhrožuje, že pošle jejich plány k čertu. „Tarantino není špatný, a dokonce se díky jeho portrétu demence a lascivity i několikrát zasmějeme," psalo se ve Variety.

„Tarantina zde najdeme v rafinovaně umírněné náladě," soudili v *New York Times*.

NAHOŘE: Kate Fullerová (Juliette Lewisová), Jacob Fuller (Harvey Keitel) a Seth Gecko (George Clooney) útočí na nemrtvé v *Od soumraku do úsvitu*. DOLE: Tarantino jako scénárista (vpravo dole) a režisér Robert Rodriguez (vpravo nahoře) „blbnou" se členy štábu při natáčení *Od soumraku do úsvitu*.

„S těmi postavami jsem si užil hodně zábavy. Jsou to vlastně dva filmy v jednom. V jednu chvíli přehodíme výhybku, ale nedáváme to divákovi znát dopředu.“

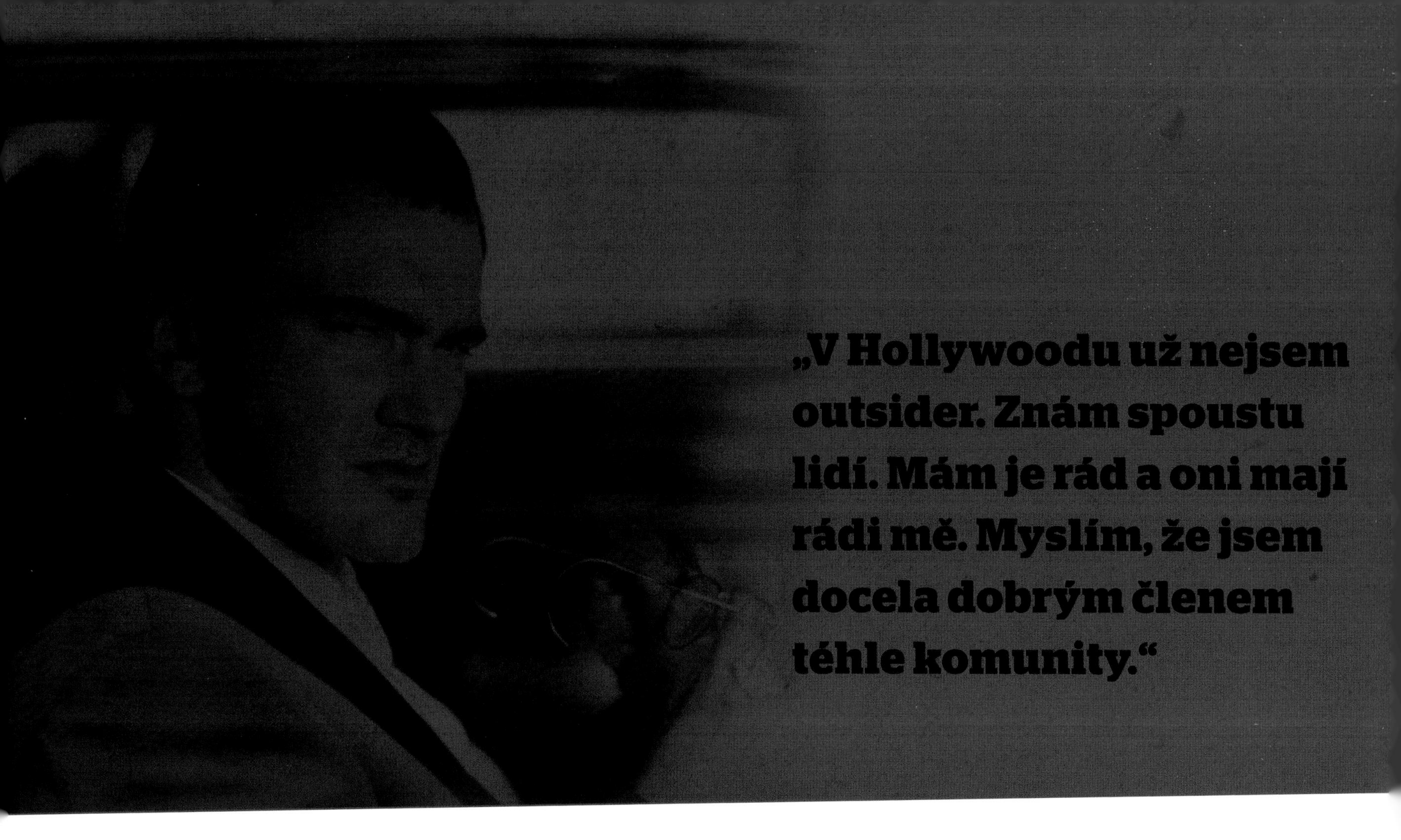

STRANY 116–117: Při natáčení *Od soumraku do úsvitu* se Tarantino a Clooney spřátelili. Ve filmu ztvárnili role bratrů na útěku Richarda a Setha Geckových.
NAHOŘE: Tarantino jako Richard Gecko v *Od soumraku do úsvitu*.
PROTĚJŠÍ STRANA: Portrét pořízený Michaelem Birtem v roce 1998.

„Recenzenti v podstatě psali: ‚Dokonce i Quentin byl docela dobrý!'" žertoval Tarantino. „Opravdu jsem do toho dal všechno a na výsledek jsem byl pyšný."

V kinech se filmu dařilo dobře. Vydělal 10 milionů dolarů, po delší době dokonce 26, a to i přesto, že stál proti takovým trhákům jako *12 opic* Terryho Gilliama nebo *Nixon* Olivera Stonea. To vše navzdory „slepené" zápletce, v níž bratři Geckové vezmou jako rukojmí rodinu kazatele, ale následně musí odložit své spory stranou kvůli zdánlivě nekonečné přestřelce s upíry na hranici Mexika. Lze to vnímat jako určitou paralelu ke střední části *Pulp Fiction*, ve které protagonista A bojuje s protagonistou B, ale nakonec se musí spojit proti ještě většímu zlu, kterým je C. „*Od soumraku do úsvitu* drží pohromadě díky Harveymu Keitelovi," píše v *Entertainment Weekly* Owen Gleiberman. „Jeho prošedivělá bradka a jižanský přízvuk ho dobře maskují, ale i tak dodává postavě Jacoba tichou morální autoritu. Když se na cestě k mexické hranici s mladým Scottem dohaduje o tom, co dál (otec má více zkušeností, syn viděl více detektivek), spojuje to v sobě naléhavost a zároveň je tento okamžik nasycený popkulturními odkazy. Nikdo jiný podobné situace neumí přivést k životu tak dobře jako Tarantino."

Zpět do režisérského křesla nakonec Tarantina dostali bratři Weinsteinové. Jednalo se o adaptaci románu jednoho z jeho oblíbených autorů, Elmora Leonarda. Tarantino četl Leonardův román *Rum Punch* ještě dříve, než byl vydán, a to těsně před dokončením *Pulp Fiction*. „Přečetl jsem si to a hned to viděl před očima. Ihned jsem si to dokázal představit jako film."

Lawrence Bender oslovil Leonardovy vydavatele ohledně zfilmování, ale jim se ta myšlenka příliš nepozdávala. Po úspěchu *Pulp Fiction* se ale na veřejnost dostaly tři další Leonardovy romány. Kromě *Rum Punch* to byly také *Smrtící výstřel*, *Bandits* a *Freaky Deaky*. Weinsteinové koupili práva na každý z nich, aby je mohl Tarantino zfilmovat.

„Přečetl jsem si to, abych se s tím blíže seznámil," prohlásil Tarantino. „A podívejme se, hned se mi před očima začal odehrávat stejný film jako poprvé. Všechny ty vize se mi vrátily. Říkal jsem si ‚tohle chci vážně zfilmovat.'"

JACKIE BROWNOVÁ

1997

„Jackie Brownová nebyla moje pokračování *Pulp Fiction*. Nesnažil jsem se jakkoli překonat *Pulp Fiction*. Spíše jsem se pokoušel ‚pod tou zdí podhrabat'!" říká Tarantino. Od té doby, co v roce 1994 triumfoval v Cannes, objížděl filmové festivaly, hrál ve filmech svých přátel a pokoušel se odrážet dotazy tisku i fanoušků, kdy že natočí další film. I poté, co na veřejnost prosákla informace, že se chystá adaptovat román Elmora Leonarda *Rum Punch*, novináři se nepřestávali ptát: proč mu to trvá tak dlouho?

„Nechtěl jsem udělat to, co všichni, když adaptují romány," prohlásil po dokončení. „Chtěl jsem, aby ten film byl schopný obstát sám o sobě, ale aby měl v sobě stejnou integritu jako ten román. A to zabere dost času. Jde o to ne pouze naředit děj, ale zachovat také náladu, příchuť. Snažil jsem se, aby tam byl jasně znát jeho rukopis, ale zároveň také můj. Celou tu dobu vycházely nejrůznější články, ve kterých se lidé ptali: ‚Na čem dělá Quentin? Kdy udělá Quentin něco dalšího?' Tak abyste věděli, Quentin psal. Dělal to, co dělá vždycky."

Ve skutečnosti ale Quentin dělal něco pro něj neobvyklého: svou první adaptaci románu. Šlo o Leonardův román z roku 1978 s názvem *The Switch*, jehož děj se odehrával před *Rum Punch* a v němž se poprvé objevily postavy Ordella, Louis a Melanie. Když tehdy Tarantina chytili při krádeži, pokoušel se z místního Kmartu odnést tento román. „Právě Leonardův literární styl mi otevřel oči a ukázal dramatické možnosti každodenního dialogu. S jeho každým dalším románem, který jsem četl, jsem cítil větší svobodu zacházet s postavami tak, že nebudou mluvit o tom, co se děje, ale spíše se tomu budou vyhýbat. Díky němu jsem pochopil, že postavy mohou ve svých promluvách nejrůznějšími způsoby odbočovat a tyto odbočky pak nejsou o nic méně důležité než všechno ostatní. Tak přece mluví skuteční lidé. Myslím, že nejvíce se jeho vliv projevil v *Pravdivé romanci*. V podstatě lze říci, že *Pravdivá romance* byl můj pokus o určitou scenáristickou verzi románu leonardovského typu." V případě *Jackie Brownové* byl cíl jednoduchý.

„Nechte mě udělat vyzrálejší film, založený na postavách," řekl jednou Rodriguezovi. „Rád bych zkusil udělat ten druh filmu, který by ode mě lidé čekali, kdyby mi bylo 45."

Tarantinův klíč k *Rum Punch* byla postava Ordella, floutkovského obchodníka se zbraněmi, kterého hrál Samuel L. Jackson. V tom roce, kdy Tarantino scénář psal, si celou dobu do této postavy promítal sám sebe. „Na celý rok jsem se stal Ordellem," prohlásil. „Právě s ním jsem se v tomto příběhu nejvíce ztotožňoval. Byl jsem Ordell, kdykoli jsem psal. Dokonce jsem i chodil stejný způsobem jako on. Mluvil jsem jako on. Celý ten rok jsem strávil v jeho kůži. Nedokázal jsem tomu zabránit, a ani jsem nechtěl. A svým způsobem je Ordell rytmem toho filmu. To, jak mluví, jak se obléká, celý ten film by měl být jako on. On je jako z nějaké staré školy soulové hudby. Je přímo ztělesněním něčeho takového, a s tím se já dokážu úplně ztotožnit. Kdybych nebyl umělcem, byl bych do posledního puntíku jako Ordell."

Tento film se také nejvíce podobá prostředí, ve kterém Tarantino vyrůstal. Zatímco se pokoušel zkrátit třísetpadesátistránkový román do dvou hodin a čtyřiceti minut filmu, změnil místo děje z Miami na losangeleskou čtvrť South Bay, kde strávil velkou část dětství. To mu umožnilo vyrovnat se Leondardovi v jeho schopnosti vystihnout ducha místa, nikoliv jej pouze napodobovat. V příběhu se navíc objevil Beaumont (Chris Tucker), Ordellův smolařský poskok.

Na rozdíl od románu se Tarantino v ději nejvíce zaměřil na čtyřiačtyřicetiletou letušku, bělošku jménem Jackie Burkeová, která dělá, co se dá, aby si udržela svou práci, zatímco ji FBI využívá jako nástroj k dopadení Ordella. Jedná se o první Tarantinův film s ženskou hlavní postavou. Když se pokoušel vymyslet, kdo má hrát Jackie, napadlo ho několik jmen. Hledal někoho, komu bude čtyřiačtyřicet, ale bude vypadat o deset let mladší. Chtěl, aby vypadala skvěle, ale zároveň aby působila jako někdo, kdo zvládne naprosto cokoliv.

„Pak jsem si ale vzpomněl na Pam," vypráví. „Pak už to bylo jednoduché. Tím, že jsem obsadil do role černou ženu po čtyřicítce, jsem dodal příběhu hloubku. Přesně takový efekt měla na film Pam. Má už něco za sebou a je překrásná. Vypadá na pětatřicet a vyvolává dojem, že dokáže všechno. Umí si zachovat klid, když jde do tuhého. Je to jasné? Toho všeho má Pam na rozdávání. Taková je Pam Grierová."

Tarantino poprvé viděl Grierovou ve filmu *Coffy*, když mu bylo třináct. Během dospívání zhlédl tuto královnu utlačovaných černochů ve *Women in Cages*, *Fort Apache*, *The Bronx* a *Foxy Brown* a sám k tomu říká: „Jako snad každý kluk v mém věku jsem na ní mohl oči nechat." Ucházela se už dříve o roli v *Pulp Fiction*, ale nakonec byla vybrána Rosanna Arquettová. Stala se ale náhoda, taková, ke kterým dochází jen v reálném životě nebo v Tarantinových filmech. Quentin právě stál na rohu Highland Avenue, když najednou spatřil Grierovou, jak sedí v autě v dopravní zácpě. Přiběhl k ní a otevřeným okénkem zavolal: „Pam Grierová!"

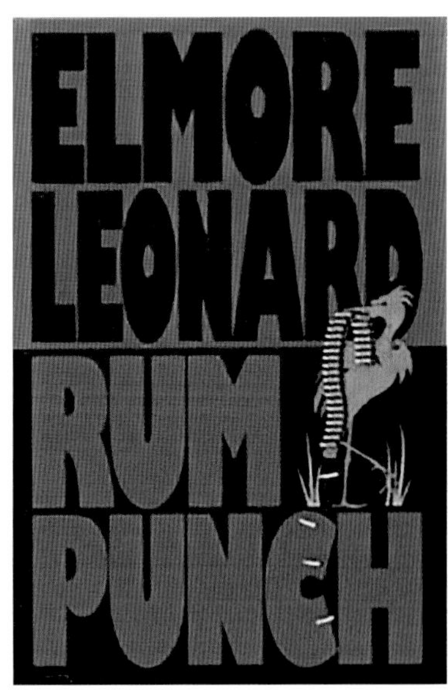

PROTĚJŠÍ STRANA: Pam Grierová jako Jackie.
NAHOŘE: Jeho nová múza. Tarantino vyrostl na filmech s Pam Grierovou, jako např. *Foxy Brown*, a roli Jackie Brownové napsal přímo pro ni.
DOLE: Tarantino svou první literární adaptaci napsal na motivy jednoho ze svých oblíbených románů, *Rum Punch* od Elmora Leonarda.

„Nechtěl jsem, aby lidi brali to, co do filmu vkládám, na lehkou váhu. Věděl jsem, že by se to klidně mohlo stát. Když uděláte adaptaci, spousta lidí vás začne vnímat jako imitátora.“

„Pane Tarantino, to je potěšení.“

„Píšu pro vás film,“ řekl jí nadšeně. „Je to na motivy románu *Rum Punch* od Elmora Leonarda!“

„To zní úžasně.“

„Je to taková moje verze Foxy Brownové.“

Automobily se však znovu daly do pohybu. Tarantino jí jen zamával na rozloučenou a musel se vrátit zpátky na chodník.

„Věřila jsi tomu?“ zeptal se jí doma přítel.

„Ne, nevěřila,“ odvětila Grierová. „Nevěř všemu, co ti vykládá hollywoodský režisér.“

Předpokládala, že jsou to jen řeči, ale později dostala od místní pošty několik sdělení, že jí přišla nedostatečně ofrankovaná zásilka. „Pořád jsem dostávala oznámení z pošty, že mám obálku z Los Angeles s neuhrazeným poplatkem 44 centů,“ vzpomíná. „A myslela jsem, že to musí být reklama na matrace nebo tak něco. Po třetím upozornění jsem si řekla: ‚Dobře, zaplatím těch 44 centů‘ a následně mi přinesli obálku, která měla v horním levém rohu iniciály QT. Je to legrační, protože obálka měla na sobě hodně známek. Opravdu olízl všechny ty malé známky a sám je dal na obálku.“

Při čtení scénáře Grierová předpokládala, že ji Tarantino chce pro roli Ordellovy neustále zhulené přítelkyně Melanie, což považovala za „typickou“ roli pro černošku: dívka prodejce zbraní. Zavolala mu tedy do kanceláře.

„Ježíši, Pam, ten scénář jsem vám poslal před několika týdny,“ rozčiloval se Tarantino. „Myslel jsem, že vás to prostě nezaujalo.“

„Já ho dostala dneska! Bylo to kvůli tomu, že jste nezaplatil poštovné v dostatečné výši.“

„Aha. No, tak… jak se vám to líbí?“

„Je to skvělé. Moc ráda se zúčastním konkurzu na roli Melanie. Myslím, že bych ji mohla zahrát fakt dobře.“

Tarantino se zasmál. „Melanii hraje Bridget Fondová,“ řekl jí. „Pam, vy jste Jackie Brownová. Řekl jsem vám, že pro vás píšu scénář. Miloval jsem Foxy Brownovou a tento scénář jsem napsal na vaši počest.“

Setkala se s režisérem v jeho kanceláři a zjistila, že je vyzdobena plakáty z jejích filmů: *Coffy, The Big Bird Cage, Foxy Brownová, Sheba, Baby*. „Polepil jste to tu všemi těmi plakáty, protože jste věděl, že přijdu?“ zeptala se.

„Ne. Málem jsem je sundal, protože jsem věděl, že přijdete,“ odpověděl.

Těžší bylo kápnout Leonardovi božskou o změnách, které Tarantino provedl ději. „Nic, ani studia, mě nikdy neděsilo tolik, jako když jsem změnil hrdinku v *Rum Punch* z bílé ženy na černou,“ vypráví. „Měl jsem strach mu to sdělit. Jako by najednou telefonní sluchátko vážilo tunu. A dalších sto kilo přibylo, kdykoli jsem se na něj podíval. A pak jsem začala přemýšlet, víš co, nemůžu to brát takhle, musím jít vlastní cestou. Ale mluvit s ním nebylo ani tak o nic snazší.“ Těsně předtím, než začal točit, nakonec sebral veškerou odvahu a spisovateli zavolal.

„Celý rok v sobě marně hledám kuráž zavolat vám,“ řekl Leonardovi.

„Proč? Protože jste změnili název mé knihy? A do hlavní role dal černošku?“ zeptal se Leonard.

„Jo,“ odpověděl Tarantino.

„Ten film točíte vy,“ odpověděl Leonard. „Můžete dělat, co se vám zlíbí. Já si osobně myslím, že obsadit Pam Grierovou je skvělý nápad. Jen do toho!“

PROTĚJŠÍ STRANA: Na scéně v obchodním domě Del Amo. V rozhovorech s novináři si Pam Grierová nemohla spolupráci s Tarantinem vynachválit: „Když pracujete s Quentinem, je to osvobozující. Je jako dirigent a jeho orchestrem je celý štáb.“

„Když jsem točil *Jackie Brownovou*, nesnažil jsem se překonat *Pulp Fiction*. Chtěl jsem jít do hloubky a udělat film, který by byl skromnější sondou do lidské povahy.“

ARRI
ARRIHEAD 2

STRANY 126–127: Tarantino chtěl, aby v úvodních scénách z Jackie vyzařoval klid a vyrovnanost. Chaos přijde na řadu až později. NAHOŘE: Tarantino dává Robertovi Fosterovi (Max Cherry) pokyny ohledně natáčení jedné scény.

Když se Tarantino rozhodoval, koho obsadit do role obchodníka s kaucemi Maxe Cherryho, který Jackie Brownové pomáhá, povzbuzuje ji a také se do ní zamiluje, Tarantino váhal mezi čtyřmi herci: Paulem Newmanem, Genem Hackmanem, Johnem Saxonem a Robertem Forsterem. Forsterova do té doby nejznámější role byl televizní kameraman ve filmu Haskella Wexlera s názvem *Medium Cool* (1969) a ucházel se také o roli Joe Cabota v *Gaunerech*, ale nakonec mu ji vyfoukl Lawrence Tierney. Tarantino měl adaptaci *Rum Punch* dokončenou jen z poloviny, když na tohoto herce narazil v místní kavárně. Řekl mu, aby si knihu přečetl, otočil se a odešel. O šest měsíců později se vrátil a našel ho u stejného stolu.

„Vyšel jsem na terasu té kavárny a on tam seděl na mém obvyklém místě," vypráví Forster. „A když jsem se přiblížil ke stolu, podal mi scénář a řekl: ‚Přečti si to a uvidíš, jestli se ti to bude líbit.' Takže jak vidíte, nejlepší práci mé kariéry mi naservíroval jedním šmahem, bez obvyklých konkurzů, doprošování se a různých dalších věcí, které člověk musí dělat, aby získal nějaké angažmá. Umím si to vysvětlit jedině tak, že zázraky se prostě dějí."

Ještě než Tarantino připravil pro film vše potřebné, navštívil Forstera u něj doma a zjistil, že jeho otec byl trenér slonů pro cirkus Ringling Brothers. Posbíral tedy několik jeho rodinných fotografií a nástrojů pro výcvik slonů a umístil je do skleněné skříňky v kanceláři Maxe Cherryho; od té doby je vnímal jako fotografie a nástroje otce této postavy. „Tvář Roberta Forstera má v sobě příběh," řekl. „Stejně tak to je i s Pam Grierovou. Pokud se někdo věnuje herectví na této úrovni tak dlouho jako oni, viděl a zažil jednoduše všechno. Zažili zklamání, úspěchy i neúspěchy, někdy měli hodně peněz, jindy skoro žádné. A všechno jim to vidíte ve tváři. Nemusí dělat vůbec nic."

Při práci na tomto filmu poprvé pracoval s kameramanem Guillermem Navarrem, který natočil *Desperado* a *Od soumraku do úsvitu*.

„Vlastně jsem vyrůstal obklopený černou kulturou. Chodil jsem do školy, kde byli všichni černí. Právě k této kultuře mám nejblíž. Dokážu se ale identifikovat i s jinými. Každý z nás má uvnitř několik lidí a jedno z mých já je černé. Nenechte se zmást pigmentem. Tohle je stav mysli, který mou práci značně ovlivnil."

Tarantino v rámci přípravy uspořádal projekci *Hickeyho a Boggse* od Roberta Culpa a také *A všichni se smáli* Petera Bogdanoviche. „Podle mě je to mistrovské dílo," řekl Tarantino o druhém z nich. „Perfektně zachycuje pohádkový New York, který v tom filmu vypadá jako Paříž ve dvacátých letech. Když to vidíte, chtěli byste se tam přestěhovat. Tím jsme se hodně inspirovali. A pak jsme sledovali *Na svobodě*, jeden z nejlepších filmů o zločinu v L.A. vůbec. Ale chtěl jsem, aby Jackie Brownová vypadala tak nějak filmověji. *Na svobodě* je příliš syrový snímek."

Tarantino byl čím dál nespokojenější s tím, jak se o něm psalo, a proto poprvé trval na natáčení bez přítomnosti televizních kamer a novinářů. Zatímco na globálním turné na podporu *Gaunerů* byl velmi sdílný, nyní se zcela odmlčel. Nově vzniklé soukromí herce a členy štábu vzájemně sblížilo.

„Jednoho dne prohlásil, že bude den sukní," napsala Grierová ve své autobiografii nazvané Foxy. „Ráno se všichni muži ve štábu (ti staří známí, s nimiž vždy spolupracoval) objevili na place oblečení do kiltů a sukní a celý den jsme se smáli."

Natáčet se začalo 25. května a šlo jim to od ruky tak dobře, že Tarantino požádal Grierovou a Jacksona, aby natočili jednu scénu navíc. Jackson to odmítl s tím, že není připraven. „Bylo to jako kdybychom byli jeho dospívající děti. Quentin nás začal štvát proti sobě," vzpomíná Grierová ve své autobiografii. „Je to mistr manipulace. Řekl Samovi: ‚Právě jsem mluvil s Pam. Je připravená. Proč ty nejsi?'

‚Prostě to nechci dělat,' odpověděl.

‚Pam už na tebe čeká,' naléhal na Sama a snažil se trochu pošťuchovat jeho ego. ‚Všichni jsou připraveni,' opakoval. Jeho metoda fungovala dokonale a Sam mu na to skočil. ‚Dobře, nějak to zvládnu,' řekl nakonec. Quentin za mnou přiběhl s rozzářenýma očima: ‚Kývl na to, jakmile zjistil, že ty taky.'

‚Bude to pak vyčítat mně?' zeptala jsem se. ‚Co jsi mu řekl? Nedostal jsi mě do nějakých potíží?'

‚Tak to není,' ujistil mě."

NAHOŘE: Mezi Pam Grierovou a Samuelem L. Jacksonem, kteří ztvárnili Jackie a Ordella, to opravdu jiskřilo.

NAHOŘE: „Vyspělá filmařina." Tarantino za kamerou připravuje svůj štáb na natáčení scény. PROTĚJŠÍ STRANA: Natáčení propagačního spotu s klíčovými herci: Michael Keaton, Bridget Fondová, Robert De Niro, Samuel L. Jackson a Pam Grierová.

Jindy natáčeli scénu v kuchyni Jackie Brownové s Maxem Cherrym, ve které je Brownová frustrovaná a bojí se, ale snaží se to skrýt. Grierová se dala sama od sebe do pláče. Věděla, že se jí to opravdu povedlo, když všichni kolem spustili potlesk.

„To bylo ono," řekla. „To byl výkon, ne?"

„Zvládneš to ještě jednou?" zeptal se Tarantino.

„Jo," řekla Grierová překvapeně. „Můžu to udělat znovu. Ale proč?"

„Rád bych to zkusil ještě jednou bez slz," řekl. „Potřebuju, abys působila silněji."

Když film dotočili, Tarantino poskytl jediný rozhovor, a to Lynn Hirschbergové z *New York Times* ve svém novém domově v Hollywood Hills. Řekl jí: „Je to klidný film, ale moji představu o klidu nemusí jiní sdílet." Postěžoval si jí na kritiku, které ho podrobil tisk.

„Lidé se do mě neustále strefovali kvůli tomu, že jsem hned nedělal další film. Já ale nikdy nebudu režisérem, který dělá jeden film ročně. Nechápu, jak to jiní režiséři dělají, pokud u toho chtějí i žít. Dával jsem rozhovory, psalo se o mně v časopisech a novinách, a lidé pak začali psát, že ‚Quentin Tarantino je mistrem sebepropagace.' Jen jsem dělal filmům reklamu. Kdybyste mi ale vzali 30 procent mé slávy, byl bych úplně v pohodě."

Prvních pár týdnů po uvedení strávil v kinosálech v kině Magic Johnson a viděl film třináctkrát, aby viděl, jak ho lidé přijímají. „Celé první čtyři týdny jsem strávil tam. V podstatě jsem tam bydlel," řekl k tomu. „*Jackie Brownová* je podruhé lepší. A myslím, že ještě lepší je potřetí. A napočtvrté... Možná i když ji vidíme poprvé, říkáme si: ‚Proč je to tak rozvleklé? Proč se nemůžeme přesunout k dalšímu dějovému zvratu?' Ale když to člověk vidí podruhé a potřetí, už o tom takto nepřemýšlí. Naopak si ty táhlé scény užívá."

Elmore Leonard a Quentin Tarantino mají mnoho společného: talent vykreslit bídáky, skvělé dialogy a schopnost exponovat absurditu života. Takto například vypadají Ordell a Louis v původním Leonardově románu *The Switch*.

„Všiml sis toho auta?" povídá Ordell Louisovi. „Má AMC Horneta, je celej černej, žádný blbosti zvenku, jen čistý neposkvrněný auto. Ale uvnitř má… jen mu to řekni, Richarde."

Richard: „No, mám uvnitř trubkovej rám. A taky tlumiče Gabriel Striders. A vepředu mám úchyt na brokovnici."

„On je prostě takovej machýrek," řekl Ordell. „Kojak vytáhne ruku a na střechu si dá…?"

„Super Fireball s magnetickým spodkem. Podívejme se na to," řekl Richard, „mám elektronickou sirénu Federal PA 170, která má režimy kvílení, houkání a vysoký-nízký tón. No, a v kufru mám vrhač plynových granátů a nějaké další vybavení. Pendrek Night-chuk. Plynovou masku M-17." Na okamžik se zamyslel: „Dostal jsem pouzdro na nohu. Viděli jste to někdy?"

A tady jsou Ordell a Louis v Tarantinově *Jackie Brownové*.

LOUIS
Kdo je tvým partnerem?

ORDELL
Pan Walker. V Mexiku provozuje rybářský člun. Dodávám mu zboží a on ho prodává svým zákazníkům. Přinejmenším když prodávám ve větším počtu kusů. Než jsem ho přibral do party, neměl ani vindru. Teď je ten hajzlík ve vatě. Koupil si jachtu s veškerou tou špičkovou navigační výbavičkou.
(zpět k videu)
AK-47, nic lepšího neexistuje.

GLORIA, vysoká černá Amazonka oblečená do bikin, se otočí na kameru a popisuje samopal AK-47.

ORDELL
Když potřebuješ pozabíjet úplně všechny v místnosti, pak se nespokojuj s ničím jiným. Tohle je čínskej model. Mám je za 850, prodávám za dvojnásobek.

Oba autoři mají zjevně rádi různé hračičky a hodně se dívají na televizi. Tarantinův Ordell používá častěji slovo „motherfucker". Hlavním rozdílem je ale morální hodnota, kterou připisují promluvám svých postav. V Leonardových románech jsou upovídané postavy vždy blázni, frajírci, kteří nevydrží chvíli se zavřenými ústy a nakonec na svou velkohubost doplatí. Jeho největší obdiv mají lakonické typy, které vyloží karty na stůl jen tehdy, když je to nutné. Tarantino to má přesně naopak. Neuvěřitelně ukecaný Samuel L. Jackson, jenž má ve scénáři jednu hlášku za druhou, díky této své vlastnosti téměř vyzraje na Jackie Brownovou.

Ordell je zde vykreslen jako zdánlivě bláznivý gangster, který se promenáduje v bílém plážovém oblečení, vlasy má svázané do dlouhého ohonu a na tváři čarodějnický vous a působí mnohem vychytraleji než Jules Winnfield v *Pulp Fiction*. Zároveň se nám ale díky němu dostane dialogů, které patří mezi to nejvtipnější, co Tarantino kdy napsal, což platí zejména pro jeho rozhovory s Beaumontem na začátku filmu, kde se ho snaží přesvědčit, aby vlezl do kufru auta, a to s cílem zastřelit ho.

BEAUMONT
Člověče, já jsem furt ještě posranej až za ušima. Oni to snad mysleli vážně, že za ty bouchačky půjdu sedět.

ORDELL
Ale no tak. Jen se tě pokoušejí vystrašit.

BEAUMONT
No, tak jestli jim jde o to, tak se jim to povedlo.

ORDELL
Kdy to bylo s těma samopalama?

BEAUMONT
Tak před třemi lety…

ORDELL
Před třemi lety? To je starý. Nemají místo ani pro chlápky, co zabíjej lidi dneska. Kam by mohli dát tebe?

Samuel L. Jackson ví, jak dát Tarantinovým hláškám ten správný říz. Nikdo jiný to nedokáže tak jako on. Díky němu jsou také obzvláště děsivé chvíle, kdy se Ordell odmlčí, sedí ve tmě a čeká na Jackie jako chřestýš. Tarantino se v akčních scénách nechává inspirovat Brianem De Palmou a vypráví výměnu peněz natřikrát, přičemž rozdělí obrazovku na dvě části, aby vysvětlil, jak Jackie přišla k pistoli. Přesto se kupodivu zdá, že to Quentin s režírováním Grierové nejvíce přehnal ve scénách, v nichž se vrací k vulgárnější póze ze svých starších filmů ve stylu „černoši si jen tak něco nenechají líbit". Tarantinův problém zde tkví v tom, že divák musí mít pocit, jako by slyšel jeho pokyny, jakmile začnou běžet kamery. Grierová je mnohem přirozenější v dřívějších scénách, kde z ní vyzařuje únava a bolest v kostech, která přichází po čtyřicítce. Když se poprvé posadí ke stolu s Maxem Cherrym, diskutují spolu o tom, jak přestat kouřit a neztloustnout. Na příští schůzce Max mluví o svých nastřelených vlasech. *Jackie Brownová* se snaží vyhýbat šokům a rozmáchlosti

PROTĚJŠÍ STRANA: Samuel L. Jackson se s pistolí v ruce účastní natáčení typicky tarantinovského propagačního spotu.
NAHOŘE: „Je to film, ve kterém se divák s postavami jen tak poflakuje. Melanie, Ordell a Louis tráví v první části filmu hodně času před televizí.
DOLE: Ordell a Beaumont (Chris Tucker) zabraní do rozhovoru.

NAHOŘE: Zbraně, holky a peníze – tím vším je Ordell posedlý.
DOLE: Herci a členové štábu včetně Tarantina, Jacksona a Lawrence Bendera se připravují na scénu, ve které Ordell nacpe Beaumonta do kufru auta a zastřelí ho.
PROTĚJŠÍ STRANA: „Kdybych nebyl umělec, nejspíš bych byl přesně takový, jako je Ordell."

Pulp Fiction, přičemž má téměř stejně dlouhou stopáž. Získává tak mírnější a oduševnělejší nádech, který je pro Tarantina novinkou. Je prosáklá melancholií provázející stárnutí a do tváří protagonistů se nesmazatelně vepsal běh času.

„Možná to nejpozoruhodnější na *Jackie Brownové* je, že postrádá Tarantinovo obvyklé bláznovství, a jakkoli je to v jeho případě překvapivé, vyzařuje určitou moudrost. Je zajímavé, jak dobře vystihl film situaci, v níž se Jackie nachází, přestože ho natočil tehdy čtyřiatřicetiletý režisér, který je muž, a navíc bílý," napsal filmový kritik Nick Davis. „Přestože jsou barvy a písně tarantinovsky výrazné, záběry působí zamyšleně a jsou často velmi jednoduché, a to dokonce i uprostřed klíčových dějových zvratů."

Mnoha kritikům se nezamlouvalo uvolněné tempo filmu a to, že z něj nevyzařovala taková energie. „Na každé scéně *Jackie Brownové* Quentina Tarantina je znát, že se díváte na film od tvůrce *Pulp Fiction* a *Gaunerů*, ale mrazení a radost jsou ty tam," napsal Owen Gleiberman v *Entertainment Weekly*. „V předchozích Tarantinových filmech vytvářel materiál nahlížený prismatem popkultury v režisérově představivosti jedinečnou směs. Ať už se na obrazovce objevilo cokoliv, třeba tančil John Travolta nebo Michael Madsen někomu řezal ucho, Tarantino se opíjel silou své vlastní fantazie do takové míry, že jsme tento jeho stav mohli sdílet. V *Jackie Brownové* je stále nadšený, ale tentokrát z něj vyzařuje odstup a opatrnost."

Naštěstí se stejně velkému počtu lidí oduševnělost *Jackie Brownové* zamlouvala. „Film si člověk nejlépe vychutná jako soubor ležérních skic, které ne vždy někam vedou. Režisér Tarantinova formátu totiž dokáže dát smysl i rozhovorům ‚o ničem'," napsal A. O. Scott pro *New York Times*. „V *Jackie Brownové* není snad jediná scéna, kde by se pod povrchem banálního plkání neskrýval nějaký šperk."

„Nejtěžší na celé *Jackie Browové* bylo vzdát se Ordella. Ordell jsem byl přece já. Bylo tak snadné psát scény s touhle postavou. Na rok jsem se jím stal. Stálo mě hodně sil vzdát se ho a nechat Sama, aby ho zahrál po svém. Bylo těžké nechovat se kvůli tomu jako vůl.“

Je to zdaleka nejklidnější Tarantinův film, ve kterém zmíněné šperky někdy najdeme v dialogu, jindy ve chvílích ticha. Představte si, jak Ordell sedí ve své dodávce a kamera zblízka zabírá jeho tvář, zatímco on jen přemýšlí a přemýšlí. Poté řekne jen: „Je to Jackie Brownová." Nebo hádka na balkoně mezi ním a Jackie, jejíž zvuk tlumí francouzská okna, zatímco Louis (Robert De Niro) jen přihlíží. Jeden z lépe fungujících gagů, které se proplétají celým filmem, je to, že Tarantino udělal z Louise, který je společníkem užvaněného Ordella, krále jednoslabičných výroků; De Niro vždy kýve nebo jiným způsobem grimasuje, takže velkou část rozhovorů zvládne pomocí své kriminálnické pantomimy. A to je ještě předtím, než se zkouří s Melanií (Bridget Fondová), která je zde ztvárněna jako surfařská hulička neustále rozvalená na Ordellově gauči. Vystavuje na odiv své dokonale opálené nohy a Louis jí čím dál více propadá.

Víc toho o ní z počátku nevíme. Často se objeví jen jako ruce, které dolévají Ordellovi drink. Je to skvělý způsob, jak uvést postavu na scénu a dát jí tak nádech tajemství, ale také to symbolizuje zjevný fakt: nic víc pro tyto dva muže neznamená. Fondová neustále vzpurně glosuje hlouposti, kterých je v tomhle domě svědkem („On jen opakuje věci, co slyšel v televizi."), a ve scéně na parkovišti během výměny peněz se postará o momenty, které patří k těm nejlepším v tomto filmu.

„Když je Melanie Melanií, pak je tou nejdůležitější postavou na plátně," poznamenal Anthony Lane a všiml si stejného rovnostářství, které v sobě měly i snímky *Gauneři* a *Pulp Fiction*. *Jackie Brownovou* nazval „nejdemokratičtějším a nejméně volatilním Tarantinovým filmem.

Zdá se, že v sobě utlumil svůj sklon k přemrštěné melodramatičnosti".

Jackie Brownová je také Tarantinův první a možná poslední pokus o love story, přestože se jedná o lásku neopětovanou. Maxovi je padesát šest, Jackie je čtyřicet čtyři. „Kdy jste naposledy přišli na film – natožpak Tarantinův film – a viděli v něm vřelý, neironický polibek mezi dvěma lidmi, kterým je v součtu sto let?" ptá se Lane.

Milostná zápletka mezi Maxem a Jackie je jako všechny skvělé milostné příběhy okouzlující v tom, kolik toho zůstane nevyřčeno. I díky tomu je jejich loučení tak dojemné.

„Nikdy jsem ti nelhala, Maxi," prohlásí Jackie v jejich závěrečných okamžicích a my na Maxově vrásčitém úsměvu vidíme, že jí to opravdu věří.

Zde, v kanceláři ručitele soudních kaucí uprostřed San Fernanda, splynou myšlenky samotářského pána s Tarantinovou pomalou kamerou: sbohem, má překrásná.

Forsterův výkon je zde znamenitý. „Tenhle Max je jako zeď. Chytrý, ale klidný a sebejistý, a když Forster mluví s Grierovou – tyto scény mají většinou podobu dlouhých rozhovorů – je nám jasné, kam tím Tarantino míří," napsal David Denby v *New Yorkeru*. „Když spolu tito dva herci sedí u stolu v nějakém potemnělém baru, nic zvláštního neodhalují a nejsou nijak expresivní. Jejich výkony však nejsou ani laciné, ani okázalé; jejich síla spočívá v jakési nepopsatelné energii a je možné, že jejich absenci široké škály emocí či pružnosti vnímá Tarantino jako integritu."

Někteří kritici považují *Jackie Brownovou* za Tarantinův nejlepší film, ale tento názor většinou svědčí buď o nespokojenosti s domnělým humbukem kolem *Pulp Fiction*, stejně jako u Beatles mnohdy láska k *Bílému albu* signalizuje odpor k jejich největším hitům nebo stejně jako vyzdvihování filmu *Vertigo* nezřídka maskuje lítost nad tím, že Alfred Hitchcock není Francouz. Je to Tarantinův film, jejž chválí lidé, kteří nemají rádi Tarantina. Říkají, že se jim líbí, aby nenápadně dali najevo skutečnost, že se jim jeho ostatní tvorba příliš nezamlouvá. Spolu s komplimenty na adresu *Jackie Brownové* tak vlastně jeho jiné filmy kritizují. „Navzdory všem těm mnohokrát kopírovaným hláškám a scénám se někdy stane, že se v Tarantinově filmu objeví postavy, jejichž dialogy jsou duchaplné a lidské – to platí obzvláště pro *Jackie Brownovou*," píše David Thomson ve svém *Biographical Dictionary of Film*.

„Vidím to jako zatím nejlepší důkaz toho, že by se Tarantino mohl stát tvůrcem skvělých komedií."

Zdá se, že nám *Jackie Brownová* nabízí výmluvnou ukázku filmaře, kterým se Tarantino rozhodl nestát. Představte si, že by kritici

STRÁNKY 136–137: Louis začíná s Melanií ztrácet trpělivost, což má nečekané a katastrofální následky.
PROTĚJŠÍ STRANA: Kontrast. Mezi Jackie a Ordellem probíhá na balkoně ostrá slovní přestřelka a pozoruje je u toho málomluvný Louis.
NAHOŘE: Tarantinův první pokus o milostný příběh se odehrává mezi Maxem a Jackie.
NALEVO: Bridget Fondová jako Ordellova surfařka Melanie.

Sám se stávám těmi postavami, o kterých píšu. Díky tomu je pak mohu nechat vzájemně rozmlouvat. Stávám se každou z nich. Jsem Louis. Jsem Melanie.“

více vychválili tohoto „vyzrálého" Tarantina. Představte si, že by Pam Grierová byla za svůj výkon ve filmu nominována na Oscara, a stejně tak i Robert Foster. V to totiž Tarantino doufal („Kdo byl ten rok lepší než ona?"). Představte si, že by fanoušci film přijali stejným způsobem jako *Pulp Fiction* a prodeje by se vyšplhaly ke 100 milionům dolarů. Co by se dělo pak? Filmu se dařilo a v amerických kinech vydělal 40 milionů dolarů, přičemž jeho rozpočet byl 12 milionů. Pro mnohé to byl neuvěřitelný úspěch, ale nebyl to zkrátka hit ve stylu *Pulp Fiction*, a tak to mnozí vnímali jako zklamání. Tento postoj, zdá se, přijal za svůj i sám Tarantino.

„V té době se mi nedostalo velkého uznání za ty dlouhé, až trojrozměrné aspekty," řekl. „Když se film objevil, všichni k tomu přistupovali ve smyslu ‚Zatraceně, pohni sebou.' Teď se zdá, že to každý vnímá jinak." Když bylo po všem, „skutečnost, že byl celý ten film dost daleko od toho, co jsem dělal obvykle, způsobila, že jsem se od toho tak nějak odstřihl. Proto jsem už neudělal další adaptaci. Chci přirozeně přejít k něčemu dalšímu, co mě nadchne".

Asi za rok a půl poté, co byl film uveden, se jeden významný producent zeptal Tarantina: „Quentine, teď, když to máš za sebou, lituješ toho, že jsi do *Jackie Brownové* neobsadil větší hvězdy?"

„Ne, mně všichni přišli skvělí," odpověděl.

„Jo, ale mohlo to být lepší."

„Jak to myslíš? Vydělat 15 milionů dolarů na filmu, kde hlavní roli hrají Pam Grierová a Robert Forster, to je docela dobré. "

„Jo, ale to je jen díky tomu, že jsi to natočil ty."

„Skvělé, mám to ale kliku. Jestli moje jméno stačí na to, aby lidi na můj film šli, pak nemusím obsazovat slavné herce, aby to mělo úspěch. "

To všechno uvedl na pravou míru jeho další film, který je celý o pomstě. Nebylo žádných pochyb o tom, kdo napsal scénář, kdo film režíroval a čí jméno bylo hlavním tahákem.

PROTĚJŠÍ STRANA: Robert De Niro jako Louis.
NAHOŘE: „Kdo byl lepší než ona?" Tarantino zoufale toužil po tom, aby byla Pam Grierová spolu s Robertem Forsterem nominována na Oscara.

CAT
FG
DM

KILL BILL

2003/2004

„Tlak je podstatou povolání režiséra. Veškerá jeho práce je vlastně tlak. Ale není nic lepšího, než když se lidé snaží uhodnout, jaký bude váš další tah, a očekávají, že je úplně dostanete. Je to neuvěřitelně inspirativní."

NAHOŘE: Gang opět spolu. Přeživší členové Komanda zmijí se dívají na „mrtvé" tělo Nevěsty.

NAPRAVO: „Byli jsme zasaženi šípem umělecké lásky. Ona je prostě moje herečka." Tarantino a jeho múza, Uma Thurmanová, vymysleli základní námět *Kill Bill* během natáčení *Pulp Fiction* v roce 1994.

„Když jsem začínal, vzhlížel jsem k režisérům velkých akčních filmů. To oni pro mě byli opravdoví mistři režiséři," prozradil Tarantino v rozhovoru pro časopis *Vanity Fair*, když spolu se Sally Menkeovou v malém bungalovu na jih od studií Paramount stříhal film *Kill Bill*. „To byla podívaná! U *Kill Bill* jsem si chtěl vyzkoušet, jak dobře na tom jsem. Chtěl jsem podstoupit riziko, že narazím na strop vlastního talentu. Udělal jsem to jen proto, abych nasadil laťku výš. Kdysi jsem si říkal: ‚*Kill Bill* musí mít stejný význam pro akční film, jako měla scéna Jízdy Valkýr z *Apokalypsy* pro válečný film. Pokud se mi to nepodaří, selhal jsem. Naprosto. Jestli to nebude setsakramentská jízda, pak nejsem tak dobrý, jak jsem si myslel."

Poprvé ho tento námět na film napadl, když při natáčení *Pulp Fiction* s Umou Thurmanovou probíral, o čem by bylo možné natočit další snímek. Řeč přišla na pomstu. Tarantino zmínil, jak moc se mu líbily kung-fu filmy ze sedmdesátých let. Během několika minut dali dohromady základy úvodní scény. Bude v ní figurovat nevěsta, kterou postřelili a nechali zemřít na vlastní svatbě. Nevěsta je nájemná vražedkyně, která se snaží začít žít obyčejný život. Je však napadena svým bývalým gangem, skupinou vražedkyň jménem Zabijácké komando zmijí, které nese určitou podobnost se skupinou Fox Force Five z televizního pilotu s Miou Wallaceovou. Jedna je blondýnka, další Japonka, černoška, Francouzka, jedna je specialistka na nože a tak dále.

Tarantina to tak nadchlo, že se vrátil domů a napsal třicet stran scénáře pestrobarevnými fixami a následně o projektu diskutoval s Thurmanovou, kdykoli se mezi záběry naskytla příležitost. Tarantino při natáčení role v *Desperadovi* Roberta Rodrigueze hned poté, co dokončil *Pulp Fiction*, nadšeně mluvil o svém rozpracovaném projektu. Jeden videozáznam natočený Rodriguezem ukazuje, že úvodní scéna byla už v té době v poměrně pokročilém stadiu.

„Stěny pokryté červenou krví a mozky. Kamera švenkuje od zdi k mladému muži oblečenému ve smokingu, který po zásahu brokovnicí leží mrtvý na podlaze. Ženský hlas. ‚To je Tim. Arthurův nejlepší přítel.' Přesouváme se ke kypré mladé ženě, která leží mrtvá na zemi v růžových šatech a v ruce má svatební kytici. ‚To je moje nejlepší kamarádka z práce, Erica...'"

„Ó," vykřikne Rodriguez za kamerou.

„Projdeme kolem mrtvého malého chlapce, který je celý od krve. ‚Nevím, kdo to je. Nějaký malý kluk, ale nepamatuju si, že by tam byl...'"

„A sakra."

„Přesuneme se dál a vidíme hezkou mladou ženu v bílých svatebních šatech a se dvěma průstřely, jedním v těle a druhým v hlavě. Pomalu se přiblížíme k její mrtvolné tváři. ‚Po dobu pěti let jsem ležela v kómatu. Když jsem se probudila, všechny emoce ve mně byly mrtvé. Všechny kromě jedné. Touhy. Touhy po pomstě.' Přechod na detail mladé ženy. Pak k jedoucímu autu, západ slunce. Mladá žena je za volantem velkého vozu, má na sobě bílé svatební šaty. Na pozadí je oranžovočervený západ slunce. Hovoří do kamery. Znovu si obléká šaty..."

„Páni! Obléká si šaty..."

„Je to tak."

„Tohle všechno mi udělal jeden muž. Za týden jsem zabila osmnáct mužů a necítila jsem nic. Osmnáct mrtvých těl bylo pro mě pouze osmnáct schodů. Schodů, které jsem musela vylézt, abych se k němu dostala. A právě za ním teď jedu. On je totiž jediný, kdo ještě zůstal z těch, které stojí za to zabít. Jméno muže, o němž mluvím, je Bill. Až se dostanu tam, kam jedu, zabiju Billa. "

„Óó."

„Pak začíná hudba a titulní píseň..."

Thurmanová tehdy nic z toho neslyšela. Těch třicet ručně psaných stránek se vrátilo do šuplíku, zatímco se Tarantino ponořil do scénáře z druhé světové války s názvem *Hanebný pancharti*. „Uděláme někdy *Kill Bill*?" ptala se ho, kdykoli se potkali. „Někdy. Jednou," odpověděl režisér. Ti dva se nějakou dobu neviděli a znovu na sebe narazili až na party Miramaxu u příležitosti předávání Oscarů v roce 2000.

„V podstatě jsem s ním dlouho nebyla v kontaktu," říká Thurmanová. „Zeptala jsem se ho: ‚Co se stalo s těmito stránkami? Ztratil jsi je?'" Tarantino odpověděl, že je má pořád v zásuvce. V noci se vrátil domů, vytáhl těch třicet stránek, znovu si je přečetl a řekl si: „To je přesně to, na čem teď chci pracovat. Náhodou měla Uma následující neděli narozeniny, a tak jsem šel na její party a řekl jí: ‚Tohle je tvůj dárek: dopíšu zbytek *Kill Bill*. A bude mi to trvat dva týdny.'"

O rok a půl později měl scénář hotový – všech 220 stran. Když si to přečetl Umin manžel, Ethan Hawke, řekl: „Quentine, jestli takhle vypadá to, co přijde před tvým velkolepým dílem, pak se děsím tvého velkolepého díla." Tarantino se inspiroval filmy o pomstě s postavou Lady Snowblood, které natočil Toshia Fujita. Zdá se, že žánrové konvence pro něj znamenaly mnoho. „Když jsem pracoval na *Kill Bill*, byl jsem Nevěsta," uvedl. „Lidé si všimli, že když jsem psal, začínal jsem vypadat mnohem ženštěji. Najednou jsem začal kupovat věci do svého bytu nebo domu. Nakoupil jsem třeba květiny a začal je aranžovat. Normálně nenosím šperky, ale najednou jsem s tím začal. Přátelé mi říkali: ‚Začínáš více vnímat svou ženskou stránku, takže pečuješ o hnízdo a krášlíš se.'"

PROTĚJŠÍ STRANA: Propagační fotografie naznačuje, že diváka čeká pořádná porce násilí: zdánlivě nevinná nevěsta v bílých svatebních šatech tasí samurajský meč.

Osoba, kterou měl na mysli, byla zjevně jeho matka: jediná těhotná nevěsta, kterou znal. Sice nebyla zanechána u oltáře, ale jeho otec ji opustil ještě před Quentinovým narozením, takže podobně jako dcera Beatrix nějakou dobu vyrůstal, aniž by jeden z jeho rodičů věděl o jeho existenci. Toto byl film, ve kterém se jeho ambivalentní vztah k roli biologického či adoptivního otce naplno projevil. „Podtext, který už hraničí s textem." Takto film často nazýval.

„Stejně jako většina mužů, kteří nikdy neznali svého otce, Bill kolem sebe shromažďoval osobnosti, které mu ho částečně mohly nahradit," říká Esteban Vihaio (Michael Parks). Tarantino chtěl, aby ho hrál herec, který udělal něco podobného ve svém vlastním životě a kariéře: Warren Beatty. To se ale ukázalo jako nereálné. Scénář „mu byl na hony vzdálený", jak Tarantino později prozradil. „Říká mi: ‚Dobře, Quentine, dovolte mi, abych vám tu položil otázku. Nechci vám tím ublížit, jen jsem zvědavý: jak byste odpověděl, kdyby se vás někdo zeptal: ‚Jak zabránit, tomu, aby z toho nevznikla jen série soubojů, kdy se každý další snaží trumfnout ten předešlý?' Já na to: ‚No, Warrene, to je docela přesný popis filmu o bojových uměních. Kung-fu film s velkým množstvím skvělých bojů a každý je lepší než ten před ním? O to mi v tomto případě jde, a pokud se mi to podaří, budu velmi šťastný.'"

V roce 2001 Beatty na spolupráci kývl, ale Thurmanová a Hawke brzy poté počali dítě. Tarantino stál před rozhodnutím, zda počká, nebo zkusí najít někoho jiného. Nakonec se rozhodl odložit natáčení o rok. „Rozhodně jsem o tom dva až tři týdny usilovně přemýšlel," řekl. „Ona čekala dítě a moje dítě byl ten film. Postavila mě před rozhodnutí, které jsem také udělal. Tuhle roli musí hrát ona. Pokud byste byli Sergio Leone, točili *Pro hrst dolarů* a Clint Eastwood by onemocněl, taky byste na něj počkali."

Roční přestávka se ukázala dost dlouhou na to, aby láska Tarantina k fatálně nerozhodnému Beattymu vyprchala. Rozpad tohoto vztahu podrobně popsal David Carradine v knize *The Kill Bill Diary*. Během jednoho setkání, během něhož se zdálo, že hercova oddanost uvadá, ze sebe Beatty najednou vychrlil: „Podívej, čínské kung-fu filmy jsou mi úplně u zadku a nenávidím spaghetti westerny, přestože Clinta osobně mám rád. A na japonský samurajský film bych nešel, ani kdybys

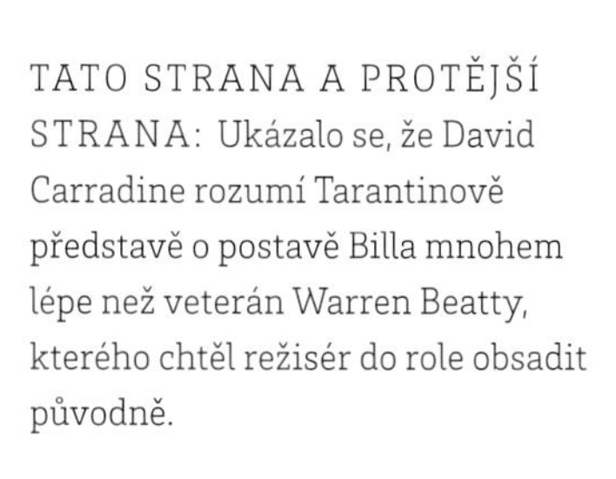

TATO STRANA A PROTĚJŠÍ STRANA: Ukázalo se, že David Carradine rozumí Tarantinově představě o postavě Billa mnohem lépe než veterán Warren Beatty, kterého chtěl režisér do role obsadit původně.

mi za to platil!" Tarantino k tomu říká: „Došlo mi, že to říká na efekt, a efekt to také mělo. Na tom nebylo nic romantického. Vztah mezi režisérem a hercem musí mít trochu nádech romantiky. A Warren říkal: ‚Hele, jak dlouho to bude trvat? Kolik času tomu musím obětovat? Musím opravdu absolvovat všechen ten trénink?' A já si říkal: ‚Tak já píšu tu postavu pro tebe a o tobě a najednou se to takhle podělá.' Svolal jsem ještě jedno setkání, abychom to zkusili dohromady. Warren byl přece jen součástí toho filmu po celý jeden rok. A tak jsem mu říkal, jak bych chtěl, aby v tom filmu hrál a aby tam byl trochu jako David Carradine, a Warren najednou řekl: ‚A co takhle to nabídnout samotnému Davidovi?'"

Tři dny poté, co Lawrence Bender uspořádal večeři, na které seznámil Beattyho s Michaelem Madsenem, který hrál jeho bratra Budda, Madsenovi zavolal Tarantino. „Říká mi: ‚Tak jsem právě vyhodil Warrena'," vzpomíná Madsen.

„A já na to: ‚Bože můj, to jsi vážně udělal?' A on: ‚Jo, jo. Nechápe, o čem je ten film, nechce v něm hrát a já už to taky nechci.' Říkám mu: ‚No jo, ale kdo proboha bude hrát Billa?' A on: ‚Jsi připravenej?' A já odpovím: ‚Jo, jsem připravenej, tak kdo je to?' A on mi říká: ‚David Carradine.' Pamatuju si, že jsem překvapením úplně oněměl. Fakt mě to dostalo. Nikdy by mě nenapadlo, že tu roli bude hrát David."

První setkání mezi režisérem a Carradinem proběhlo v thajské restauraci. Carradine se po natočení kultovní série *Kung Fu* protloukal béčkovými horory a akčními filmy, které byly vydávány jen na videokazetách, takže byl nabídkou tak ohromen, že po odchodu málem nenašel své maserati.

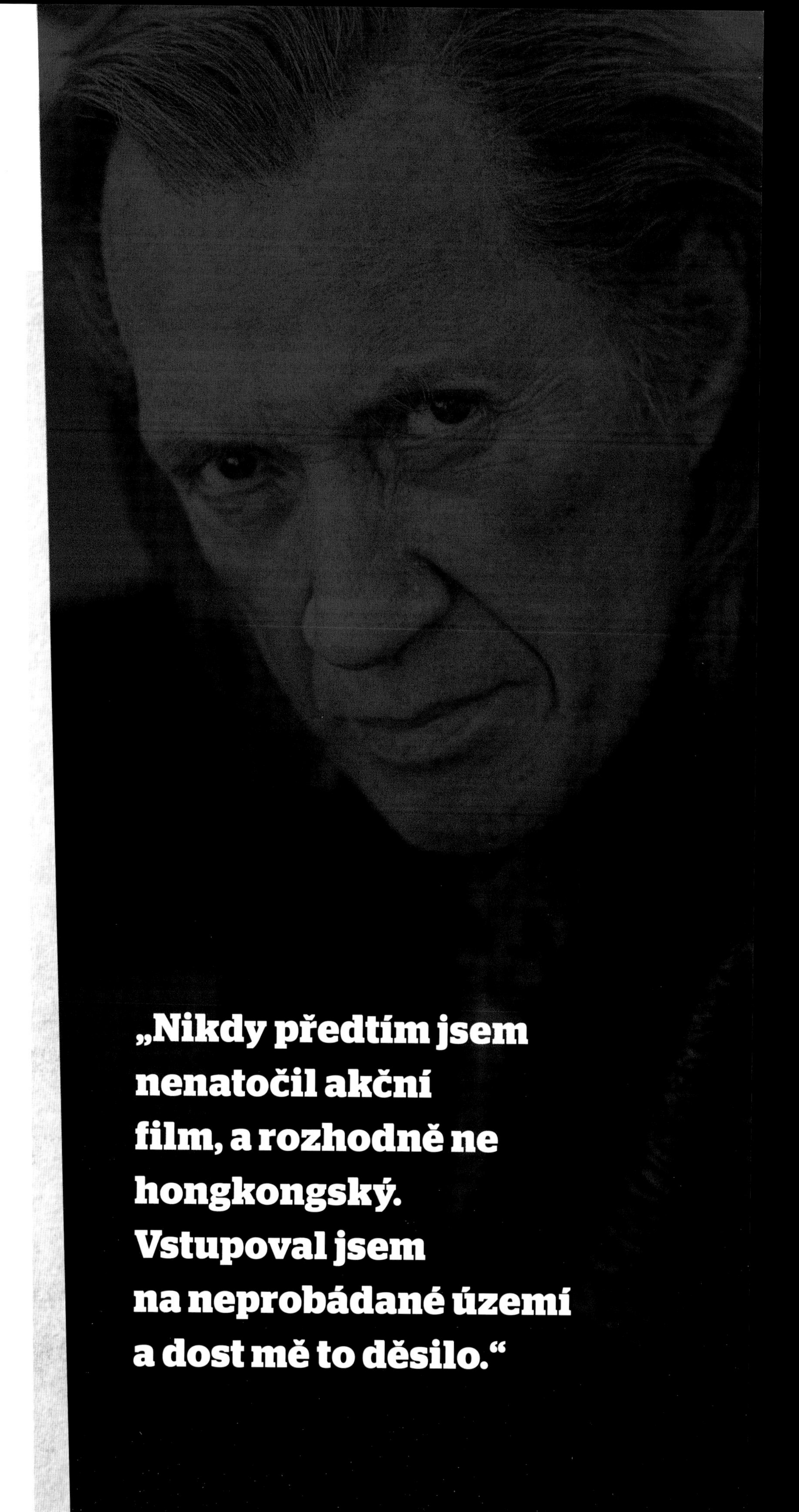

„Nikdy předtím jsem nenatočil akční film, a rozhodně ne hongkongský. Vstupoval jsem na neprobádané území a dost mě to děsilo."

TATO STRANA: Uma Thurmanová se spolu s ostatními herci učí kung-fu pod vedením renomovaného choreografa bojových umění Yuena Woo-Pinga, aby naplnili Tarantinovy náročné představy o tomto filmu.
PROTĚJŠÍ STRANA: Beatrix bojuje s komandem Šílená osmaosmdesátka.

Začátkem dubna roku 2002 se hlavní herci včetně Tarantina, který sám plánoval hrát sadistického kung-fu mistra Pai Meie, setkali na šestitýdenním tréninku s Yuenem Woo-Pingem, choreografem bojových umění trilogie *Matrix* a filmu *Tygr a drak*. Jen tři měsíce po porodu musela Thurmanová zvládnout tři styly kung-fu, dva druhy boje s mečem, naučit se házet nůž a ohánět se s ním, zápasit holýma rukama, a navíc japonštinu. „Bylo to doslova absurdní," řekla herečka poté, co se poprvé udeřila do hlavy pětikilovým samurajským mečem. „Ve filmu mě střelili do hlavy, znásilnili, kopali, mlátili a sekali samurajskými meči. Mělo by se to správně jmenovat ‚Kill Uma'."

K jejímu zděšení se Tarantino v den, kdy začali v Pekingu točit, rozhodl vyhodit většinu choreografie, kterou nacvičili. „Nikdy předtím jsem netočil akční film," řekl o tom Tarantino, jehož komunikace s čínskou částí štábu, z nichž ne všichni mluvili anglicky, pro něj byla neustálým zdrojem frustrace. „Co se časového harmonogramu týče, podělali jsme všechno, co jsme mohli, protože jsme prostě nevěděli, co sakra děláme. Jiní režiséři dělají storyboards a podobný kraviny, ale my jsme nic z toho neudělali. Bylo nemožné si jen tak v hlavě rozmyslet, jak to člověk natočí."

Do první sekvence, která je známá pod názvem „Crazy 88" a ve které Nevěsta v Domě modrých listů pozabíjí mnoho členů Jakuzy, si Tarantino vymyslel komplikovaný pohyblivý záběr, který měl masakr odstartovat. Kameraman se Steadicamem se vydal od pódia doprava, proklouzl pod schodištěm a sledoval Nevěstu, jak přichází do místnosti postranní chodbou. Pak se zvedl a nadále ji sledoval shora, dále na záchodky, kde se otočil, aby se v záběru objevil majitel a vedoucí Domu modrých listů, kteří za ní šli po schodech. Kameraman v tomto okamžiku vystoupil na jeřáb, který se přes taneční parket propletl kolem kapely až k protějšímu schodišti, odkud se snesl a zabral Sofii Fatale (Julie Dreyfusová). Kamera ji pak následovala na záchodky a pak pokračovala kolem ní ke stěně kabinky, ve které na ni čekala Nevěsta. Richardson a jeho tým strávili šest hodin pouhým zkoušení tohoto záběru, jehož uskutečnění následně trvalo celý den. Ve svém deníku z natáčení Richardson uvedl:

18. června: Natáčet sekvence bojových umění je mnohem náročnější, než si většina z nás dovede představit. Quentin chce, aby se natáčelo záběr za záběrem (pořadí, ve kterém se bude stříhat), bez ohledu na to, kolikrát bude třeba přenastavit světla. Asi nemusím zdůrazňovat, že to je velmi těžké, ale pokud bude díky takovému postupu Quentin víc v klidu, měli bychom to udělat. Kritici se rojí.

Ať podrobují psychoanalýze sami sebe.

Tarantino a Thurmanová se hádali skoro denně, přičemž ona lobbovala za všechno od změn v šatníku po přepisování některých dialogů. „Je to film o ženě, která vyzývá pět lidí na souboj. To je v podstatě všechno," postěžovala si. „Quentin je geniální, ale mým úkolem bylo ujmout se této postavy, která vznikla v jeho tvůrčím, zdánlivě improvizačním světě, a vdechnout jí život. Jestli měl být ten film víc než jen karikatura, bylo to na mně." Během těch osmi týdnů natáčení, které byly zapotřebí ke vzniku dvacetiminutového finále *Kill Bill*, dospěla k závěru, že se „svým způsobem jedná o němý film. Tělesný charakter těch scén byl tehdy pro něj tím hlavním".

Zatímco se Tarantino potýkal s logistikou svých nových a do velké míry improvizovaných bojových sekvencí, celé natáčení začalo zaostávat za plánem. David Carradine dorazil na místo po dlouhém pobytu v Los Angeles a o produkci tohoto filmu se doslechl různé historky. „Všichni se dohadují, zda má Tarantino při práci na *Kill Bill* potíže: jestli má zpoždění, náklady přesáhly rozpočet, všechny tyhle věci," poznamenal si do svého deníku. „Má Harvey Weinstein stále Quentina rád? Dokáže Quentin naplnit očekávání? Vrátí se natáčení znovu do správných kolejí?" Nakonec si začali dělat starosti lidé ze společnosti Miramax, takže zavolali Tarantinovi a ptali se ho: „Co se děje? Vymyká se nám to kontrole?" V tu chvíli už Tarantino ztratil nervy. „Nemluvte se mnou o těchhle sračkách!" vykřikl. „Kdybych chtěl víc dní na natáčení, mohl jsem o ně požádat! Kdybych chtěl ještě mnohem více peněz, mohl jsem si říct a dostal bych je! Peníze, které jsem utratil, byly moje! Je mi úplně jedno, co si ti sráči myslí, s výjimkou Harveyho a Boba. Všichni ostatní pracují pro mě!"

Po příjezdu na plac během posledního měsíce natáčení v Pekingu ukázali Weinsteinovi několik scén, které Sally Menkeová nahrubo sestříhala. Přišel s myšlenkou, že by se film dal rozdělit na dvě části. Okamžitě zavolal Tarantinovi, aby ho uklidnil: „Quentine, je to úžasné," řekl. „Prostě pracuj na svém filmu. Dělej to dál stejně dobře, ať už to trvá, jak dlouho chce. Na všechno ostatní se vykašli." Menkeovou to nepřekvapilo. „Velmi brzy jsme začali mluvit o tom, že bychom to měli rozdělit na dvě části, takže to pro mě nebylo překvapení, vzhledem k tomu, jak velké množství scén jsme měli," řekla k tomu. „Musím říct, že to byla úleva. Znamenalo to, že jsme tam mohli dát všechno, co se nám tolik líbilo, namísto toho, abychom byli neustále v situaci: ‚Ach jo, to je škoda, že se tam tohle nevejde.'"

Když Tarantino konečně dotočil všechny scény v Číně a vrátil se v září do Los Angeles, byly na řadě ještě další sekvence, které vznikaly nejen tam, ale i v Mexiku. Jedna scéna, jejíž natáčení mělo trvat dvacet jedna dní, si jich nakonec vyžádala dvacet šest. „Quentin mi jednou řekl, že když pracoval na tomto filmu, říkal si, že ho nechce jen natáčet, ale chce jím žít," vzpomíná Carradine. „Chtěl, aby to byl jeho život, celý jeho vesmír, i když to trvalo tak dlouho. Úplně se v něm ztratil. No, a my ostatní jsme ho v tom následovali. *Kill Bill* a Super společnost Super Cool ManChu se staly našimi životy."

Když byl film v březnu 2003 konečně hotov, Tarantino měl přibližně 280 000 metrů filmů, což bylo asi 109 hodin záznamu, a rozpočet, který byl původně 39 milionů dolarů, se vyšplhal na 55 milionů. Nervózní Weinstein začal vymýšlet marketingové kampaně pro dva filmy, které navíc musely být fakt trháky, pokud měly vydělat. Tarantino se mezitím ze všech sil snažil dokončit střih prvního snímku, jenž měl být uveden v říjnu 2003, zatímco druhý díl byl naplánovaný na duben 2004. Weinstein se obával, že ženské publikum odradí všechno to násilí. „Nedělej si starosti," uklidňoval ho Tarantino. „Myslím, že třináctileté holky budou nadšené. Chci, aby to viděly i mladé dívky. Budou milovat Nevěstu, postavu Umy. Mají moje svolení koupit vstupenku na jiný film a pak v multikině proklouznout na projekci *Kill Bill*. To jsou peníze, u kterých mi nevadí, že je nevydělám."

Reakce Thurmanové byla prostší: „Jsem s výsledkem opravdu spokojená, ale jsem ráda, že to mám za sebou."

PROTĚJŠÍ STRANA: Za kamerou v Pekingu.
STRÁNKY 152–153: Tarantino a Thurmanová diskutují o akčních scénách v nočním klubu Dům modrých listů.
NAHOŘE: Plakáty pro obě části.

„Jasně, *Kill Bill* je film plný násilí, ale vždyť je to Tarantinův film. Nepůjdete přece na koncert Metalliky a nezačnete se dožadovat, aby hráli míň nahlas.“

NAHOŘE: Beatrix nejprve zamíří na předměstí Pasadeny, aby se pomstila Vernitě Greenové (Vivica A. Fox), která je sama matkou.

Jakmile doběhnou titulky, *Kill Bill* začíná klidným záběrem domu v příměstské části Pasadeny, jehož trávník je posetý dětskými hračkami. Z dálky je slyšet štěkání psa a zmrzlinářský vůz. Mladá žena (Uma Thurmanová) zastaví před domem ve žlutém kombíku a zazvoní na zvonek. Dveře otevře mladá černoška (Vivica A. Foxová), která okamžitě dostane pěstí do nosu. Začne zuřivý souboj, který rychle z obýváku udělá kůlničku na dříví. Ty dvě rozbíjí obrazy a skleněné stoly a v souboji používají pěsti, nože a cokoliv, co jim přijde pod ruku. Vyruší je ale návrat malé dcerky ze školy. „Nikki! Běž do svého pokoje, hned!" říká matka.

„Nezabiju tě před očima tvé dcery," říká Thurmanová Foxové, ale pak přesně to dělá, a to kuchyňským nožem, zatímco jí pod nohama křupou barevné snídaňové cereálie.

Jedním šmahem tak Tarantino představí divákovi dvě témata, která jsou pro *Kill Bill* ústřední: krvavá pomsta a to, jak je náročné zkombinovat roli dobře placené nájemné vražedkyně s rolí matky v domácnosti.

Beatrix Kiddo (Thurmanová) se touží pomstít Vražednému komandu zmijí, kterému šéfuje Bill (David Carradine), za to, že jí zabili snoubence a nenarozené dítě (nebo si to alespoň myslí). Proč to ale Bill udělal? Co ho k tomu vedlo? Důvod byl prostý: nedokázal přenést přes srdce, že se Beatrix rozhodla pověsit kariéru vražedkyně na hřebík a stát se matkou. Už jen pomyšlení na takto normální chování jej popuzuje. Podle něj lže sama sobě a popírá svou přirozenost.

BILL

Superman se nestal Supermanem, on se jako Superman narodil. Když se Superman ráno probudí, je to Superman. Jeho alter ego je Clark Kent. Ten jeho oblek s velkým rudým „S" je deka, do které byl jako dítě zabalený, když ho Kentovi našli. To je jeho oblečení. To, co nosí Kent, brýle, oblek, to je kostým. Kostým, který Superman nosí, aby mezi nás zapadl. Clark Kent je takový, jak Superman vidí nás. A co je pro Clarka Kenta typické?

Je slabý, není si jistý sám sebou, je to zbabělec. Clark Kent je Supermanova kritika celého lidstva.

BEATRIX
Podle tebe jsem superhrdina?

BILL
Podle mě jsi zabiják. Rozený zabiják. Vždycky jsi taková byla a vždycky budeš. I když se přestěhuješ do El Pasa, i když budeš pracovat v obchodě s deskama, chodit s Tommym do kina, vystřihovat slevový kupóny. Jsi to ty. Snažíš se přestrojit za včelu dělnici. Jsi to ty a snažíš se zapadnout mezi ostatní v úlu. Ale ty nejsi včela dělnice. Ty jsi bývalá včela zabiják. A je jedno, kolik vypiješ piva nebo sníš grilovanýho masa, nebo jak moc ti ztloustne zadek, tohle nic na světě nezmění.

To, že tady Tarantino cituje sám sebe, by nám mělo napovědět, že příběh, který Tarantino vypráví v *Kill Bill*, je také příběh samotného Tarantina. Podobně jako Kiddo se pokoušel ukončit svou kariéru zabijáka: snažil se nechat svou pověst „chlápka, co miluje zbraně" daleko za sebou. Nejdříve ji dekonstruoval v *Pulp Fiction* a pak se rozhodl udělal poklidnou detektivku, kterou kritici chválili za „vyzrálost". *Jackie Brownová* je film plný postav, které se tiše vzpouzejí tomu, že světlo jejich života slábne, a stěžují si u toho na to, jak jim tloustne zadek. Přesně to chtěla dělat Beatrix. Film byl však přijat špatně, nebo alespoň ne s takovým nadšením, jaké si Tarantino představoval.

Tarantino se několik let smažil ve vlastní šťávě a pak se vrátil na scénu s drsnou a krvavou směsicí spaghetti westernu, japonských anime a asijského akčního filmu. To vše splynulo v něco, co se může jevit jako zdánlivě neukojitelná krvežíznivost. Je to jeho film o zabijácích, kteří se marně pokouší z branže odejít..

NAHOŘE: Vernita Greenová, Budd, O-Ren Ishii a Elle Driverová zlověstně míří do kostela, aby zavraždili svou bývalou spolubojovnici.
DOLE: „Ty jsi bývalá včela zabiják." Bill nedokáže pochopit Beatrixinu touhu vést „normální" život.

„Je to opravdu skvělé, protože čínský způsob natáčení akčních scén je takový, že vlastně neexistuje žádný plán, žádný seznam záběrů. Po roce a půl psaní jsem měl v hlavě všechny scény, o kterých jsem věděl, že je chci natočit. Později jsme ale já a mistr Yeun postupně přicházeli s novými nápady, které předem připravené nebyly.“

NÍŽE: Kamera Roberta Richardsona ukazuje kung-fu souboje v celé jejich kráse.
PROTĚJŠÍ STRANA: Beatrix předvádí své schopnosti, ale nemůže se rovnat svému učiteli Pai Meiovi, kterého hraje známý mistr bojových umění Gordon Liu.

„Tento film od jeho vzorů odlišuje nádech fanouškovství, které je Tarantinovi tolik vlastní,“ píše David Edelstein v článku pro *Slate* a naráží na velkolepou bojovou scénu, ve které se Nevěsta postaví desítkám bojovníků Jakuzy a později se světla ztlumí, aby vynikly modré siluety a mřížka, jež v tu chvíli tvoří pozadí. Celá sekvence má v sobě lehkost a eleganci tanečního vystoupení. „Je to jako *Američan v Paříži*, akorát u toho stříká krev na všechny strany.“

Elvis Mitchell napsal v *New York Times*, že „tento film, který překypuje geekovskými návaly adrenalinu, působí dojmem, že přišel do špatné doby. Vypadá jako snímek, který Tarantino mohl natočit před *Pulp Fiction*“.

Ve skutečnosti se první díl *Kill Bil* nejvíce podobá filmu, který Tarantino nikdy nenatočil: „na efekt dělané a stylově odvážné cvičení plné filmové brutality“, což si kritici mysleli, že našli v podobě *Gaunerů* a *Pulp Fiction*, ale ve skutečnosti tomuto popisu nejlépe odpovídali *Takoví normální zabijáci*. Dokonce zaměstnal Stoneova kameramana Roberta Richardsona, aby film získal patřičný lesk a rozmáchlost. „Tohle je filmový vesmír, ve kterém přijímám a téměř až fetišizuji kinematografické konvence,“ řekl, „na rozdíl od toho druhého vesmíru, kde se odehrávají *Pulp Fiction* a *Gauneři*, ve kterém dochází ke střetu reality a filmových konvencí.“

To zcela mění pravidla hry. Snad u žádného režiséra nedošlo v moderní době k tak radikálnímu zlomu. Nejenže v *Kill Bill* dělal Tarantino věci jinak. On se navíc pustil do něčeho zcela odlišného. Jak říká Jules Winnfield v jiném kontextu v *Pulp Fiction*, „není to stejný hřiště, není to stejná liga, není to dokonce ani ten samý sport“. Tarantino se zřekl postupů kontrastní komedie z pouličního prostředí, které byly charakteristické pro jeho rané filmy, a místo toho se pustil do žánrového zrcadla, kde má krev barvu malin a komicky tryská z pahýlů po odříznutých pažích, postavy jezdí autem na černobílém pozadí, které je za nimi zjevně promítáno, a z béčkových mraků se snáší béčkový déšť.

Všechno je na první pohled tarantinovské, a přesto je vše úplně jinak. Ten souboj s noži mezi krabicemi s cereáliemi vychází zjevně z téže části režisérova mozku, která dala v *Pulp Fiction* vzniknout zabití Vincenta Vegy ve stejnou chvíli, kdy z Butchova toasteru vyletí dva kousky chleba. Tam však bylo násilí pouze občasné a sloužilo jako vtip o kontrastu mezi filmy a skutečností. Zato v *Kill Bill* se Tarantino hlásí k pečlivým choreografickým konvencím. Vernitina malá holčička vypadá, jako by se dívala na boxerský zápas v televizi. A když na chvíli přestanou bojovat a otevřou ústa, dočkáme se té největší změny:

VERNITA
Buď jak buď, vím, že si nezasloužím smilování nebo odpuštění. Ale úpěnlivě tě prosím ve jménu naší dcerky.

Buď jak buď? Úpěnlivě tě prosím? Tarantinovy dialogy byly odjakživa určitou hyperbolou, ale vždy je okořenil svým talentem pro napodobení pouliční mluvy plné vulgarismů.

VINCENT
Julesi, slyšel jsi někdy o filozofii, která říká, že pokud člověk uzná svou chybu, je mu okamžitě všechno odpuštěno? Slyšel jsi to někdy?

JULES
S těmahle kecama běž do hajzlu! Ten, kdo to tvrdí, nemusel kvůli tobě sbírat kousky lebky, aby tě dostal z průseru.

Ve filmu *Kill Bill* ale všichni mluví úplně jiným tónem a používají idiomy, které vymyslel sám Tarantino. Mluví o „vzájemném uspokojení" jako nějací floutci z osmnáctého století a neustále používají výrazy jako „jehož" a zájmeno „já" často nahrazují generickým slovem „člověk" („Když se člověku podaří obtížný úkol stát se královnou podsvětí v Tokiu, nebude to držet v tajnosti, nebo snad ano?"), jako kdyby najednou všichni spolkli slovníky.

Když byl uveden do kin první díl *Kill Bill*, někteří kritici považovali za svou povinnost plakat nad tím, že se z Tarantinových dialogů vytratily hovorové výrazy.

„Filmový tvůrce, který v *Pulp Fiction* objevil nový způsob psaní filmových dialogů, jakýsi pop-surrealismus, který byl poťouchlý a ohromně vtipný, najednou našel zálibu v pseudozdvořilých idiomech, jež táhnou film k zemi jako vesta plná olova." napsal David Denby v *New Yorkeru*. Když vyšel druhý díl, tento kritik byl k němu milosrdnější, ale ne o moc: „Z filmového encyklopedisty a génia z videopůjčovny se stal megaloman a zdá se, jako by se ten neuvěřitelně zábavný filmař, kterým kdysi byl, rychle ztrácel."

Je nutné přiznat, že filmu, který byl koncipován jako jeden celek, příliš neprospělo jeho rozdělení na dvě části. V prvním díle jsme ochuzeni o většinu scén s Billem a zároveň o nejlepší výkony Thurmanové. Film tak působí jako nepřetržitá přehlídka krveprolití, kterou narušuje pouze sekvence se Sonnym Chibou (Hattori Hanzo), jenž recituje šaolinská moudra a nepříjemně nahlas se dohaduje o saké. Celé to pak vyvolává dojem jakési východní napodobeniny tvůrce, který kdysi vložil Johnu Travoltovi a Samuelu L. Jacksonovi do úst dialog o masáži nohou.

Při zpětném pohledu se zdá, že vidět pouze první díl by bylo podobné, jako ukončit sledování *Apokalypsy* ve chvíli, kdy se děj dostane k samotnému Kurtzovi. Druhý díl měl v sobě všechnu tu temnou poezii a tematický tah na bránu – to všechno prvnímu filmu chybí. Je tam Beatrixin souboj s exzabijákem Buddem (Michael Madsen), fatalistickým opilcem žijícím v přívěsu. Je zde i jednooká postava Daryl Hannahové, a to vše na pozadí rozlehlé a čarokrásné texaské krajiny, která jako by vypadla přímo z filmů Sergia Leoneho. Druhý díl se obrací na západ, ne na východ, a promlouvá jazykem, který je Tarantinovi nejbližší. A co je nejdůležitější, konečně se objeví postava Billa. Jeho projev je mírný, až nadpřirozeně chladný, a na jeho vrásčitém obličeji se skvějí výrazné lícní kosti. Carradine z Billa udělal člověka neuvěřitelně zvráceného,

který na Thurmanovou mluví sladce, jako by se s ní loučil, a předstírá, že je jejím otcem. Byl rozhodnut, že se s ní ožení, nebo ji zabije, případně obojí zároveň.

Když dostane Thurmanová v jejich společných scénách příležitost projevit lidskou stránku své postavy, jako by se opět probudila k životu. „Thurmanová, jejíž hlas má lyrický, škádlivý nádech, je tou pravou herečkou, která dokáže přenést na plátno Tarantinův sarkasmus a lstivost. Kdyby byla Dusty Springfieldová herečkou, byla by jako Thurmanová," napsal Elvis Mitchell v *New York Times*. „Tarantinovy filmy jsou o ztrátě a zradě a *Kill Bill 2* je jako burger, který má v sobě dvojitou porci obojího. Zasytí, má bohatou chuť, ale také s ním dostanete ty mastné věci pro děti, extra velkou porci chilli hranolků a navrch kečup, sůl a sýr."

Tarantino nakonec v roce 2011 spojil oba díly dohromady a na světě byl *Kill Bill: The Whole Bloody Affair*, který diváci poprvé spatřili v New Beverly Cinema 27. března, tedy na režisérovy narozeniny – datum velkého významu vzhledem k autobiografickému charakteru tohoto filmu. Do této verze zahrnul delší třicetiminutovou anime sekvenci a ukázal boj s Šílenou osmaosmdesátkou v celé své kráse. Ale zdaleka nejdůležitější změnou, kterou udělal, bylo odstranění spoileru na konci prvního dílu, který divákovi prozradil, že Beatrixina dcera přežila, takže se šok publika i její postavy synchronizoval a přišel až v závěrečné pasáži. Je to největší překvapení v celém příběhu: tvář Thurmanové se zkroutí a ona se zhroutí na zem, když ji dcera „zastřelí" dětskou pistolkou. Všechno to filmové šílenství je nyní demaskováno jako do velké míry dětská hra, než si matka a dítě lehnou do postele a dívají se na *Shogun Assassin*, což lze vnímat jako nenápadný odkaz na Tarantinovo dětství.

PROTĚJŠÍ STRANA: Elle (Daryl Hannahová) se poté, co brutálně zavraždila Budda, připravuje na útok obávané Beatrix. NAHOŘE: Jednoočko. Tarantino a Hannah vtipkují na scéně. DOLE: Michael Madsen, který se v Tarantinově filmu objevuje podruhé, hraje v *Kill Bill* opilce a bývalého vraha Budda.

STRANY 164-165: Násilí může být i psychické. Budd pohřbívá Beatrix zaživa a jako společnost jí nechá pouze baterku. NAHOŘE: Tarantino a Thurmanová oslavují v roce 2003 úspěch filmu na tiskové konferenci v německém Berlíně. PROTĚJŠÍ STRANA: „Ty a já máme nevyřízené účty." Beatrix a Bill se konečně setkávají tváří v tvář.

Její konečná konfrontace s Billem má v sobě děsivý klid opiových doupat, kolem kterých se plazí kobry, a celé to vyústí ve scénu s freudovským podtextem, ve které dojde k napravení oidipovského příkoří. Beatrix zabije Billa pomocí pětiprstého úderu. Ten způsobí explozi srdce a ona mu ho tak tímto doslova zlomí. Bill klesá bezvládně k zemi jako loutka, které přestřihnete nitky. Po velkolepých akčních scénách, jež závěru předcházely, posiluje absence teatrálnosti v této scéně divákovo vědomí, že je svědkem něčeho důležitého. Závěrečné záběry filmu ukazují vzlykající Beatrix, stočenou do klubíčka na podlaze koupelny, zatímco její dcera se ve vedlejší místnosti dívá na kreslené seriály. Zavalila ji vlna emocí, když si uvědomila, že konečně dostala šanci na normální život, po kterém tak dlouho toužila.

Bylo něco podobného dopřáno i samotnému Tarantinovi? Oba filmy byly obrovské hity, přičemž první díl celosvětově vydělal 180 milionů dolarů a druhý 152 milionů. *Jackie Brownovou* tyto filmy zcela zastínily. Billův monolog o Supermanovi se později vznášel nad druhou polovinou Tarantinovy kariéry a snoubil v sobě zároveň hrozbu i příslib. V podobě *Jackie Brownové* okusil, jaké je to být Clark Kent: zranitelný, potlučený, lidský, smrtelný, ale také vyzdvihovaný pro svou vyzrálost. S *Kill Bill* pak ochutnat pocit, jaké je to mít superschopnosti, nezranitelnost, úspěch u diváků, ale také odmítání normality, tedy obyčejného života, po kterém toužila i Beatrix. A co že si později vybral?

„Natočil jsem film, který jsem chtěl vidět já sám. Dělám filmy pro své fanoušky, ale sám sebe považuji za toho největšího z nich. Takže to dělám pro sebe, ale na tenhle večírek pozvu kohokoli, kdo má zájem.“

GRINDHOUSE: AUTO ZABIJÁK

2007

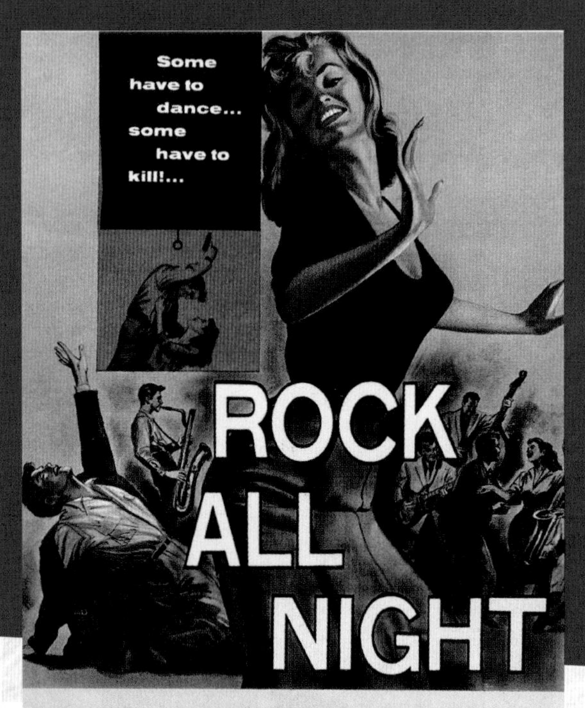

VLEVO: Slasherový dvojfilm z roku 1957 s názvem *Rock All Night* a *Dragstrip Girl* posloužil jako inspirace pro projekt *Grindhouse.*
PROTĚJŠÍ STRANA: Dvojfilm Tarantina a Rodrigueze propagoval tento nezaměnitelný plakát.

„Jednou z věcí, které jsem vždycky miloval na béčkových filmech, je to, že i uprostřed všeho toho, co se děje, vám začne na postavách záležet," řekl Tarantino časopisu *Wired*, když byl jeho film *Auto zabiják* uveden v rámci dvojice snímků pod názvem *Grindhouse* spolu s *Planetou Terror* Roberta Rodrigueze. „To platí obzvlášť, když se na ně díváte s moderním publikem. Když podobné filmy ukazuji svým přátelům, říkám: ‚Podívejte, v těchto filmech jsou nějaké legrační scény, ale prosím, smějte se kvůli tomu, že vám to přijde vtipné, a ne proto, abyste ukázali, jak jste nad to povznesení a že je to pod vaši úroveň. Bavte se s tím filmem, ne na jeho účet. A pokud odoláte pokušení utahovat si z toho a prostě se na to budete dívat bez předsudků, budete možná překvapeni. Najednou vás ten film pohltí.'"

Nápad na *Auto zabiják* dostal Tarantino poté, co spolu s režisérem Robertem Rodriguezem zhlédli několik slasherových filmů z konce sedmdesátých a první poloviny osmdesátých let. Ti dva měli ve zvyku sledovat filmy společně doma u Tarantina. Jednoho dne si spolu obdivně prohlíželi plakát na dvojici filmů z roku 1957, *Dragstrip Girl* a *Rock All Night*. Rodriguez řekl: „Měli bychom udělat dvojfilm. Já jeden, ty jeden."

A RODRIGUEZ/TARANTINO DOUBLE FEATURE

GRINDHOUSE

THE LAST HOPE FOR HUMANITY...
RESTS ON A HIGH-POWER MACHINE GUN!

PLANET TERROR

and
ROBERT
RODRIGUEZ
are back!

But this time
they're
BACK
to
BACK!

TWO GREAT MOVIES FOR THE PRICE OF ONE!

TOGETHER IN ONE SMASH EXPLOSIVE SHOW

APRIL 6, 2007

TROUBLEMAKER STUDIOS

DIMENSION FILMS

VLEVO NAHOŘE A PROTĚJŠÍ STRANA: *Auto zabiják* je z části slasherový film a z části konverzační snímek. Tarantino se v něm soustředil především na scény s osmi ženskými protagonistkami.
VLEVO DOLE: Rodriguezova polovina projektu *Grindhouse* je mnohem fantasknější. Hlavní postavou je exotická tanečnice, kterou napadnou masožravé zombie, ona tak přijde o nohu a jako protézu místo ní dostane samopal.
VPRAVO NAHOŘE: Strach a pokušení. Kaskadér Mike líčí past na své první nic netušící oběti.

„A tehdy jsme také vymysleli větší část toho, co se ve filmu bude odehrávat," řekl později Rodriguez.

Ten chtěl svou polovinu natočit o exotické tanečnici, jejíž kariéru ukončí to, že jí pravou nohu snědí masožravé zombie. Namísto končetiny dostane protézu, v níž je zabudován samopal.

Tarantina zase odjakživa fascinoval způsob, jakým kaskadéři svá auta upravovali tak, aby v nich dokázali přežít strašlivé havárie ve vysokých rychlostech. Jednou si povídal s kamarádem o tom, že by chtěl volvo, protože „nechce umřít v nějaké automobilové nehodě jako v *Pulp Fiction*". Kamarád mu na to odpověděl: „No, když to auto dáš kaskadérskému týmu, za deset nebo patnáct tisíc dolarů ti to auto upraví tak, že bude nejbezpečnější na světě."

Ten výrok Tarantinovi uvízl v hlavě. Jeho film byl o mentálně vyšinutém kaskadérovi, který se svým vozem vraždil sexy mladé ženy. Celá by to mohlo působit jako nějaká obyčejná „vyvražďovačka", jenže Tarantino to celé postavil vzhůru nohama tím, že z první poloviny snímku udělal ženský konverzační party film. „Uvědomil jsem si, že kdybych udělal svůj vlastní slasherový film, bylo by v něm příliš mnoho sebereflexe. Tak jsem se rozhodl, že to udělám podobně jako *Gaunery*, což byla moje podivná verze filmu o loupeži. Takže tohle je moje divná verze slasheru."

Byl to Tarantinův první scénář, kde byly skoro všechny hlavní postavy ženy. Čerpal z mnohaleté zkušenosti, kdy trávil čas s kamarádkami. Quentin jednou četl tento scénář filmovému kritiku Elvisovi Mitchellovi, který později poznamenal: „Když Tarantino předčítal ty dialogy, slyšel jsem v jeho hlase velké nadšení, že konečně dostal příležitost ukázat, kolik času strávil posloucháním ženských rozhovorů a jak moc do sebe dokázal nasát jejich postoje a charakteristické prvky." To znamenalo návrat do vesmíru, ve kterém se odehrávali *Gauneři* a *Pulp Fiction* a kde se filmové konvence střetají s realitou a vzájemně si pomačkají blatníky.

„Hlavní podstata *Kill Bill* pro mě spočívala v tom, že jsem si vytvořil svou vlastní realitu. V tomto světě se mohou objevit třeba kreslené postavy nebo letadla, která mají na sobě držáky na samurajské meče. *Auto zabiják* ale vůbec nehraje na fantaskní notu. Všechno se odehrává v reálném světě. Takhle se dá auto skutečně upravit. Mohli byste se klidně setkat s člověkem, jako je kaskadér Mike. A pokud by se to stalo, jste v prdeli. Když se na vás řítí stošedesátikilometrovou rychlostí, nic s tím neuděláte."

„Uvědomil jsem si, že kdybych natočil svůj vlastní slasherový film, bylo by v něm příliš mnoho sebereflexe. Tak jsem se rozhodl, že to udělám podobně jako *Gaunery*, což byla moje podivná verze filmu o loupeži. Takže tohle je moje divná verze slasheru."

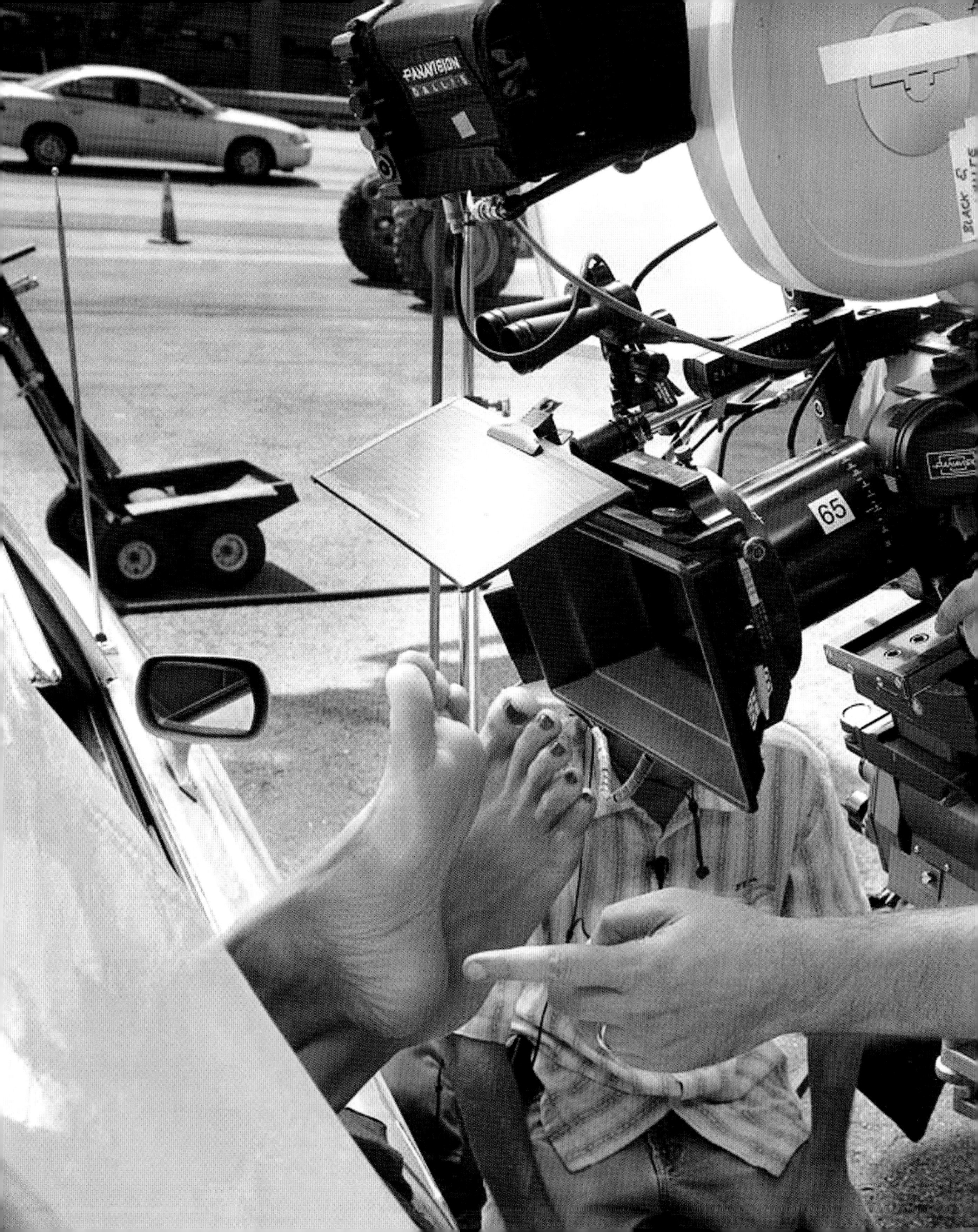
PANAVISION
65

FOR MEN
5222

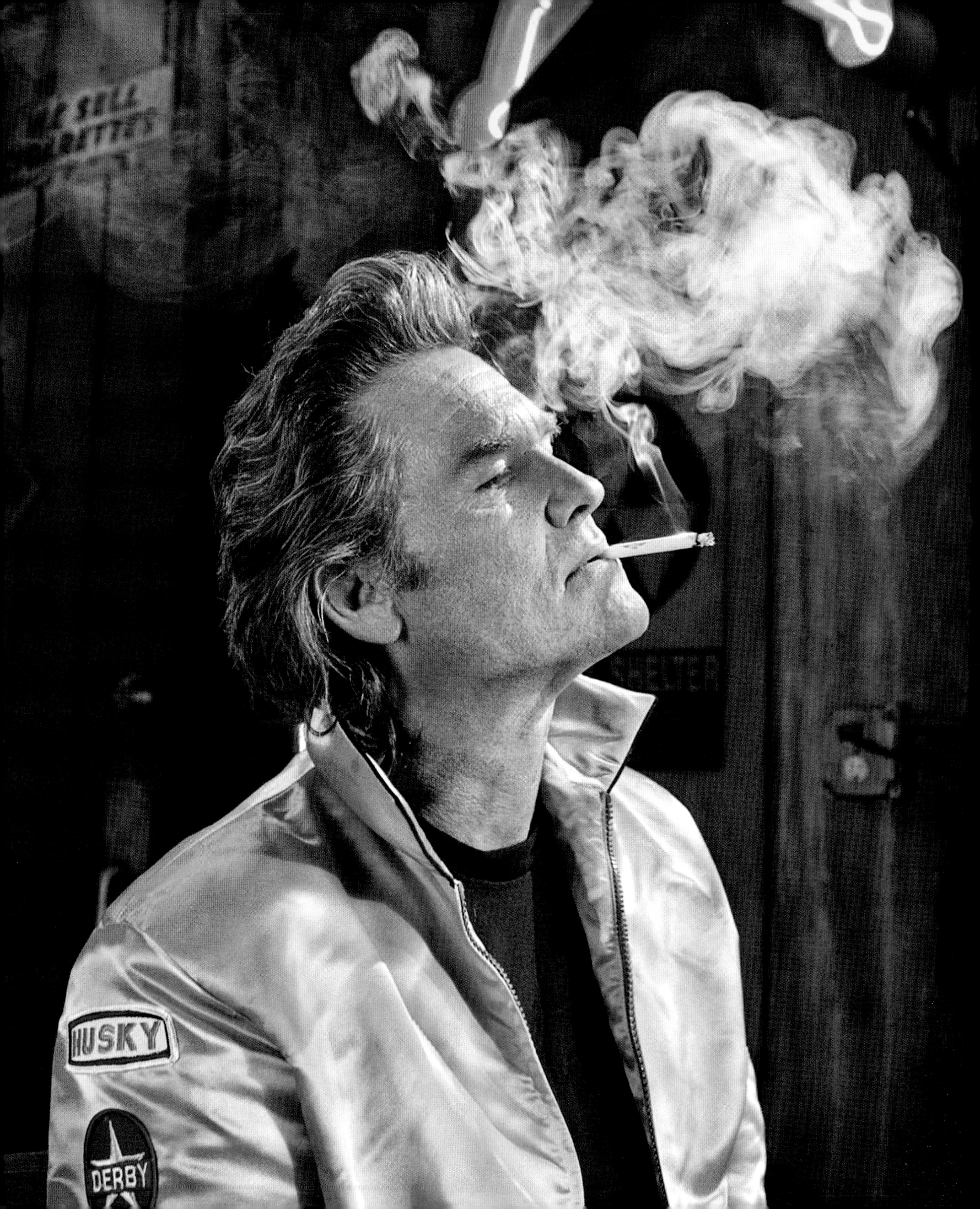
SHELTER
HUSKY
DERBY

Roli Jungle Julie dostala dcera Sidneyho Poitiera, Sydney Tamiia Poitierová, která se už ucházela o jednu roli v *Kill Bill*. Jakmile se dala do četby scénáře, uviděla následující slova: „Arlene poklepávala nohama na palubní desku. Střih a sledujeme nohy Jungle Julie, jak jde po chodbě." Když tedy přišla na konkurz, hned si sedla na židli, shodila boty a nohy si položila na stůl.

Vanessa Ferlito (Arlene) už tou dobou byla režisérova kamarádka. „Má neuvěřitelnou empatii," řekla o něm. „Poslouchá každé vaše slovo, prostě všechno, co říkáte. Napsal mi roli, protože se týkala něčeho, na co jsem si u jednoho chlápka stěžovala. Prostě poslouchá a pak o dva roky později se zeptá: ‚Pamatuješ si ten příběh?' A já říkám ‚Kdo? Jaký?' Prostě vám věnuje pozornost, i když si to možná neuvědomujete. Poslouchá vás a nic mu neujde."

Role kaskadéra Mikea byla původně šitá na míru Mickeymu Rourkeovi, ale po počátečních rozhovorech herec z nejasných důvodů odešel. Tarantino zvažoval, že ho nahradí Willemem Dafoem, Johnem Malkovichem nebo Sylvesterem Stallonem, ale Stallone mu řekl: „Ani náhodou. Mám dvě dcery a tenhle chlapík má hobby, že si bere teenagerky do auta a bourá s nimi do zdi. Do toho fakt nejdu."

Místo toho vzal roli Kurt Russell. „Celý můj přístup spočívá v tom, že když to s nějakým hercem nevyjde, nechci jít za někým, kdo je mu podobný. Mám díky tomu příležitost přehodnotit celý film, znovu se nad ním zamyslet," řekl k tomu Tarantino. „Kurt má v sobě něco, co se k roli kaskadéra Mika neuvěřitelně hodí. Je to velký profesionál a v tomto oboru pracuje už dlouho. Hrál v nejrůznějších televizních seriálech, jako třeba *The High Chaparrals* a *Harryho Os*. A pracoval už úplně s každým. Doslova. Takže zná život, jaký prožil kaskadér Mike."

Brzy po začátku natáčení se Russell zeptal Tarantina: „Ukáže se nakonec tenhle chlap jako zbabělec?"

Tarantino odpověděl: „No, jo, tak nějak." Když se dostali k závěrečné scéně, ve které dívky vytáhnou Mikea z auta, zatímco on křičí hrůzou, Tarantino si vzal Russella stranou. „Kurte, myslíš, že bys dokázal trochu ubrat?" zeptal se.

Russell odpověděl: „Nikdy jsem si nemyslel, že tuhle instrukci uslyším zrovna od tebe."

STRANY 174-175: „Ženská chodidla mám rozhodně v oblibě, ale nikdy jsem neřekl, že je to vysloveně fetiš." Tarantino zaostřuje kameru na svou oblíbenou část těla.

PROTĚJŠÍ STRANA: Kurt Russell zde kaskadéra Mikea ztvárnil jako zbabělce, díky čemuž postava získává nový rozměr.

VLEVO: DJ Jungle Julia (Sydney Tamiia Poitierová) si v restauraci Texas Chili Parlor užívá chvilky volna spolu s Arlene (Vanessa Ferlitová).

VPRAVO: Tarantino a Kurt Russell diskutují o tom, jaký postup zvolit při natáčení jedné scény.

„Speciální efekty úplně kazí bouračky ve filmu. Když jste se na podobné scény dívali v 70. letech, byla to opravdová auta, opravdové plechy, skutečné výbuchy. Ti kaskadéři v těch scénách opravdu riskovali život.“

NAHOŘE: Tarantino neholduje digitálním efektům. Trval na tom, že scéna s autonehodou musí být co nejrealističtější.

Ta změna zafungovala a druhý pokus použili v konečné verzi. „Bylo fascinující sledovat, jak se vám tato postava úplně rozpadá před očima,“ vypráví Rosario Dawsonová (Abernathy). „Hrát ho jako nějakého zbabělého lva, to bylo velmi odvážné a zajímavé rozhodnutí. To všechno je lépe vidět u někoho, jako je Kurt, který Mikea ztvárnil jako jakéhosi vyhořelého kaskadéra, který je trochu slizký a zároveň trochu roztomilý a vy si říkáte: ‚Jasně, je neškodný.‘ Musím říct, že kdyby ho hrál Mickey, budu si říkat: ‚Jestli s tímhle chlapíkem nasedneš do auta, jsi hloupá a zasloužíš si zemřít.‘ On totiž vypadá opravdu děsivě. Takový dojem by ve vás zaručeně vzbudil.“

Tarantino si nedělal velkou hlavu z chyb při natáčení. Když byl třeba záběr na půl vteřiny rozostřený, řekli jsme si navzájem: „Hele, to je Grindhouse!“

Na scény s haváriemi měl Tarantino šest týdnů a chtěl, aby byly co možná nejrealističtější. „Když máte nehodu, v podstatě vás to roztrhá na kusy,“ řekl.

Chtěl také, aby se z diváka stal komplic. „Kdyby v poslední vteřině dívky zabrzdily a auto minuly, bude publikum naštvané,“ vysvětluje Tarantino. „Úplně by zuřili. Jde totiž o to, musíte je dostat do situace, kdy se na bouračku těší, což z nich dělá spolupachatele. A pak BANG! Stane se to, ale je to mnohem hroznější, než jste si kdy dokázali představit. Ale už je příliš pozdě! Chtěli jste, aby se to stalo. Nesete svůj podíl viny. Tak, a teď si vezměte prášky na uklidnění! A měli byste se trochu stydět, cítit se špatně, ale máte pocit jako po orgasmu. Teď si můžete zapálit! Vůbec jsme se nedrželi zpátky."

Aby film působil skutečně béčkově, Tarantino a Rodriguez do snímků zakomponovali „chybějící cívky" a kopie poškrábali propiskami a jehlami. Tarantinova asistentka filmy vzala a otírala je o křoví kolem příjezdové cesty. „Požádali jsme lidi z laboratoře, aby tuto sekci udělali špinavější," řekl. „Nikdy jsme to nedotáhli dost daleko – byli jsme příliš opatrní. Měli jsme se tam na některých místech dostat víc špíny. V laboratoři si ale užili spoustu legrace, když právě opatrní nebyli. Chcete si zakouřit? Žádný problém."

Když byl Tarantino nucen film o třicet minut zkrátit, aby se vešel do tříhodinového dvojfilmu, soustředil se na to, aby zůstaly scény se všemi osmi herečkami v baru. Chtěl ponechat pasáže, ve kterých posílají zprávy svým partnerům, kteří na ně dost kašlou. „Byl jsem jako brutální americký obchodník s béčkovými filmy, který snímek zkrátil tak, že téměř ztratil soudržnost. Oholil jsem ho na kost a zbavil ho veškerého tuku, abych zjistil, jestli to ještě pořád funguje. A ono to fungovalo."

Přes převážně pozitivní recenze, které na *Grindhouse* vyšly ve Spojených státech, film vydělal pouhých 25 milionů dolarů v Americe a jen 384 191 dolarů v zámoří, částečně díky katastrofálnímu načasování (uveden byl o velikonočním víkendu). Formát dvou filmů v jednom zřejmě zmátl publikum, stejně jako falešné trailery na neexistující filmy, chybějící kotouče a poškrábaný celuloid. „Byl někdo jiný kromě Tarantina a Rodrigueze, komu na formátu *Grindhouse* opravdu záleželo?" ptali se v časopise *Variety*.

„Jo, bylo to zklamání," přiznává Tarantino. „Vím toho dost o kariérách mnoha režisérů, a když se podíváte na těch posledních pět filmů, když už byli za zenitem, máte pocit, že už byli příliš staří a mimo kontakt s dobou, ať už se jedná o Williama Wylera a *Vykoupení LB Jonese* nebo Billyho Wildera a jeho *Fedoru* nebo *Kamaráde, kamaráde*, nebo já nevím co ještě. Pro mě je hlavní moje filmografie, a až budu končit, chci za sebou nechat úžasnou stopu. *Auto zabiják* je určitě nejhorší snímek, jaký jsem kdy natočil nebo natočím. A přitom to na béčkový film není tak špatné, ne? Takže jestli je tohle to nejhorší, co kdy udělám, jsem v pohodě.

NAHOŘE: Tarantino a Rodriguez v Los Angeles na premiéře projektu *Grindhouse*.
DOLE: Hlavní postavy v obou filmech ztvárnily téměř výhradně ženy: Režiséři a jejich herečky na losangeleské premiéře.

NAHOŘE: Příprava detailního záběru na tvář kaskadéra Mikea.

Ale myslím si, že každý ten mimoňský, nedotažený film vás na reputaci stojí tolik, že musíte udělat tři dobré, abyste to vyrovnali."

Tarantino se zde dopouští hříchu pýchy naruby, jako by se snažil překonat i své největší kritiky ve svém vlastním zatracování. Poté, co byl zproštěn úkolu táhnout s sebou po kinosálech mrtvou váhu Rodriguezovy *Planety Terror*, nakonec film rozšířil pro DVD verzi na 113 minut. *Auto zabiják* je i tak jeho nejkratší film od *Gaunerů* a lze ho popsat jako špinavou ódu na spálené pneumatiky a ohnuté blatníky, kterou ozdobil jemným, úžasně upřímným portrétem všech ženských postav, na kterých je film postaven. Částečně se tak podobá knize J. G. Ballarda *Bouračka*, kdyby ji přepsala Toni Morrisonová.

„Chvílemi se *Grindhouse* podobá talk show *The View*," napsala pro *Slate* Dana Stevensová. Na filmu oceňuje, že jsou v něm „ženy svébytné, živé osobnosti. Ne jen jako stereotypy děvka, hodná holka, málomluvná nejlepší kamarádka. Jsou to tři hlučné party holky, které se nestydí za svou sexualitu, ale jedné na druhé záleží víc než na chlápcích, kteří se jim snaží dostat pod sukni." Je možné udělat béčkový film a ódu na silné ženy v jednom? Zjevně ano, tedy pokud jste Quentin Tarantino.

Po žánrovém výletu v podobě *Kill Bill* ho v neposlední řadě těšil návrat na povrch planety Země, tedy do prostředí, které byste téměř mohli nazvat „realitou". A pokud se vám takové označení zdá přitažené za vlasy, alespoň je to místo, kde si můžete koupit slušné taco.

„Jeho filmy se neodehrávají ve vakuu," napsal Elvis Mitchell ve svém úvodu ke scénáři. „Smysl pro komunitu je zde nepopiratelný a postavy se jím řídí, protože žijí na skutečném místě... V *Autě zabijákovi* je to Austin v Texasu, který v sobě spojuje univerzitní město, magnet na hudbu a klidnou snovou krajinu... To město vyvolává pocit, že se tam může stát cokoliv, a milá texaská přívětivost se může rychle vytratit, pokud si dáte příliš mnoho panáků tequily. To vše je součástí prostředí, ve kterém se odehrává *Auto zabiják*."

Tři party holky – austinská DJ známá jako Jungle Julia (Sydney Tamiia Poitierová) a její kamarádky Shanna (Jordan Laddová) a Arlene neboli „Butterfly" (Vanessa Ferlitová) – si plánují noc plnou margarit a mexického jídla v Texas Chili Parlor, protože chtějí oslavit narozeniny Julie. Ve filmu si zahrál i sám Tarantino. Objevil se v roli barmana v restauraci Texas Chili Parlor, která je vybavena vlastním jukeboxem. Zdá se,

„Byl jsem jako brutální americký obchodník s béčkovými filmy, který snímek zkrátil tak, že téměř ztratil soudržnost. Oholil jsem ho na kost, zbavil ho veškerého tuku, abych zjistil, jestli to ještě pořád funguje, a ono to fungovalo."

že v něm to místo probouzí vnitřního Godarda. Střídají se zde dlouhé záběry a detaily, ve kterých jehla přenosky zapadá do drážky, vidíme polici s panáky na tequilu a zadek Vanessy Ferlitové, zatímco se přesouvá k jukeboxu, aby pustila hit od Joe Texa z roku 1966 *The Love You Save (May You Be Your Own)*. Ve filmu je Tarantinův postoj vůči těmto ženám někde mezi machistickým hvízdáním a plácnutím si. Je jako oplzlý starší brácha, který dívky bezostyšně okukuje, ale také se raduje z jejich vítězství jako nějaká členka tajného ženského spolku.

ARLENE
Nedělali jsme „něco".

SHANNA
Promiň, ale co znamená „něco"?

ARLENE
Všechno krom toho jednoho.

SHANNA
Tomu se říká „něco"?

ARLENE
Já tomu říkám „něco".

SHANNA
A klukům se to „něco" líbí?

ARLENE
Líbí se jim to víc než nic.

Dívky zde působí jako Spice Girls vnímané optikou Harolda Pintera. V baru najdeme také kaskadéra Mikea, který chroupe nachos grande, kamera ho snímá zešikma z poloprofilu a nasvětlen je zezadu. Vypadá jako Elvis, který si odskočil na svačinu. Tento ošlehaný a zjizvený chlápek tvrdí, že pracoval jako kaskadér v několika televizních seriálech. „Máloco je tak okouzlující jako pošramocený ego krásnýho andílka," řekne Mike Arlene předtím, než jí ukáže své auto, ocelí vyztužený Dodge Charger natřený matným lakem a s obrazem lebky na kapotě. „V tomhle autě se skoro nemůžeš zabít," tvrdí jí.

Tarantino nechává tu scénu rozehrát dál a dál, a zatímco se jeho kamera toulá po místnosti, je čím dál těžší rozptýlit atmosféru strachu. Mike si dívky vychutnává a Arlene dotlačí k tomu, aby mu zatančila na klíně. Když dívky z baru odjedou, pronásleduje je ve svém autě a zabije je čelní srážkou na prázdné točité venkovské cestě. Scénu podkresluje ztracený klenot *Hold Tight*

NAHOŘE: Tarantino si ve filmu zahrál „štěk" jako barman v restauraci Texas Chili Parlor.

NAHOŘE: Julia, Shanna (Jordan Laddová) a Lanna (Monica Staggsová) se připravují na osudový střet a v očích mají strach.
PROTĚJŠÍ STRANA: Ztělesnění zla – kaskadér Mike se ve svém „nezničitelném" autě chystá narazit do vozu, ve kterém jedou nic netušící dívky.

od skupiny Dave Dee, Dozy, Beaky, Mick & Tich. Tarantino ukáže havárii natřikrát, takže znovu a znovu pozorujeme, jak jsou ženská těla roztrhána na kusy. Jejich smrt je zcela odlišná od všech ostatních filmových úmrtí. Je srdcervoucí a zvrácená, jako kdybychom sledovali umělce, jak ničí své vlastní dílo. Ta těla a duše, které předtím Tarantino tak něžně vykreslil, nyní hodil do mlýnku na maso. „Je to jako kdyby se nemohl rozhodnout, zda bude humanista, nebo nihilista," napsal David Denby v článku pro *New Yorker*, ačkoli správná odpověď je samozřejmě ta, že je obojím. „Je to humanista-predátor," napsal David Edelstein v časopise *Slate*, čímž režiséra vystihl mnohem lépe. „Je to blázen do filmu, který na plátně ženy miluje a zároveň rád trestá. Umělce z něj dělá právě to, že si nejvíce užívá své vlastní ambivalence." Film zrcadlí tuto ambivalenci dokonale, je rozdělen na dvě poloviny jako panely diptychu. Na jedné straně je pohled na macho Mikea, který je triumfální a vykreslený v dobovém stylu s poškrábanými negativy a s „chybějícími kotouči". Oproti tomu je protilehlý panel bez poskvrny, barvy jsou syté a najdeme zde nový typ ženy, která se jen tak něčeho nezalekne: sem patří Abernathy (Rosario Dawsonová), Kim (Tracie Thomsová), Lee (Mary Elizabeth Winsteadová) a Zoe Bellová, která zde hraje sama sebe, když má právě den volna během natáčení hollywoodského filmu. Tyto ženy hází kolem sebe hlášky o sportovních veteránech a o filmech jako *Vanishing Point* nebo *Dirty Mary a Crazy Larry*. Jak se ukazuje, jediný, kdo dokáže překonat jednoho kaskadéra, jsou dvě kaskadérky. Ve filmu *Auto zabiják* točí Tarantino všechno postaru, tedy s rychlými auty a skutečnými lidmi, kteří v nich dělají šílené věci. Jen tak pro zábavu se Bellová nechá pouhými dvěma popruhy připoutat ke kapotě nadupaného Dodge Challenger z roku 1970. Když se objeví kaskadér Mike, rozpoutá se klasická bitva napříč texaským terénem. Nic podobného jsme neviděli od dob filmu *Duel* Stevena Spielberga z roku 1971. Jedná se o nejpůsobivější akční scény, jaké Tarantino kdy natočil. „V určitém okamžiku se Tarantino vrátil k základům vykreslení postav, akce a příběhu," napsal A. O. Scott v *New York Times*. „*Auto zabiják* je záměrně skromným snímkem, o čemž svědčí i to, že byl původně součástí dvojfilmu. Jeho utlumené ambice jsou však jeho velkou předností." *Auto zabiják* bylo Tarantinovou labutí písní, co se filmů ze současnosti týče. Jedná se o kinetickou báseň, která také oplakává starou školu kaskadérské práce – to, co kaskadér Mike nazývá dobou „skutečných automobilů, které naráží do jiných, v nichž sedí opravdoví blbci, kteří je řídí".

Tarantino byl znepokojen tím, jak veřejnost film přijala. „Je to jako při rozchodu, když od vás ona odejde a vás to neuvěřitelně zasáhne," řekl k tomu a útěchu hledal u svých přátel Tonyho Scotta a Stevena Spielberga. „Jedna super věc, kterou říká Spielberg, je tohle: ‚No, Quentine, vždyť máš docela štěstí. Úspěchu jsi dosáhl pokaždé, ať už tak, nebo tak. Je to jako moct si zahrát poker, ale nemuset za to platit. No, tak tentokrát jsi zaplatit musel. A to člověku může pomoct k růstu. Ale druhá věc je, že příště, až zase budeš mít úspěch, užiješ si to ještě víc, protože už víš, jaké to je, když ti ty správné karty do ruky nejdou.' Mojí sebedůvěrou to otřáslo, ale vedlo to k tomu, že místo abych vzal práci od někoho jiného nebo se pokoušel psát něco nového, vrátil jsem se k *Hanebným panchartům*, což byl starý scénář, o kterém jsem věděl, že je dobrý. Řekl jsem si, že to dodělám. Přestanu se rozptylovat jinými věcmi a dám se do práce."

„Mojí sebedůvěrou to trochu otřáslo. Je to jako při rozchodu, když od vás ona odejde a vás to neuvěřitelně zasáhne.“

LE GAMAAR

HANEBNÝ PANCHARTI

2009

> **„Pokud bych nemohl *Hanebný pancharty* natočit tak dobře, jak jsem chtěl, raději bych to nedělal vůbec. Věděl jsem ale, že ten příběh musím napsat.“**

„Tohle není takový ten film z 2. světové války, na které koukal váš taťka," řekl Tarantino o svých *Hanebných panchartech*, brutálním a zároveň zábavném remixu z druhé světové války o skupině židovsko-amerických vojáků, kteří se pomstí nacistům. Tarantino začal scénář psát v roce 1998, hned po *Jackie Brownové*. „Myslím, že si tenhle text dost hýčkám, protože to byl můj první originální scénář od *Pulp Fiction*," prozradil *Guardianu*. „Ten nápad se v mé hlavě neustále rozrůstal. Čím dál důležitější byla pro mě slova, kterými jsem zaplňoval stránky, spíše než film. Nemohl jsem vypnout mozek. Neustále jsem přicházel s novými a novými nápady. Najednou jsem si říkal: ‚Sakra, snad to není pro film až příliš rozsáhlé? Jsou mi najednou filmy příliš malé? Co to má všechno znamenat?'" Původně odložil scénář do šuplíku a pustil se do *Kill Bill* a později do *Auta zabiják*, ale nyní se k němu vrátil a přemýšlel, jestli nebude lepší ten příběh natočit jako dvanáctidílný televizní miniseriál. Po večeři s francouzským filmovým režisérem Lucem Bessonem a jeho producentským partnerem Pierre-Angem Le Pogamem jim Tarantino vyprávěl o této své myšlence a Besson mu kamarádsky vynadal. „Promiň, ale jsi jedním z mála režisérů, kvůli kterým ještě chodím do kina," řekl, „a představa, že budu muset čekat dalších pět let, než v kině uvidím jeden z tvých filmů, je pro mě skutečně depresivní."

Tarantino se nakonec rozhodl zkrátit scénář do původního rozsahu. Vznikl tak film ve stylu *Tuctu špinavců* o partě chlapů, kteří mají před sebou důležitou misi. Trvalo mu šest měsíců, než se mu podařilo zredukovat text na 160 stran. Tato práce mu trvala od ledna roku 2008 do června. Starší materiál nakonec přece jen trochu upravil, když zjistil, že postava Shosanny, která je „opravdová drsňačka, taková židovská Johanka z Arku", je až příliš podobná Nevěstě z *Kill Bill*. Raději z ní tedy udělal někoho, kdo především umí přežít, a od druhé části dál napsal vše na jeden zátah.

Měl jednu překážku: historii. Zvláště se musel rozhodnout, co udělá s postavou Hitlera, který, jak všichni vědí, neskončil v rukou amerických lovců skalpů. Jednoho dne, po několika hodinách psaní, si uvědomil, že postavy, o kterých píše, nevědí, že jsou součástí historie.

„Poslouchal jsem hudbu, chodil sem a tam a nakonec jsem popadl pero a kus papíru a napsal: ‚Jen ho zabijte!'" vypráví Tarantino. „Přiložil jsem si ten papír vedle nočního stolku, abych ho hned po probuzení uviděl a mohl se rozhodnout, jestli je to skutečně dobrý nápad. Ráno jsem si to přečetl, chvíli popocházel kolem a nakonec si řekl: ‚Jo, je to dobrý nápad.' A tak jsem ho prostě zabil.

Mohu upřímně říci, že když jsem vymyslel tento konec, byl to jeden z nejzajímavějších okamžiků inspirace, jaké jsem kdy jako spisovatel zažil. Říkám si: ‚Použijí nitrátové filmy, pomocí nichž vyhodí sál do povětří!' Protože to by udělat šlo. A když mě to napadlo, byl to jeden z takových těch okamžiků prozření." Dokonce i Lawrence Bender byl překvapen, když mu Tarantino v červenci volá, aby mu sdělil, že finalizuje scénář k *Panchartům*,

PROTĚJŠÍ STRANA: Eli Roth jako jeden z Panchartů, seržant Donny Donowitz.
NAHOŘE: Martin Wuttke hraje stylizovanou verzi Adolfa Hitlera.
DOLE: Shosanna (Mélanie Laurentová) připravuje cívky s nitrátovým filmem, pomocí nějž chce vyhodit kino do povětří.

NAHOŘE: Tarantino se nechal inspirovat propagandistickými filmy *Confessions of a Nazi Spy*, *Man Hunt* a *Podrobená země*.
PROTĚJŠÍ STRANA: „Brad byl v té roli neuvěřitelný." Tarantino pěl ódy na herecký výkon Brad Pitta, který ztvárnil poručíka Panchartů Alda Raineho.

na kterém už dlouho pracuje. „V průběhu let mi četl nejrůznější věci, ale vždycky jsem předpokládal, že zrovna tohle nikdy nenatočí," řekl Bender, který od doby, kdy Tarantino začal na projektu pracovat, neustále sledoval, jak se druhá světová válka stala v Hollywoodu jakýmsi módním trendem. Filmy *Zachraňte vojína Ryana* a *Tenká červená linie* byly oba uvedeny v roce 1998 a po nich následoval v roce 2001 seriál HBO *Bratrstvo neohrožených*. Tarantino se ale chtěl vrátit k filmům, jako jsou *Confessions of a Nazi Spy* Anatola Litvaka (1939), *Man Hunt* (1941) od Fritze Langa nebo *Podrobená země* (1943) Jeana Renoira. To všechno byly propagandistické filmy, v nichž jste měli fandit hrdinům a nacistům přát smrt.

Tarantino k tomu řekl: „Na těchto filmech mě zaujalo to, že vznikly během války, kdy nacisté byli stále vážnou hrozbou a tito filmaři s nimi pravděpodobně měli osobní zkušenosti nebo se obávali o životy svých rodin v Evropě. Přesto jsou tyto filmy zábavné a vtipné, je v nich humor. Nejsou tak vážné jako *Odpor*. Nebojí se být zároveň napínavým dobrodružstvím." Tarantino chtěl už dlouho spolupracovat s Bradem Pittem, který měl stejného agenta jako Uma Thurmanová. „Když jsem psal scénář, nejprve jsem si říkal: ‚Hm, Brad by v téhle roli mohl být dobrý,' přes ‚Brad by tam byl zatraceně dobrý', dále ‚Brad by v tom byl úžasný,' až nakonec ‚Tak, a teď musím kurva sehnat Brada, protože jestli ne, co budu dělat?'"

Ke konci léta navštívil herce v jeho domě na jihu Francie, kde se ti dva spolu s Pittovými dětmi projížděli po pozemku v bugině, aby si prohlédli obrovskou vinici a nahrávací studio, kde Pink Floyd nahrávali *The Wall*. Pak se vrátili do domu, aby si promluvili o filmu. Vypili u toho několik lahví vína a kouřili hašiš. Nakonec se v ranních hodinách Tarantino vydal do svého hotelového pokoje s kouskem hašiše, který mu Pitt odřízl ze svých zásob, a plechovkou od Coca-Coly, již mohl použít místo dýmky. „Vím jenom, že jsme mluvili o pozadí toho příběhu," vypráví Pitt. „Mluvili jsme o filmech až do brzkých ranních hodin. Ráno jsem vstal a uviděl pět prázdných lahví od vína, které ležely na podlaze. Pět! A něco, z čeho člověk mohl nejspíš kouřit trávu. Ani nevím, co to bylo. Někdy během té noci jsem nejspíš souhlasil, že ten film natočím. O šest týdnů později jsem už byl v uniformě."

PROTĚJŠÍ STRANA: „Zachránil celý film." Christoph Waltz se pro roli padoucha Hanse Landy hodil znamenitě. V roce 2010 získal Oscara za nejlepší herecký výkon ve vedlejší roli. U Tarantinových filmů se to nikdy dříve nestalo. DOLE: Na place v Paříži – kamera běží.

Protože měli naspěch, aby film stihli promítnout na filmovém festivalu v Cannes v roce 2009, zbytek rolí obsadili velmi narychlo. Zpočátku si Tarantino pro klíčovou postavu Hanse Landy představoval Leonarda DiCapria. Ten byl již delší dobu fanouškem Quentinova rukopisu a byl vždy jedním z prvních, kteří obdrželi kopii pokaždé, když režisér dokončil nějaký scénář. DiCaprio byl „na tu roli velmi zvědavý", ale Tarantino chtěl použít někoho, jehož mateřštinou by byla němčina.

Trval na tom, že všichni musí mluvit mateřským jazykem své postavy. Především se chtěl vyhnout tomu, aby ve filmu Němci mluvili perfektně anglicky. Pro tuto roli zvažoval několik herců, ale nakonec se mu žádný z nich dostatečně nelíbil. Čas se krátil a jemu začalo připadat, že možná napsal nehratelnou postavu. „Začínal jsem si dělat starosti. Kdybych nenašel perfektního Landu, musel bych natáčení filmu zabalit. Dal jsem si ještě jeden týden, než to vzdám. Pak přišel Christoph Waltz a bylo jasné, že je ten pravý. Je to herec, který dokáže všechno. Byl úžasný. Bez něj by film nevznikl."

Waltz se narodil ve Vídni do divadelní rodiny a později se stal putovním hercem, který pracoval převážně v divadle nebo v německé televizi. Hrál většinou záporné postavy. Kdysi ztvárnil Friedricha Nietzscheho ve francouzsko-německém koprodukčním filmu o životě Richarda Wagnera, ale nikdy předtím nenarazil na nic, co by se podobalo Tarantinovu scénáři.

„Úplně mě to dostalo," řekl Waltz o mamutím svazku čítajícím pět kapitol. Ten byl plný dlouhých, zašmodrchaných rozhovorů a obsahoval mnoho pravopisných chyb – „Basterds" místo „Bastards", „Bostin" místo „Boston", „there knee's" místo „their knees". Pod tím vším bylo rukou naškrábané „finální verze". Waltz si přečetl celý scénář během svého prvního konkurzu v Berlíně a poté řekl castingovému agentovi: „Podívejte, jestli to tímhle končí, i tak to stálo za to. Děkuji!" Waltz vypráví: „Když mi Quentin zavolal a pozval mě na druhé kolo konkurzu, řekl jsem: ‚Cítím se úplně stejně, jen teď je to o 200 procent lepší.' O pár dní mi zavolali, že jsem tu roli dostal."

„Na to, že se jednalo o velký film, jsme měli slušné tempo. Kvůli tomu to bylo náročnější. Možná jsme si to kvůli tomu tlaku méně užili. Doufal jsem však, že do filmu půjde veškerá naše energie."

NAHOŘE: Landa se v úvodních scénách filmu snaží nahnat strach Charlotte LaPaditové (Lea Seydouxová) a jejím sestrám a je u toho tak zdvořilý, až z toho běhá mráz po zádech.
VLEVO: Til Schweiger jako málomluvný a zarputilý seržant Panchartů Hugo Stiglitz.
PROTĚJŠÍ STRANA, NAHOŘE: Tarantino svým hercům promítl film *Dark of the Sun* režiséra Kennetha Morea a inspiroval se jím při natáčení závěrečných scén.
PROTĚJŠÍ STRANA, DOLE: Kameraman Robert Richardson začíná natáčet v podzemním baru La Louisiane.

Jakmile měl Tarantino herce pro roli Landy, okamžitě začal točit ve Studiu Babelsberg v německé Postupimi. Poté se natáčení přesunulo do Paříže, kde využil prostory bistra z roku 1904 s oprýskanou omítkou, art deco vitrážemi a prosklenou stěnou s výhledem na křižovatku typicky pařížských ulic v osmnáctém arrondissementu. Tam natočil scénu, ve které se poprvé setkají Landa a Shosanna (Melanie Laurentová), tedy lovec a lovená zvěř. Tarantino úzce spolupracoval s Waltzem a dbal na to, aby příliš nezkoušel s ostatními herci. Nechtěl, aby se v jeho společnosti cítili příliš uvolněně. „On chtěl, aby na nich byla vidět určitá nejistota," vysvětluje Waltz, který si s režisérem prošel scénář stránku po stránce a společně pak vybudovali Landovu postavu od základu.

„Co myslíš, Christophe? " zeptal se ho Tarantino jednoho dne u večeře. „Ve scénáři stojí, že tvojí dýmkou je kalabáš, ale co když to tak není? Možná dýmku vůbec nekouříš. Možná je to prostě jen pomůcka pro tvůj výslech Perriera LaPadita (Denis Menochet). Dozvěděl ses, že kouří dýmku, takže si ji koupíš těsně předtím, než se s ním setkáte. Bude to tvoje dýmka Sherlocka Holmese a ve správném okamžiku ji při výslechu vytáhneš a řekneš: ‚Mně neunikneš!'" Waltz odpověděl: „To ne, to je určitě jen nástroj! Nekouřím dýmku!" Každý čtvrtek byl filmový večer. Eli Roth si vzpomněl, jak si pouštěli obskurní akční film z roku 1968 s názvem *Dark of the Sun*, ve kterém bar lehne popelem, když ho kulomety rozstřílí na cimprcampr. O čtyři měsíce později točili jednu velkolepou sekvenci a „[Tarantino] spustil kamery a jediný povel směrem ke mně byl: ‚Dark of the sun!'. A já přesně věděl, co má na mysli. Ta scéna nebyla okopírovaná z toho filmu, ale byla tam určitá nálada, pocit, a my si uvědomili, že přesně to hledáme," vypráví Brad Pitt. „Jen těžko narazíte na někoho, kdo by o filmu věděl více než Quentin, a na jeho každodenní práci je to opravdu znát. Plac je ale jako kostel. On je Bůh, jeho scénář je Bible a kacíři mají vstup zakázaný." Když Melanie Laurentová vznesla pochyby nad jednou replikou ve scénáři, setkala se s přesně s takovou reakcí. „Byl tam jeden výraz, u kterého bylo dost nepravděpodobné, že by ho ve francouzštině někdo použil," vypráví. „Řekla jsem mu to, ale vyjednávání nebylo možné. Prohlásil: ‚Můžeme přece vymýšlet nové výrazy. Kdo říká, že ne?' Má prostě ve francouzštině rád určité hlášky a slova a chce je slyšet."

Aby byla šance, že stihnou květnový termín festivalu v Cannes, Tarantino a Sally Menkeová se museli vzdát své obvyklé zkušební projekce. Některé docela dobře známé sekvence byly z filmu vystřiženy, včetně scény, kde se postava Michaela Fassbendera (poručík Archie Hicox) setká s Pancharty, a postavy, které hrály Maggie Cheungová a Cloris Leachmanová, byly odstraněny úplně.

STRANY 194–195 A PROTĚJŠÍ STRANA: Perrier LaPadite (Denis Menochet) si zachovává klid i ve chvíli, kdy jej vyslýchá obávaný Hans Landa. NAHOŘE: „Pro vtip nebo humornou scénu nikdy nejdu daleko." Tarantino odlehčuje napjatou atmosféru a jako rekvizitu k tomu používá Landovu obří dýmku ve stylu Sherlocka Holmese.

„Bylo to šité horkou jehlou," vysvětluje Menkeová. „Prostě jsme neměli dost času, zvlášť co se týče několika okamžiků s Shosannou, u kterých jsme věděli, že to ještě není úplně ono." Když udeřila první vlna převážně negativních recenzí, „věděli jsme předem, že některé věci vrátíme zpět a jiné scény změníme, takže to nebylo velké překvapení. Říkali jsme si: ‚Dobře, vraťme se z Francie! Pojďme to dodělat, protože to brzy půjde do kin!'" Pracovali nepřetržitě, aby byl film připraven k zářijovému uvedení, a dokonce i Tarantino zněl vyčerpaně. „Nevím, jestli chci ještě někdy pracovat takhle rychle na takhle velkém filmu," prohlásil. „Vždycky jsme ale měli nejlepší výsledky, když jsme měli za krkem nějaký termín. Můžete se stát, že se s filmem moc pářete. Rádi děláme nejrůznější rozhodnutí rychle. Prostě si řekneme: ‚Uděláme to takhle a basta. Šup, jedeme!'"

Hanebný pancharti začínají nejlepší hrou kočky s myší, jakou Tarantino vytvořil od dob, co Dennis Hopper diskutoval o italské genealogii s Christopherem Walkenem v *Pravdivé romanci*. Odehrává se uvnitř jedné místnosti na statku a je úžasné sledovat pečlivou choreografii kamery a herecké výkony vypiplané do nejmenšího detailu.

Hlídka SS, vedená plukovníkem Hansem Landou (Christoph Waltz), vyslýchá francouzského farmáře ohledně rodiny Židů, která se možná skrývá na jeho pozemku. Landa je zdvořilý, dokonce i laškovný, a Tarantino postupně zvyšuje napětí, kamera kolem Landy a farmáře krouží jako neustále se utahující smyčka, než sklouzne k podlaze, aby ukázala, kde se skrývají členové zmíněné rodiny. Ti si rukama zakrývají ústa a strachem třeští oči. Vyšetřování pokračuje a Landova žoviálnost jen zvyšuje napětí scény, kterou Tarantino naruší gagem: Landa se zeptá farmáře, zda by si mohl zapálit, a vytáhne dýmku tak komicky velkou, že by se skvěle vyjímala ve filmu *Bláznivá střela*. Nebo na obraze René Magritta. Nebo obojí.

„Snažil jsem se natočit spaghetti western, ale použít přitom ikonografii druhé světové války.“

Vítejte v podivném a pokrouceném světě Quentina Tarantina, je to autonomní vesmír plný burleskního humoru, obrovské krutosti a nerealistických fantazií o pomstě. Ve svém mnohojazyčném dialogu se *Hanebný pancharti* vyznačují velkou geografickou i historickou vzdáleností od témat, ve kterých je Tarantino nejvíce doma, a je to také vidět – ani ne tak v jazykových nepřesnostech, jaké odhalila Laurentová, ale spíše v husté změti filmových odkazů. Tarantinův počáteční záměr, tedy napsat film ve stylu *Tuctu špinavců*, ve kterém se skupina mužů vydává na misi, se rychle rozrostl do pěti různých kapitol, přičemž všechny z nich se nějakým způsobem odvolávají na jiná filmová díla. V prvním případě dostaneme Pancharty, vedené poručíkem Aldem Rainem (Brad Pitt), nevybíravě upřímným vyzáblým prostým chlapíkem z Kentucky, jehož osmičlenný tým – jakási židovská verze *Tuctu špinavců* – se na padácích snese za nepřátelskou linii s cílem zabíjet nacisty a sbírat jejich skalpy.

„Úplně upřímně řečeno," říká Raine jedné z obětí, „sledovat, jak Donny umlátí nácka k smrti, je pro mě jako jít do kina."

V jiné části se německá filmová hvězda Bridget von Hammersmarková (Diane Krugerová) účastní spiknutí proti Hitlerovi spolu s britským agentem a filmovým kritikem (Michael Fassbender), který se snaží vydávat za důstojníka SS. Mike Meyers, jehož přítomnost zde hraničí s klišé, hraje typického britského generála, který Fassbendera úkoluje. Ve třetí kapitole s názvem „Německá noc v Paříži", jež je obecně považována za nejpřesvědčivější, francouzská Židovka jménem Shosanna (Melanie Laurentová), která unikla Landově vraždícímu komandu, začne nový život jako majitelka pařížského kina. Na Landu narazí znovu v zámecké restauraci, kde pracuje jako servírka. On svou kořist hypnotizuje s jiskrou v oku, širokým úsměvem a slizkým laškováním („Nezapomeňte na smetanu"). Waltz si své repliky užívá, protahuje slabiky a hází je divákovi do klína. Jeho výkon je brechtovský: Hans Landa není v pravém slova smyslu postavou,

STRANY 198–199: Raine a Donowitz se chystají skalpovat nacisty.
PROTĚJŠÍ STRANA, NAHOŘE: Landa se pokouší uzavřít s Pancharty dohodu.
PROTĚJŠÍ STRANA, VLEVO DOLE: V hvězdném obsazení filmu figuroval i Mike Myers jako britský generál Ed Fenech.
PROTĚJŠÍ STRANA, VPRAVO DOLE: Důstojníci SS se baví a sledují je přitom poručík Hicox (Michael Fassbender) a Bridget von Hammersmarková (Diane Krugerová).
VPRAVO: Shosanna ve svém kině vítá Hitlera a jeho nohsledy a rekognoskuje přitom terén.

ale jakýmsi lstivým mistrem a především sadistou. Téměř se sám podílí na režii a ostatní postavy zastiňuje do té míry, že je nejen to nejlepší v celém filmu, ale v podstatě to jediné. „Potěšení, s jakým Landu pozorujeme, vytváří ve filmu podivnou nerovnováhu," napsal Ryan Gilbey ve svém článku pro *New Statesman*. Manohla Dargisová v *New York Times* souhlasí a píše, že „Nejhorším neúspěchem tohoto filmu je jeho hravé, občas až veselé přijetí a narativní vyvyšování svůdného nacistického darebáka. To lze ale do značné míry vysvětlit jako problém formy. Landa prostě nemá ve filmu žádného rovnocenného partnera, který by mu dokázal sekundovat ve slovní obratnosti či charisma. Není zde rovnováha, jakou můžeme najít například v *Pulp Fiction* mezi postavami Julese Winnfielda, Mii Wallaceové a Vincenta Vegy." V Tarantinově díle se odjakživa objevoval tento druh postavy – geniálně sadistický tyran, který si pro sebe uzurpuje velkou část filmového prostoru. Ve druhé polovině Tarantinovy kariéry ale tito padouši získali takovou nadvládu, že zatlačily všechny ostatní postavy do kouta: Landa v *Hanebných panchartech*, Calvin Candie v *Djangovi* nebo markýz Warren v *Osmi hrozných*, což je film složený pouze z režisérů, z nichž každý prezentuje svou vlastní verzi reality. Zde se Brad Pitt uchyluje k druhořadému herectví a spokojuje se pouze s tím, že kolem sebe plive jižansky protažené samohlásky jako žvýkací tabák. Nedokáže se vyrovnat polyglotovi, jako je Landa, který dokáže dokončit celý proslov za stejnou dobu, jakou potřebuje Raine na vyslovení jedné slabiky. Film postupně nabývá na propracovanosti a plány Shosanny a Panchartů se protnou v závěrečné kapitole „Pomsta obrovské tváře",

VLEVO: Shosanna si nanáší válečné malování a chystá se pomstít svým nepřátelům.

„Když mě napadl ten konec, byl to jeden z nejvíce vzrušujících okamžiků, které jsem kdy při tvorbě zažil.“

ve které Pancharti kropí nacistické důstojníky kulomety v Shosannině art deco kině, zatímco na pozadí hraje píseň *Cat People* Davida Bowieho. Nakonec celá budova vzplane a změní se v nitrátové inferno. Když vítr rozfouká kouř, zůstane toho jen málo. Je to kuriózně doprázdna vyznívající vyvrcholení a scéna patří mezi ty nejpůsobivější v tomto filmu. Detail tváře Laurentové se promítne na clonu z kouře, jako by se jednalo o odkaz na *Bio Ráj* Giuseppeho Tornatoreho. Ve filmu se objevují postavy filmového kritika a promítače, najdeme zde také vizuální odkazy na *The Searchers* (1956), narážky na béčkové filmy (Raine, co má evokovat Aldo Raye, a také Hugo Stiglitz) i na G. W. Pabsta nebo Leni Riefenstahlovou, stejně jako hláška o tom, že King Kong „symbolizuje příběh černochů v Americe". *Hanebný pancharti* jsou zkrátka bez pochyby Tarantinův nejvíce filmový film, óda na cinefilii. „V určitém smyslu jsou *Hanebný pancharti* sci-fi," napsal J. Hoberman ve *Village Voice*. „Všechno se zde odehrává v alternativním vesmíru, který je jednoznačně filmový." Někdo by mohl tvrdit, že všechny Tarantinovy filmy mapují tento vesmír. Ačkoli když se postavy v *Gaunerech* hádaly o jménech, nemuseli jste znát *Přepadení vlaku z Pelhamu*, abyste vtip pochopili.

Když Tarantino psal *Pulp Fiction*, dával si pozor, aby čerpal z všeobecně známých zdrojů, které měl šanci znát i obyčejný návštěvník kina, na béčkové filmy se odkazoval jen, aby oslovil i jejich milovníky. Postupně byl ale čím dál méně opatrný a nořil se do filmových referencí čím dál hlouběji. „Tentokrát za sebou dveře filmového archivu zabouchl," píše o *Hanebných panchartech* David Denby v *New Yorkeru*. „Není zde snad vůbec nic, co by naznačovalo, že svět existuje i mimo kinematografii. Realita slouží pouze jako stavební materiál pro výplody chorého mozku." Kritici byli stejně zmatení jako tento film. Někteří kritici Tarantinovi skočili na lep a považovali *Pancharty* za film o druhé světové válce, přestože se jedná spíše o film inspirovaný snímky s válečnou tématikou. Jonathan Rosenbaum napsal, že se film „z morálního hlediska blíží popírání

holocaustu" a že se Tarantino „stal filmovým ekvivalentem Sarah Palinové", protože si zjevně myslí, že může rozhodovat o životě a smrti jiných.

Peter Bradshaw dal filmu ve své recenzi pro *Guardian* jednu hvězdičku a označil jej za „kolosální, zoufalé, rozvleklé bláznovství a obrovský dvouapůlhodinový antiklimax". V *New York Times* dospěli k závěru, že jsou *Pancharti* „těžkopádní, roztahaní, odpudiví a vulgární". Stephanie Zachareková v *Salonu* konstatovala: „Tarantino udělal obrovský skok a natočil film, který zcela nefunguje. Někteří jeho dílo milují, jiní nenávidí, další se nacházejí někde mezi, ale všichni stojíme před stejnou neodbytnou otázkou: máme tuto změnu chválit, nebo ji hanět?" Zatím nejzajímavější kritická reakce přišla z Německa, kde veřejné přijetí filmu hraničilo s jakousi popkulturní katarzí. Ve *Frankfurter Allgemeine Zeitung* vyjádřil Claudius Seidl radost z toho, že viděl film, „který představuje pád Třetí říše ne jako tragédii, ale jako frašku…". Poznamenal, že „když *Hanebný pancharti* měli v Berlíně svou německou premiéru, po jedné obzvláště ošklivé scéně, v níž hraje Christoph Waltz esesáka Hanse Landu, staromódního vraha, sadistu a středostavovského intelektuála, se v sále rozezněl spontánní potlesk". Ve své recenzi berlinský deník *Tagesspiegel* napsal, že *Hanebný pancharti* „nejsou teatrální ani kýčovití. Pokud Tarantinovi vnucujete podobné kategorie, ujde vám celý smysl jeho filmu. Ten je spíše vizí, kterou svět kinematografie doposud neviděl". Ve stejném článku se píše, že film nabízí „katarzi! Kyslík! Úžasné retro futuristické a fantaskní šílenství!". V *Die Zeit* píše recenzent o finální scéně, ve které Hitler, Goebbels a spol. shoří v pařížském kině, jednoduše: „Hurá! Shořeli na popel!"

PROTĚJŠÍ STRANA: Mélanie Laurentová jako Shosanna Dreyfusová, která se skrývá před nacisty a později zapálí vlastní kino.
NAHOŘE: „Práce pancharta nikdy nekončí." Donowitz a vojín Omar Ulmer (Omar Doom), kteří se v závěrečných scénách filmu vydávají za italské filmaře, vstupují do kina s cílem zabít Hitlera a Goebbelse.

NESPOUTANÝ DJANGO

2012

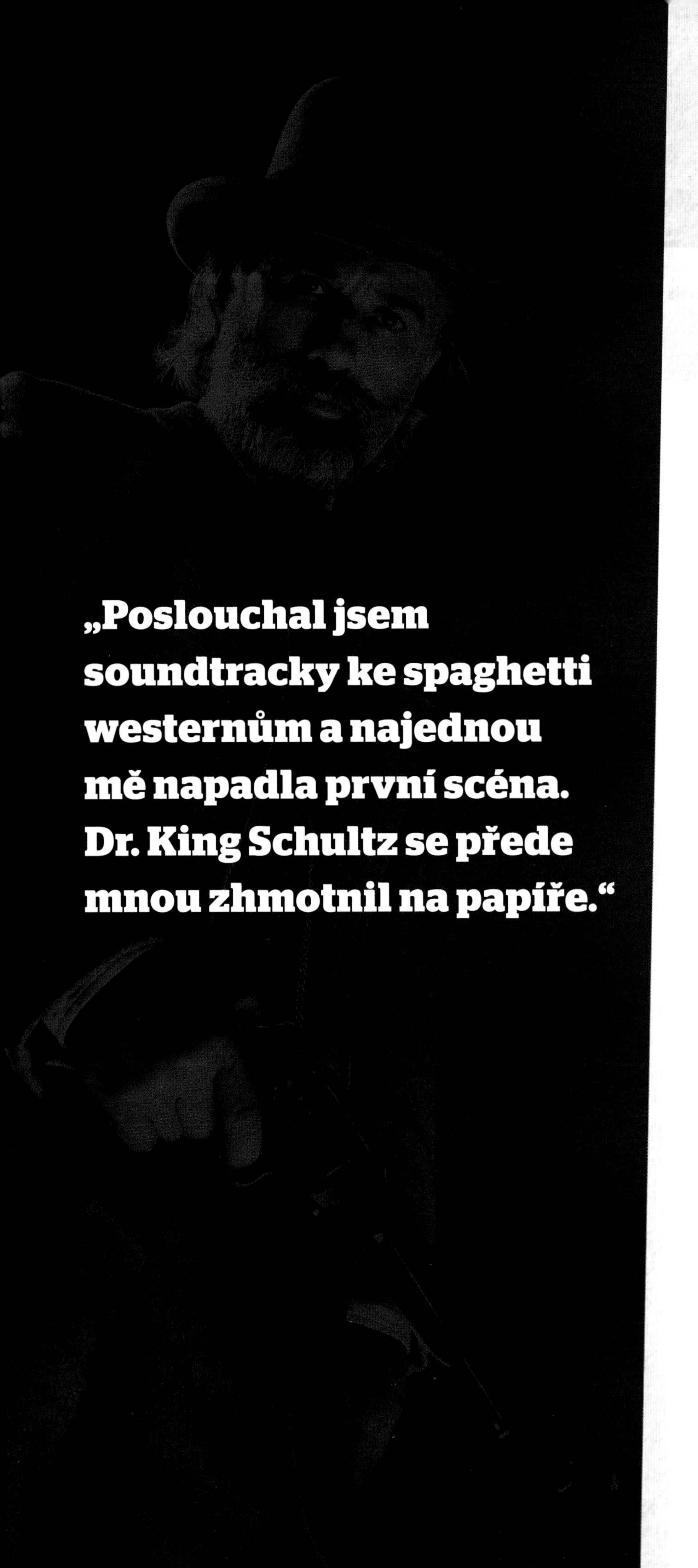

„Poslouchal jsem soundtracky ke spaghetti westernům a najednou mě napadla první scéna. Dr. King Schultz se přede mnou zhmotnil na papíře.“

ZCELA VLEVO: Po úspěšné spolupráci na *Hanebných panchartech* obsadil Tarantino Christopha Waltze do role lovce odměn dr. Kinga Schultze. NALEVO A PROTĚJŠÍ STRANA: Póza, kterou na snímku zaujal hlavní herec Jamie Foxx, je odkazem na film *Django* (1966) Sergia Corbucciho, kterým se Tarantino při natáčení inspiroval.

Když si Tarantino vychutnával den volna krátce před skončením propagačního turné k *Hanebným panchartům*, zašel v Japonsku do obchodu s deskami a našel „poklad": soundtracky ke spaghetti westernům. Tou dobou se Japonci opět o tento žánr začali čile zajímat. Sám Tarantino už nějakou dobu často myslel na Sergia Corbucciho, filmového kritika, který v 60. letech režíroval celou řadu spaghetti westernů. Nejvýraznější byl krvavý biják *Django* s Frankem Nerem v hlavní roli tuláka, jenž se snaží pomstít smrt své ženy.

„Vlastně jsem zrovna psal úvahu o Corbuccim, v níž jsem popisoval jeho styl westernu," prohlásil Tarantino. Nakoupil hromadu soundtracků a vrátil se do pokoje, kde se mu najednou zjevila víceméně úplná první scéna z *Nespoutaného Djanga*.

„Díky té úvaze o Corbuccim se mi hlavou honily všechny ty obrazy. Poslouchal jsem soundtracky ke spaghetti westernům a najednou mě napadla první scéna. Dr. King Schultz se přede mnou zhmotnil na papíře."

Tarantino spatřil dva obchodníky s otroky, jak za sebou táhnou černé zajatce texaskými lesy. Potom se z temnoty objeví německý lovec odměn a oznámí, že si chce jednoho otroka, Djanga, koupit. V Tarantinových představách byl Django statný, neskutečně mužný černoch podobný těm, které známe z příběhů – takový černý Paul Bunyan nebo Pecos Bill. Dostane se na svobodu, zachrání svou ženu a stane se z něj anděl černé pomsty, který zabíjí bělochy a dostává za to peníze. Ten film byl ve své podstatě příběhem o zrození superhrdiny.

„Měl jsem možnost vzít postavu černocha a poslat ji na výpravu, udělat z něj hrdinu a dopřát mu jeho odplatu. Ukázat divákovi tuto velkou cestu a přeměnit ji v bájný příběh, jak se patří.“

„Za posledních čtyřicet let se nenatočilo mnoho filmů o otrocích. Ty, co vznikly, byly spíše televizní produkce a většinou šlo o historické snímky," poznamenal Tarantino. „Ve výsledku z toho člověk akorát otupí, protože pořád sleduje násilí páchané na černých. A najednou máte možnost si to vyprávět podle svého, vzít postavu černocha a poslat ji na výpravu, udělat z něj hrdinu a dopřát mu jeho odplatu. Ukázat divákovi tuto velkou cestu a přeměnit ji v bájný příběh, jak se patří. Celé to vykreslit s patřičnou pompou, kterou si to zaslouží."

Tarantino si původně chtěl odbýt Djangovu přeměnu na začátku filmu a potom udělat střih o mnoho let později, „prostě až nějakou dobu po občanské válce", ale už byl unaven dějovými skoky, s nimiž byl spojován, a navíc se mu Djangův příběh jako zrození hrdiny moc líbil. Lákala ho představa zaměřit se na jednu postavu od počátku do konce. Vyzbrojený první scénou a westernovými soundtracky se Tarantino vrátil do Los Angeles a začal jedním prstem bušit do kláves psacího stroje Smith Corona na balkoně ložnice svého domu na Hollywood Hills.

Když na konci dubna 2011 dokončil první verzi scénáře, pozval k sobě skupinu přátel, mezi nimiž byl i Samuel L. Jackson, aby se podívali na to, co nazýval „románem" o 166 stranách.

Tarantino si Jacksona představoval pro roli Djanga, ale ten byl ve svých 62 letech na tuto úlohu poněkud starý, takže ho Tarantino místo toho obsadil do role věrného Stephena, jehož Jackson popsal jako „nejopovrženíhodnějšího negra v historii filmu". Jackson tuto výzvu přijal s radostí poté, co na Broadwayi ztělesnil jednoho z nejzbožňovanějších černochů, dr. Martina Luthera Kinga mladšího.

Tarantino se setkal s Willem Smithem během natáčení *Men in Black 3* v New Yorku. Prošli si společně scénář, ale Smith nebyl stoprocentně přesvědčený a nevěděl, zda bude na jeho výhrady čas. „Ještě si to rozmyslím. Jestli nenajdeš nikoho jiného, můžeme si o tom znovu promluvit," řekl režisérovi.

Tarantino o roli mluvil s šesti dalšími herci – Idrisem Elbou, Chrisem Tuckerem, Terrencem Howardem, Michael K. Williamsem, zpěvákem Tyresem – než přišla řada na Jamieho Foxxe.

Tarantino si rychle uvědomil, že se nemusí bát, že by Foxx roli nezvládl.

„Jamie můj scénář pochopil," prohlásil Tarantino. „Hlavně byl ale kovboj. Pomiňme to, že má vlastního koně – ten se s ním i objevil ve filmu. Je z Texasu, chápe to. Seděli jsme, povídali si a mně došlo, wow, kdybychom byli v 60. letech a já bych hledal herce do westernového televizního seriálu s Djangem a černí týpci by byli v 60. letech hvězdami, Jamie by byl jeden z nich. A přesně tohle jsem hledal, nového Clinta Eastwooda."

PROTĚJŠÍ STRANA: „Kovboj." Tarantino hledal svého Clinta Eastwooda a našel jej v Jamie Foxxovi.
NAHOŘE: Brutální úvodní pasáž udává tón celému filmu. Otroci se dostali na svobodu a mstí se svému majiteli.

Jamie Foxx byl nervózní a požádal své agenty, aby kontaktovali Jacksona a zjistili, jaké má představy o roli Djanga. „Zapřemýšlel jsem, a nakonec jsem jim jen řekl, že je to především film Quentina Tarantina," řekl Jackson, „a zadruhé, kdyby ho byl natáčel před deseti, patnácti lety, vůbec bychom se o tom nebavili, protože ta role by byla moje, a jestli chcete vědět ještě něco dalšího, pak jste se dovolali na špatné číslo."

Poté, co nedostal příležitost ztvárnit Hanse Landu v *Panchartech*, zavolal Leonardo DiCaprio Tarantinovi, aby mu sdělil, jak moc se mu líbí role plantážníka Calvina Candieho.

„Tuhle postavu jsem vlastně napsal mnohem starší," vysvětluje Taranino, „takže jsme si společně sedli a probírali jsme to. Pak jsem šel domů a ptal se sám sebe: Může to fungovat i s mladším hercem? Co ztratím a co získám, když tu roli změním?" Tohle nebyla typická úvaha. Většinou se musí změnit herec, aby odpovídal postavě.

Tarantino už však byl nahlodán. „Najednou jsem si představil znuděného vzteklého panovačného chlapečka. Takového Caligulu, Ludvíka XIV., až na to že jeho pradědeček vybudoval impérium na bavlně. A on je líný, dekadentní zazobanec."

Když si DiCaprio scénář pročítal, vyjádřil pochybnosti. Tarantino jeho první čtení popsal takhle: „Byl samé: ‚Musím tohle říkat tolikrát?' a ‚Musím říkat slovo negr?' a já na to vždy: ‚Jo, to musíš.' A on zase: ‚No, jestli by to šlo udělat jinak…' Já mu odpověděl: ‚Ne, nešlo.' Protože tak to prostě je. Takže jakmile si uvědomil, že buď do toho dá všechno, nebo bude ze hry, šel domů a druhý den do toho chtěl dát všechno."

Tarantino při přípravě záběrů improvizoval víc než při předešlé spolupráci s kameramanem Robertem Richardsonem, kdy mu dával ručně psané detaily záběrů každé ráno. „Když natáčíme venku, jsou to filmy Sergia Leoneho a Sergia Corbucciho," vysvětlil Tarantino Richardsonovi. „Když točíme uvnitř, především v Candieho sídle, je to jako Max Ophüls."

PROTĚJŠÍ STRANA A NAHOŘE: Leonardo DiCaprio si nechal ujít roli v *Hanebných panchartech*, ale roli zlého majitele plantáže Calvina Candieho přijal s velkým potěšením.

WANTED
DEAD OR ALIVE
BACALL

STRANY 214–215: „Podobně jako otroctví spočívá i práce lovce odměn ve výměně lidského masa za peníze," vysvětluje Schultz Djangovi.
NAHOŘE: Billy Crash (Walton Goggins) rád mučí otroky Candylandu a učí je zápasit na život a na smrt.
DOLE: Tarantinova láska k westernům, jako je např. *Pro pár dolarů navíc* (1965) Sergia Leoneho s Clintem Eastwoodem v hlavní roli, se v tomto filmu projevuje naplno.
PROTĚJŠÍ STRANA: Tarantino si dává záležet na detailním záběru.

Natáčení začalo poslední listopadový týden 2011 v Lone Pine v Kalifornii. Pak pokračovalo v Jackson Hole ve Wyomingu a v Lousianě. Skončilo 24. července 2012. Bylo to dlouhé. „Nemělo to konce," prohlásil Jackson.

Po hodinách strávených ve stísněném prostoru v horku, kde se hemžili červi a stonožky, měla Kerry Washingtonová ještě dlouho noční můry. DiCaprio ve svém vrcholném monologu – pro nějž se inspiroval v rasistických knihách o frenologii ze své sbírky – několikrát ztratil hlas. Při šestém pokusu praštil rukou o stůl a rozbil sklenici. Po stole se rozstříkla krev. Foxx si zranil záda. Při tréninku vyděsily včely koně Christopha Waltze, který z něj sletěl. Při pádu si zlomil pánev a byl mimo provoz dva a půl měsíce. Během natáčení v prosinci nenapadl v severní Kalifornii sníh, poprvé po sto letech, a Tarantino se tak musel se štábem přesunout do Wyomingu. Kvůli tomu přišel o několik herců: Josepha Gordona-Levitta, Anthonyho LaPagliu, Kevina Costnera a jeho náhradníka Kurta Russella, kterého nakonec koncem března vystřídal Walton Goggins.

„Udělat tenhle film bylo opravdu náročné," připustil Tarantino. „Když pracujete na velkolepém díle, táhnete měsíc po měsíci se šikem lidí v extrémním horku a chladu, nejtěžší je nezapomenout na to, proč jste se do toho vlastně pustili. Snadno se v tom ztratíte."

Producenti *Djanga* bratři Weinsteinovi usilovali o vánoční premiéru, aby byl film ve hře pro udílení Oscarů za rok 2012. „V okamžiku jsme se museli rozhodnout," řekl Tarantino. „Je tohle oscarový film, nebo ne? A všichni jsme se shodli, že ano."

Na postprodukci zbyly pouhé čtyři měsíce.

Vše ještě zkomplikovala skutečnost, že Tarantino poprvé dokončoval film bez své dvorní střihačky Sally Menkeové, jež zemřela na mrtvici při výletě do Griffith Parku krátce po premiéře *Panchartů*. Místo toho pracoval s Fredem Raskinem, který začal se střihem v době, kdy Tarantino ještě natáčel. Hrubá verze vyšla skoro na čtyři a půl hodiny.

„Quentinova metoda práce je natočit celý scénář a redukovat ho na to zásadní při střihu," vysvětluje Raskin, který měl problém se zkrácením tří hlavních scén: rvačky černochů, pasáže se psy a mučení ve chlévě, kdy je Django málem vykastrován. S původním sestřihem se však ale úplně netrefili do černého. „Přestože film měl při zkušebních projekcích úspěch, poznali jste, že z něj diváci mají trauma. Na konci tleskali, ale rozhodně to nebyly žádné bouřlivé ovace."

Tarantino musel vyjednat s Weinsteinovými tři týdny navíc, aby natočil novou závěrečnou scénu. Na oplátku se vzdal části svého zisku. Konečný rozpočet byl odhadován na 83 milionů dolarů, což byl dosud nejnákladnější Tarantinův snímek.

Dotáčení patřilo k těm dražším položkám. Původně Schultz zabije Candieho, Butch Pooch zabije Schultze, Django dá ruce vzhůru a je zajat a pak následuje scéna ve chlévě. „Film ale už v tento okamžik působil hotově," poznamenal Raskin, „takže se Quentin omezil jen na to nejnutnější: Django vejde a všechny je postřílí."

Svým způsobem je *Nespoutaný Django* sesterský počin *Panchartů*. Představuje další dobový béčkový film a opět má jako ústřední motiv pomstu, která od dob natočení *Kill Bill* zcela ovládla Tarantinovu tvorbu, a to do té míry, že začala být téměř monotematická. *Django* je žánrovou etudou, kterou drží nad vodou propracované dialogy, a vlastně se jedná o dva filmy v jednom. První z nich je jakýsi western zasazený do prostředí amerického jihu roku 1858, kdy německý přistěhovalec a lovec lidí, kultivovaný a mnohomluvný vousáč King Schultz (Christoph Waltz), koupí otroka (Jamie Foxx), který mu má pomoci najít tři bratry, na něž má zatykač. Djanga poprvé spatříme jedné chladné texaské noci spoutaného v okovech, ale brzy je již vystrojen jako Gainsboroughův *Chlapec v modrém* a předstírá, že je Schultzův sluha, zatímco se stará o to, aby se otrokářům dostalo nemilosrdné odplaty. „Zabíjet bělochy za peníze? Co víc si přát?" říká o té práci.

„Práce na tomhle filmu byla opravdu náročná. V jeden okamžik jsme se museli rozhodnout: je tohle oscarový film, nebo ne? A všichni jsme se shodli, že ano."

STRANY 218 - 219: Stephen, nejodpornější černoch v dějinách filmu, kterého ztvárnil Samuel L. Jackson, přišel na to, jaký je vztah mezi Broomhildou a hosty v Candylandu.
PROTĚJŠÍ STRANA: Překvapivé přátelství mezi Schultzem a Djangem je pro Tarantinův rukopis charakteristické.
NAHOŘE: „Kdybych dostal za úkol jen vystřihnout díru v pytli, určitě bych to udělal líp." Tarantino jako obvykle vtipkuje tam, kde by si to jiní nedovolili. Scéna s Kukluxklanem je skvěle natočenou jízdou, ve které nechybí vtipné dialogy.
DOLE: Django se dostává na svobodu a místo hadrů si obléká slušivější oděv.

Z pohledu diváka bychom to mohli parafrázovat: Tarantinův film o parťácích dvou různých ras – co víc si přát? Bylo to už dlouho, co Tarantino naposledy napsal příběh, ve kterém hrají dvě postavy rovnocennou roli. Jeho tvůrčí proces je přece jen poháněný egem a jeho postavy tak nemají zrovna velké sklony spolupracovat dobře s ostatními. Tak se to alespoň jevilo v jeho pozdější tvorbě. Většina zabijáků v *Kill Bill* nejraději pracovala na vlastní pěst. A v *Panchartech* stál Landa také osamoceně. Konverzace, které probíhají mezi Djangem a dr. Schultzem, ale trochu přivádí zpět k životu kamarádství, které jsme mohli sledovat mezi Julesem a Vincentem v *Pulp Fiction*, přestože se zdá, jako by Tarantina zajímal spíše Djangův výřečný společník než Django sám.

Jeho okouzlení Waltzem zjevně nezná mezí. Vysvětlování Schultzovy německé minulosti, na které by klidně stačilo pár vět, se proplétá celým filmem, zatímco ti dva hledají Djangovu ženu Broomhildu von Shaft, která umí mluvit německy. Tato záchranná mise, jejíž předlohou je legenda o Siegfriedovi, se postupně mění v burleskní veselí, které připomíná spíše Mela Brookse než Sergia Leoneho. Některé scény, obzvláště pak shromáždění Kukluxklanu pod vedením Velkého taťky, jehož noční jezdci si neustále stěžují, že skrz díry v maskách „vidí úplný hovno", patří mezi ty nejvtipnější, které Tarantino kdy napsal („Mně... nám všem přišel pytel jako prima nápad. Ale, aniž bysme na někoho ukazovali prstem, šlo to udělat líp," okomentuje situaci jeden z nich, a jeho přechod z „mně" na „nám" je prostě dokonalý.)

Zároveň zde kameraman Robert Richardson vytvořil záběry, které patří mezi ty nejkrásnější, jež se objevily v Tarantinově tvorbě, od krví potřísněných bílých květin až po koně bez jezdce, jak si to uhání krajinou. „Má pro to opravdu cit a jeho záběry koní a jezdců jasně ukazují, že v jiných dobách by se jeho práce výborně vyjímala ve westernech," napsal Anthony Lane pro *New Yorker*. Něco se však přihodí cestou na jih, zatímco se z plátna čím dál více ozývá slovo „Mississippi".

NAHOŘE: Násilí se mísí s krásou. Robert Richardson si jako kameraman vysloužil osmou nominaci na cenu Academy Award.
DOLE: Broomhilda, Djangova manželka, je držena v zajetí v Candylandu.
PROTĚJŠÍ STRANA, NAHOŘE: Leonardo DiCaprio na propagačním snímku k filmu .
PROTĚJŠÍ STRANA, DOLE: Django a Schultz přijíždí do Candylandu.

V druhé polovině filmu Tarantino opustí Sergiem Leonem inspirované pohledy do krajiny a uzavře se v horkém a statickém Candylandu, což je plantáž, kde Djangovu ženu Broomhildu (Kerry Washingtonová) drží jako otrokyni Calvin Candie (Leonardo DiCaprio), vyšňořený požitkářský elegán, který pořádá brutální zápasy mandingo mezi svými otroky, v nichž se lámou ruce a oči lezou z důlků. Tarantinovo kruté divadlo zde nachází toho nejodpornějšího a nejzvrácenějšího hlavního padoucha, kterého s až nemístným apetitem hraje DiCaprio. Pouští se do dlouhých a nenávistných proslovů o frenologii, zatímco prsty poklepává na lebku svého bývalého sluhy. Je tu jen jediný problém. Film už svého velkého mluvku má, je jím Schultz. Ten si nyní musí vybrat, zda bude muset často a dlouho mlčet, nebo zda se bude snažit s Candiem soupeřit v jeho záchvatech verbalismu. A tak se z filmu stává patová situace, ve které spolu soupeří dvě užvaněné postavy a ani jedna nemá vyloženě navrch.

CALVIN CANDIE
Bílý dort?

DR. KING SCHULTZ
Nejsem na sladké, děkuji.

CALVIN CANDIE
Mrzí vás, že jsem na vás vyzrál, co?

DR. KING SCHULTZ
Myslel jsem na toho chudáka, co jste dnes předhodil psům, na D'Artagnana. A říkal jsem si, co by tomu řekl Dumas.

CALVIN CANDIE
Co prosím?

DR. KING SCHULTZ
Alexandre Dumas. Napsal *Tři mušketýry*. Soudil jsem, že budete jeho obdivovatel. Pojmenoval jste svého otroka podle hlavní postavy jeho románu. A kdyby tu dnes Alexandre Dumas byl, zajímalo by mě, co by tomu řekl?

CALVIN CANDIE
Pochybujete, že by to schvaloval?

DR. KING SCHULTZ
Ano. Jeho souhlas by byl, mírně řečeno, nepravděpodobný.

NAHOŘE: Sadistický Calvin Candie si rád zjednává autoritu pomocí násilí, tak jako mnoho Tarantinových postav.
DOLE: Tarantino si zahrál „štěk" jako australský vidlák.
PROTĚJŠÍ STRANA: Natáčení krvavého masakru v Candieho sídle.

Kdo by to byl řekl, že ten stejný autor, který napsal *Gaunery* a *Pulp Fiction*, mistrovská díla drsné americké pouliční mluvy, napíše takto květnaté a škrobené dialogy? Tarantino měl ve skutečnosti odjakživa slabost pro řečnické archaismy. V *Pulp Fiction* říká Samuel L. Jackson svým vyděšeným zajatcům: „S dovolením se ujmu slova." Celou dobu jim vidíte strach ve tváři, a navíc celá scéna trvala jen pět minut. Divák seděl a ani nedutal. DiCapriova přednáška o frenologii je v kontrastu s tím součástí pětadvacet minut dlouhé sekvence, ve které postavy večeří. Ti podezřívavější mezi diváky mají tak dost času na to dospět k názoru, že Calvin Candie je stejně jako před ním Bill králem nudy k ukousání.

Django se na konci filmu přece jen pomstí a vymaluje stěny Candieho jižanského sídla krví, která „jako by tančila balet", jak napsal David Thomson v *New Republic*. „Je to jako Jackson Pollock na speedu; ta krev z těl stříká podobným způsobem jako ropa ve westernu *Gigant* nebo sperma v pornografii. Prostě se nemůže dočkat, až bude z těla venku."

Diváka jistě napadne otázka, kolik Tarantinových snímků obsahuje stejný dějový vývoj. Nejprve pohyb, pak stagnace, nakonec exploze. Tarantino v tomto smyslu připomíná nervózního teenagera, který má zakázáno odcházet z pokoje. Když se pak sám ukáže v roli australského burana, „film odkládá stranou svou melancholii a břitký humor, a stává se z něj nemilosrdný masakr", píše Anthony Lane. „Je to pocta spaghetti westernu, který zde kuchař uvařil *al dente*, pak ho ale rozvařil, a nakonec utopil v omáčce."

Za film získali Oscary Christoph Waltz (nejlepší vedlejší role) a Tarantino (nejlepší scénář). Detabuizace otroctví zafungovala na Akademii velmi dobře, navzdory místy nekorektnímu humoru. Tím, že Tarantino neumístil svůj příběh o odplatě na Divoký západ, ale na jih Ameriky a z bývalého otroka udělal hlavního hrdinu, exponuje a popírá prastaré tabu," píše A. O. Scott v *New York Times*. „Když setřete všechnu tu krev a nekonvenční humor, zjistíte, že je Tarantino v *Nespoutaném Djangovi* především znechucen otroctvím, přirozeně straní slabšímu a v podobě vztahu mezi Djangem a Schultzem vyzdvihuje to, čemu se dříve říkalo bratrství."

OSM HROZNÝCH

2015

NAHOŘE: Protože se blíží vichřice, John Ruth (Kurt Rusell) nabídne kolegovi z řad lovců odměn, majoru Marquisovi Warrenovi (Samuel L. Jackson), že jej sveze do bezpečí. PROTĚJŠÍ STRANA: To, že se scénář předčasně dostal na veřejnost, bylo podle Tarantina „opravdu depresivní", ale kladné reakce publika při autorském čtení jej nakonec přesvědčily k tomu, aby film přece jen natočil.

V období po dokončení *Djanga* se Tarantino hodně díval na seriály jako *Bonanza*, *The Big Valley* a *The Virginian* a dostal u toho nápad na námět *Osmi hrozných*. „Dvakrát za sérii se v těchhle seriálech stalo, že banda padouchů zajala nějakou hlavní postavu a držela ji jako rukojmí. Říkal jsem si: ‚Co kdybych udělal film, kde by ani nikdo jiný než záporné postavy nebyl? Žádní hrdinové. Jen banda nervózních lidí v jedné místnosti, co si vypráví příběhy, které možná jsou a možná nejsou pravdivé. Zavřu je tam, zatímco venku bude zuřit blizard, dám jim do rukou zbraně a uvidím, co se stane.'"

V Tarantinově příběhu figuruje lovec lidí John Ruth (Kurt Russell), který se pokouší dopravit do Red Rocku Daisy Domergueovou (Jennifer Jason Leighová), jež je na útěku před zákonem. Tam ji čeká poprava oběšením a jeho odměna 10 000 dolarů. Po cestě je přepadne sněhová bouře a útočiště musí hledat U Minnie, což je zchátralá bouda u cesty, která slouží jako hostinec.

Scénář je jakousi kombinací staromódní detektivky a westernu, ale ještě dříve než byl film natočen, vznikl kolem něj rozruch, který si s kriminálními zápletkami v ničem nezadal. V lednu roku 2014 byla na webové stránce Gawker zveřejněna jedna ze starších verzí scénáře. Tarantino byl zdrcen, Gawker zažaloval a prohlásil, že film točit nebude.

„Víte, vznik každého mého filmu vyvolává nějakou kontroverzi, která má ale vždy jepičí život. O osm let později ten film dávají na TNT. Tak vidíte, prd kontroverzní.“

„Bylo to opravdu nedokončené dílo,“ vypráví producentka Stacey Sherová. Najednou BUM! Než se nadějete, lidi vám vypráví, že ten scénář četli a že se objevil na internetu. Myslela jsem si pak, že ten film opravdu nikdy nevznikne, že to Quentin možná vydá jako knihu, ale jinak nic.“

Ten scénář do té doby vidělo tak málo lidí, že bylo možné určit šest podezřelých: Michael Madsen, Tim Roth, Bruce Dern, producent *Nespoutaného Djanga* Reginald Hudlin a dva nejmenovaní agenti, kteří dostali scénář buď od Hudlina, nebo od jednoho z herců. „Jeden z těch šesti to musel být,“ trval na svém Tarantino. Nakonec se ale uklidnil poté, co se vrátil z festivalu Cannes, kde byl u příležitosti dvacátého výročí uvedení *Pulp Fiction*. Pokud se někdy dozvěděl, kdo za únikem scénáře stál, tu informaci nezveřejnil.

Rozhodl se, že vykřeše ze vzniklé situace maximum a v Ace Hotelu v Los Angeles uspořádal veřejné čtení scénáře, na kterém se podílel Samuel L. Jackson, Kurt Russell, Dern, Walton Goggins a Madsen. „V tom sále byla atmosféra, že byste ji mohli krájet,“ prohlásil Madsen. „Bylo to velkolepé. A Quentin potom říká: ‚Wow, to šlo fakt dobře. To jsem ani nečekal.‘ A my ostatní na to: ‚Jasně, že se to povedlo.‘ Mám pocit, že právě tehdy se rozhodl, že ten film přece jen natočí.“

Na začátku června zavolal Tarantino producentce Stacey Sherové a oznámil jí, že chce projekt znovu rozjet. Scénář přepsal, přičemž změnil především konec. „Ten původní konec neměl být jediným možným. Byla to jen jedna z variant,“ prohlásil později. „Dopis od Lincolna byl zmíněn jen jednou, a to bylo všechno. Chtěl jsem se k němu ještě nějak vrátit.“ Většina herců, kteří se zúčastnili předčítání, nakonec hrála i ve filmu. Jen Amber Tambynovou, která původně četla roli Daisy, vystřídala Jennifer Jason Leighová.

Tarantino chtěl natáčet ve Skalistých horách uprostřed zimy na staré kamery Ultra Panvision 70. Musel nechat repasovat a otestovat objektivy, které plánoval použít. Na stejné se natáčel film *Ben Hur* v roce 1959. Bylo nutné se ujistit, že stará technika vydrží extrémně nízké teploty. „Léto bylo ten rok velmi deštivé, což znamenalo, že v zimě bude hodně sněžit,“ líčil Tarantino nadšeně. „Měli bychom mít hluboký sníh a za námi Skalisté hory. Chtěl jsem natáčet právě tam mimo jiné proto, že zima často signalizuje potíže.“

Do práce se pustili v lednu roku 2015. Natáčet začali v Telluride, kde se teploty často pohybovaly kolem -20 °C nebo -30 °C. Scénář měli nazkoušený, ale nikdy nevěděli více než tři dny dopředu, jaké bude počasí, což mělo za následek naprostý chaos například v pořadí, v jakém se scény točily. Museli se zkrátka řídit povětrnostními vlivy. Pokud sněžilo, točily se venku scény, kde byl sníh zapotřebí. Když bylo zataženo nebo mlha, pracovali na scénách, které se odehrávaly v dostavníku. Venku postavili boudu U Minnie v plné velikosti. „Každopádně vzala za své myšlenka, že začneme nějakou scénou a emocionálně ji dotáhneme do konce," řekl k tomu Tarantino.

Bouda, kterou postavili na hudebním jevišti, měla jen jednu místnost a Tarantino v ní udržoval teplotu kolem dvou stupňů, aby šla hercům pára od úst.

„Byla tam fakt hrozná zima," vypráví Leighová. „Neustále jsem stála před rozhodnutím, zda vylezu z boudy a vydám se do stanu, který je sice vytápěný, ale také pořádně daleko, nebo zda si mám sednout rovnou do sněhu."

Až doposud neměl žádný Tarantinův film původní scénickou hudbu, přestože několik pasáží v *Kill Bill* napsal Rodriguez a zkombinoval je s částmi starších Morriconeho děl. Tentokrát ale Tarantino oslovil samotného Morriconeho.

DOLE: Tarantino a skladatel Ennio Morricone v londýnském studiu Abbey Road při živém natáčení soundtracku k *Osmi hrozným*.
PROTĚJŠÍ STRANA: Souboj s venkovními i vnitřními živly – natáčení pod bodem mrazu v Telluride.

„V tom filmu bylo něco zvláštního. Byl jiný než moje předešlé. Možná jsem si ho až příliš hýčkal, ale měl jsem prostě pocit, že si zaslouží svou vlastní původní hudbu. Něco, co ještě v jiném filmu nebylo," vypráví Tarantino.

Když se Tarantino stavil v Římě, aby si vyzvedl doposud nepřevzaté ceny za *Pulp Fiction* a *Nespoutaného Djanga*, udělené v rámci galavečera ceny Donatellův David, zastavil se u skladatele doma.

Tarantino mu řekl, že film už je natočený.

„Aha, tak to nepůjde," odpověděl Morricone, který měl za pár týdnů začít pracovat na filmu Giuseppeho Tornatoreho.

Pak si ale vzpomněl, že mu zbyla nějaká hudba, kterou původně napsal pro film *Věc* (1982) Johna Carpentera, a uvědomil si, že by ji vlastně mohl použít. Nahrál tedy smyčcovou a žesťovou verzi a následně kombinovanou s celým orchestrem, aby si Tarantino mohl vybrat, co se mu bude nejvíce hodit. Mrazivý a klaustrofobický nádech filmu *Věc* se dle Morriconeho názoru dokonale hodil k atmosféře *Osmi hrozných*.

„Quentin Tarantino považuje ten film za western," prohlásil Morricone, „ale podle mě se o western nejedná."

Když si Tarantino pustil ty zadumané skladby, které Morricone napsal, aniž by kdy ten film viděl, připomínaly mu motivy z italských hororů. Byl nejprve zmatený. „Musel jsem to poslouchat dva až tři dny v kuse, než jsem si o tom byl schopen promluvit se svým editorem," vypráví. „Zeptal jsem se ho, co si o tom myslí. On mi odpověděl: ‚Je to divné. Líbí se mi to, ale je to divné. Něco takového jsem opravdu nečekal.' A já na to: ‚Já také ne!'"

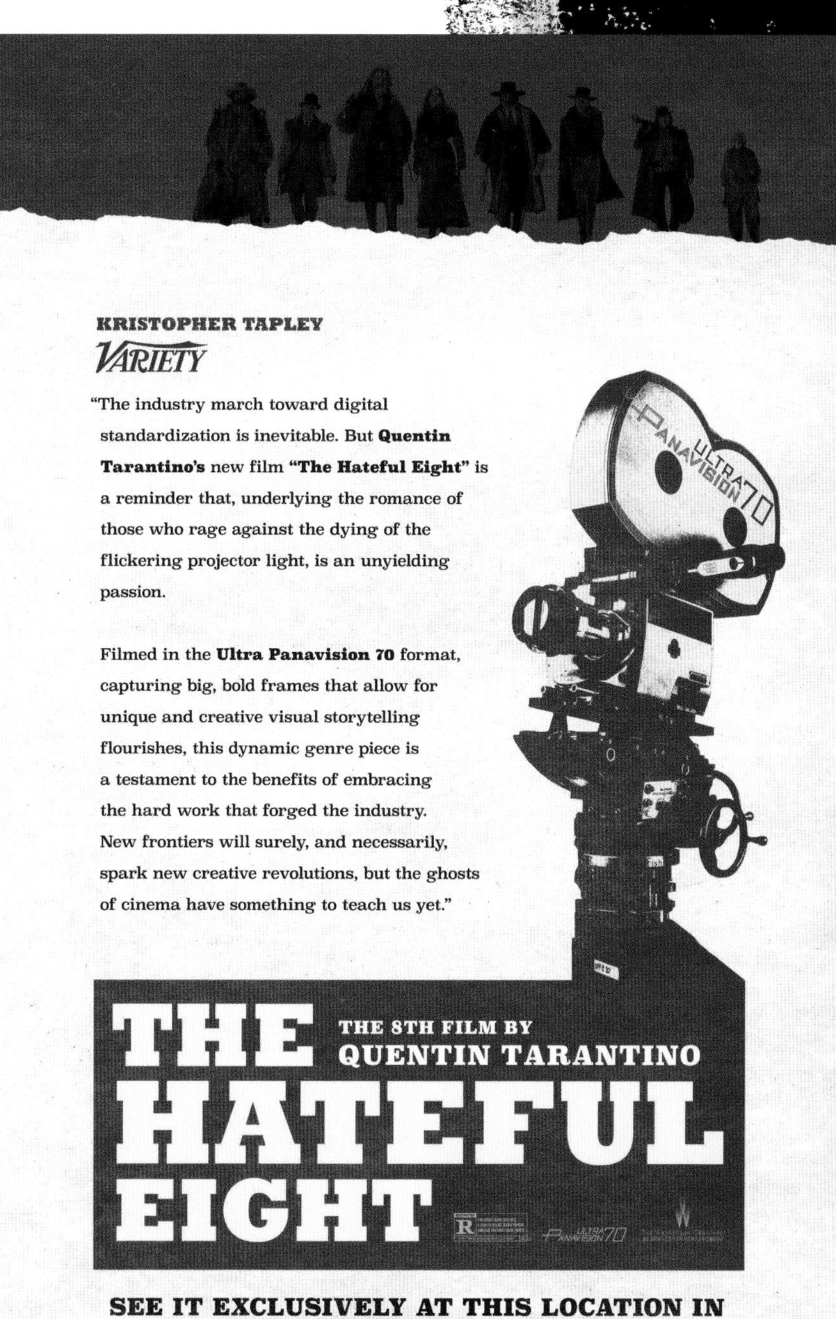

PROTĚJŠÍ STRANA: Samuel L. Jackson v roli majora Marquise Warrena. Shodou okolností bylo *Osm hrozných* také osmým Tarantinovým filmem, ve kterém si Jackson zahrál.
NAHOŘE: Plakát, který propagoval mimořádné projekce *Osmi hrozných* v kinech s renovovanými projektory na 70mm film.

STRANY 234-235: Drama vrcholí a John, Daisy a generál Sandy Smithers (Bruce Dern) se s ostatními dostávají do konfliktu.
NAHOŘE: Daisy Domergueová má sice od Johna Rutha na tváři modřiny, ale ještě neřekla své poslední slovo.
PROTĚJŠÍ STRANA: Major Warren pečlivě střeží své mrtvoly.

Především kvůli počasí nakonec došlo k překročení rozpočtu, který byl původně 44 milionů, o 16 milionů. Firmu Weinstein Company pak stálo dalších 10 milionů, když musela repasovat dostatečně velký počet 70mm projektorů, což byl formát, kterému dával Tarantino přednost. Většina kin totiž tou dobou již přešla na digitální technologie. Do velké míry pomohlo, že filmy *Nespoutaný Django* a *Hanebný pancharti* udržely firmu nad vodou tím, že v součtu vydělaly 747 milionů dolarů. Nový snímek byl v digitální podobě uveden v 2 500 kinech, ale Weinsteinovi uspořádali také putovní projekce zmíněného 70mm filmu ve stovce kinosálů. Součástí představení byla staromódní dvanáctiminutová přestávka a prodej suvenýrů. Několik týdnů před uvedením byl režisér jako na trní. Zašel si na promítání, které 25. prosince v 11 hodin dopoledne uvádělo kino Del Amo Mall v Torrance, kde jako teenager viděl spoustu filmů.

„Právě běžela poslední část a v sále byla opravdu tma," vypráví režisér. „Nic jsem neviděl, ale pak přišel detail na Sama Jacksona a jeho bílý rukáv, což bylo, jako by se v kině rozsvítilo. Říkám si: ‚A sakra, ono je vyprodáno! O Vánocích!' Vyšel jsem ven, poflakoval se před restaurací Johnny Rockets a pozoroval lidi, kteří po skončení projekce vycházeli ven. Odnášeli si brožury s programem a bylo na nich vidět, že se jim ten film fakt líbil. Samotného mě překvapilo, jak mě dojalo, když jsem viděl, jak lidé nasedají do svých aut a v ruce drží brožury s nápisem *Osm hrozných*."

Film se odehrává v otevřených pláních Wyomingu a natočen byl na luxusní širokoúhlý 70mm formát Ultra Panavision. Navzdory tomu všemu se jedná o nejstísněnější Tarantinův snímek. Větší část první poloviny se odehrává v dostavníku a zbytek pak postavy stráví v odlehlém salonu, kde se skrývají před sněhovou bouří a vzájemně si podávají kávu a sušené maso.

„*Django* byl rozhodně mým prvním politickým filmem a podle mě na něj *Osm hrozných* logicky navazuje a vyvozuje určité závěry. Může to znít divně, ale svým způsobem byl *Django* otázka a *Osm hrozných* odpověď.“

John Ruth je na cestě do Red Rocku s Daisy Damergueovou, a aniž by z toho byl zrovna nadšený, nabere další dva pasažéry. První z nich je major Marquis Warren (Samuel L. Jackson), který je lovec lidí, bývalý důstojník Unie a také Ruthův starý známý. S sebou má tři mrtvoly mužů, na které byla vypsána odměna, ať už budou živí, nebo mrtví. Druhý je Chris Mannix (Walton Goggins), užvaněný jižan, který se má brzy stát šerifem v Red Rocku. U Minnie se již v teple krbu hřejí starý generál Konfederace (Bruce Dern), švihácký a puntičkářský kat britského původu (Tim Roth), drsný a málomluvný deníkopisec Joe Gage (Michael Madsen) a mexický tulák, který se o tento podnik dočasně stará (Demián Bichir).

Na začátku má divák za to, že se tito lidé vzájemně neznají, ale na pozadí Morriconeho zlověstné hudby začíná pochybovat. Postavy k sobě vzájemně pojmou podezření, začnou lítat jiskry a nakonec propukne násilí, které dospěje až do velkolepého finále o zločinu a trestu.

„V konfrontaci mezi Jacksonem a Dernem jde skutečně do tuhého, jako by mezi nimi existovala skutečná nenávist. Jejich herecké výkony nepůsobí afektovaně nebo strojeně, což v Tarantinově tvorbě bývá zvykem," napsal A. O. Scott v *New York Times*.

Největší kontrast však panuje mezi Tarantinem jako scenáristou a Tarantinem jako režisérem. Na začátku své kariéry řekl publiku na torontském festivalu v roce 1992: „Nevnímám sám sebe jako scenáristu, ale jako režiséra, který si sám píše scénáře." Později se však svěřil Rodriguezovi, že psaní pro něj v průběhu let získalo větší význam. „Je neuvěřitelně vzrušující, když na něčem pracuju a myslím si, že by se příběh měl vyvíjet určitým způsobem, ale pak mě políbí múza a celé se to vyvine úplně jinak. A já se na tom můžu podílet!"

V *Osmi hrozných* na celé čáře zvítězil Tarantino-scenárista nad Tarantinem-režisérem. Výsledkem je příběh ve stylu *Bonanzy*, ve kterém se řeší záhada ne nepodobná zápletkám Agathy Christie. Zde je Marquis v roli Hercula Poirota, jenže Tarantino se neobtěžoval připravit pro vyšetřování půdu. Není zde vražda ani jiný zločin, který by bylo potřeba rozkrýt. Postavy se tak samy musí postarat o vznik vyhrocené situace. Jako v Ionescových hrách se dohadují, jaké řízení osudu je přivedlo k sobě. Stávají se z nich divadelní herci a salon je jejich jevištěm. Předvedou svůj výstup, ukloní se a zmizí: *Gauneři* oholení až na kost.

„Třaskavá směs: kombinace Agathy Christie a Sergia Leoneho, to vše s příměsí postmoderního jedu," píše Anthony Lane v *New Yorkeru* a za nejzdařilejší prohlašuje výkon Jennifer Jason Leighové v roli Daisy Domergueové. „Stačí jediný pohled, ve kterém odhalí svůj monokl a zkroucený podlý úsměv, a celé plátno se zaplní tím nejpřesvědčivějším portrétem zkaženosti a její démonické přitažlivosti, jakého se nám kdy dostalo v Tarantinově díle. Tento úsměv Leighové stačí k tomu, aby film zcela ovládla."

„Vzpomeňme si na jeho poslední krvák, odehrávající se v jediné místnosti, tedy *Gaunery*. Ti nejsou zdaleka tak vyspělí z filmařského pohledu, ale obsahují mnoho psychologických nuancí a emocionálních dilemat," napsal v časopise *New York* David Edelstein. „Emocionální dilemata však Tarantino nechal daleko za sebou. Nyní se dlouhodobě soustředí na béčkové filmy o pomstě a ujíždí si na vlastní bláznivosti, přičemž se pokaždé snaží překonat brutalitu svého předchozího počinu. Asi by vás zajímalo, jaká esa má v rukávu v případě *Osmi hrozných*, ale jakkoli je tento rukáv překrásný, skrývá se v něm jen odpad. V tomto filmu najdeme mnoho naprosto zbytečného násilí. Doufám, že to nebude Tarantinův epitaf."

PROTĚJŠÍ STRANA: Když se zjeví Jody, bratr Daisy, kterého ztvárnil Channing Tatum, jedná se o jedno z největších překvapení filmu. NAHOŘE: Michael Madsen se objevuje v Tarantinově filmu potřetí a hraje Joea Gage. DOLE: Nikomu nelze věřit. Ve vzduchu je cítit paranoia a vše sleduje Chris Mannix (Walton Goggins), novopečený šerif Red Rocku. STRANY 240–241: Ozbrojení a nebezpeční. Divák se v závěru dočká westernové přestřelky.

„Když jsem ten scénář psal, procházel jsem si dost divným obdobím. Měl jsem v sobě hodně nahromaděného vzteku a v tom příběhu se to dost projevilo. A to je dobrý způsob, jak dát průchod zlobě.“

DOSLOV

Tarantino mnohokrát zmínil, že by chtěl pověsit režírování na hřebíček, až natočí deset filmů. „Podle mě by měli režírovat filmy především mladí," řekl v rozhovoru pro *Hollywood Reporter* v roce 2013. „Režiséři se většinou s věkem nezlepšují. Když jsem pracoval na *Pulp Fiction*, pro ten film bych zemřel. A pokud k nějakému dílu nemám tento vztah, nechci se pod něj podepsat. Mám skoro pocit, že to dlužím lidem, kteří mají moje dílo rádi. Nerad bych vyhořel, jasný? Pokud se někomu líbí moje filmy, možná viděl *Gaunery*, když mu bylo dvacet, nebo třeba tolik, jako je teď mně, nebo se možná ještě nenarodil. Třeba se narodil dnes a moje věci objeví později, až bude starší. Nechci, aby pak musel před lidmi obhajovat posledních dvacet let mé kariéry a nějak mě omlouvat. I já jsem v minulosti veřejně propagoval různé režiséry a nakonec jsem si vždycky musel vymýšlet výmluvy, proč už nejsou tak dobří. To je pro mě naprosto zásadní: nehodlám vyhořet."

„Jakmile přestanu dávat do filmů úplně všechno, chci skončit. Tohle není práce na částečný úvazek. Je to celý můj život.“

STRANA 242: Tarantinův portrét od Williama Callana, 2016.
NAHOŘE: Že by příští projekt? Tarantino se nechal slyšet, že by rád zfilmoval další román Elmora Leonarda – *Forty Lashes Less One*. Tentokrát by se prý mělo jednat o minisérii určenou pro televizní vysílání.

V průběhu let zvažoval Tarantino natočení tolika filmů, z kterých nakonec sešlo, že by to vydalo na celou kariéru v nějaké paralelní realitě. Po dokončení *Gaunerů* v roce 1992 uvažoval o adaptaci marvelovského komiksu Luke Cage: Hero for Hire, což byl jeden z prvních afroamerických hrdinů Marvelu, a o hlavní roli diskutoval s Laurencem Fishburnem. Po úspěchu *Pulp Fiction* v roce 1994 bylo jeho jméno často zmiňováno v souvislosti s adaptací Modesty Blaise, což byl komiks a dobrodružný román v jednom, který si Vincent Vega četl na záchodě, a stejně tak se mluvilo i o nové verzi *Krycí jméno U.N.C.L.E.* Celá desetiletí si také pohrával s myšlenkou projektu známého buď pod jménem Double V Vega, nebo The Vega Brothers, ve kterém by se sešli Vic Vega z *Gaunerů* (Michael Madsen) a Vincent Vega z *Pulp Fiction* (John Travolta). Jak ubíhaly roky, dokonce bral v úvahu i to, že herci stárnou. „Vlastně jsem přišel s nápadem, jak by to šlo udělat navzdory tomu, že ty postavy jsou mrtvé a herci stárnou. Oba by měli starší bratry, kteří by se sešli kvůli tomu, že ti dva muži zemřeli," vysvětlil. „A oni by chtěli pomstu, nebo něco takového."

Ke konci devadesátých let se hovořilo o tom, že by natočil skromnější verzi *Casino Royale*, kterou by hnal kupředu především děj, tedy román Iana Fleminga, který tou dobou ještě nebyl vážně zfilmován. Když však v roce 2005 projekt opustil Pierce Brosnan, Tarantino ztratil zájem. „Nejenže by to znamenalo spojit své jméno s bondovkami, ale také bych tím mohl Bonda zcela zničit, jestli je tedy něco takového možné. " řekl k tomu.

Také se hovořilo o adaptaci špionážního thrilleru z pera Len Deightona jménem *Berlin Game*. Další nerealizovaný projekt byl remake hororu Lucia Fulciho z roku 1977 jménem *Zvuky temna*, který je o jasnovidce. Do hlavní role prý Tarantino zvažoval Bridget Fondovou. Za zmínku stojí také projekt, který režisér popisoval jako „skvělý film plný sexu", jenž se měl odehrávat ve Stockholmu a hlavními hrdiny by byl pár Američanů na návštěvě u svých švédských přátel. Tarantino to popsal následovně: „Bylo by to jako ty dívky z *Auta zabijáka*, které jdou na tah, pijí, baví se a souloží."

Ani o jednom ze zmíněných filmů už celé roky neřekl ani slovo. Větší šanci na realizaci má televizní miniseriál, který by měl být adaptací

románu Elmora Leonarda *Forty Lashes Less One* z roku 1972 o dvou mužích v cele smrti, z nich jeden je Apač a druhý bývalý voják černé pleti, kteří dostanou šanci vrátit se na svobodu, pokud dokážou vystopovat a zabít pět nejhorších zločinců na Západě. Tarantino vlastní potřebná práva a dokončil již dvacet stran scénáře. Nedávno zopakoval, že by rád přidal k *Nespoutanému Djangovi* a *Osmi hrozným* ještě jeden počin podobného ražení. „Pokud se chcete považovat za režiséra westernů, musíte natočit alespoň tři," řekl o tom. „A opravdu bych to rád udělal jako minisérii. Každý díl by měl kolem hodiny, mělo by to čtyři nebo pět epizod a já bych všechno napsal i režíroval. A bylo by to podobné *Djangovi* a *Osmi hrozným*, protože se tam řeší rasové otázky a všechno se odehrává v oblastní věznici. Je to opravdu dobrá kniha a vždycky jsem chtěl ten příběh chtěl zfilmovat, takže uvidíme."

Zmínil se také o své touze natočit dětský film, romantickou komedii ve stylu Howarda Hawkse, dvojí pohled na bojovníka proti otroctví Johna Browna a nakonec „film ve stylu gangsterek z 30. let 20. století", odehrávající se v Austrálii. „Byl to příběh à la Bonnie a Clyde o dvou australských zločincích." Také je ve hře film, jehož děj by se odehrával před událostmi popsanými v *Hanebných panchartech* a vycházel by z materiálu, který se nedostal do finální verze. Figurovali by v něm Aldo a Danny a „četa černých vojáků, kteří byli odsouzeni vojenským soudem, ale podařilo se jim uniknout. Jsou ve Francii, mají být oběšeni v Londýně a jejich cílem je dostat se do Švýcarska. Nakonec se jim přihodí nejrůznější dobrodružství a setkají se s Pancharty. Takže, nevylučuju, že bych natočil ještě tohle," prohlásil Tarantino.

Největší očekávání z jeho projektů vzbuzuje pravděpodobně *Kill Bill 3*. Beatrix Kiddo si v prvních dvou filmech vytrpěla tolik, že Tarantino nespěchá s tím, aby narušil její rodinnou pohodu. Nedávno ale řekl: „Nepřekvapilo by mě, kdyby se Nevěsta objevila ještě jednou, než bude po všem. Tak trochu jsem o tom s Umou mluvil. Říkám si: ‚Jak to asi vypadá s postavami teď', o třináct let později? Co asi dělá Sofie Fatale a co by se mohlo dít s Elle Driverovou?'"

NAHOŘE: Tarantino se na Hollywoodu podepsal, a to doslova. Otiskl své ruce a chodidla na věhlasném Chodníku slávy před Graumanovým kinem Chinese Theatre v Kalifornii.

A už dokonce vymyslel zápletku: „Sofie Fatale dostane všechny Billovy peníze. Vychovává Nikki (dceru Vivice A. Foxové), která se rozhodne postavit Nevěstě. Nikki si zaslouží pomstu úplně stejně jako Nevěsta."

Po třech historických snímcích se také touží vrátit do přítomnosti. „Bylo by opravdu skvělé udělat zase jednou film, kde hraje v pozadí televize nebo někdo zapne rádio. Celé to pak můžu napsat tímto způsobem. Když chci, aby hudba přestala, někdo ji prostě vypne. Nebo nasednou do auta a chvíli jedou, takže můžu udělat sestřih za doprovodu nějaké super písně. To by bylo opravdu skvělé. Dlouho jsem nic podobného neudělal a opravdu se na to těším."

Nic dalšího o jeho plánech nevíme. Tarantino často mluvil o tom, že se zaměří na psaní románů a filmových kritik, i když nevylučuje ani práci pro televizi nebo divadlo. V roce 2007 koupil retrospektivní kino New Beverly Cinema, kde je sám programovým ředitelem a často promítá filmy ze své soukromé sbírky.

„Postupně jsem si uvědomil, že jsem vlastně frustrovaný majitel kina," řekl k tomu Tarantino. „Odstěhuju se z Los Angeles – někam, kde je dobrý vzduch a mohl bych se tam dožít sta let, třeba do Montany – a koupím si nějaké malé kino. Budu tam mít všechny své filmové kopie, budu je lidem promítat a to bude veškerá moje práce. Ve městě budu platit za toho bláznivého staříka, který má to malé kino. Takový důchod by se mi opravdu líbil!"

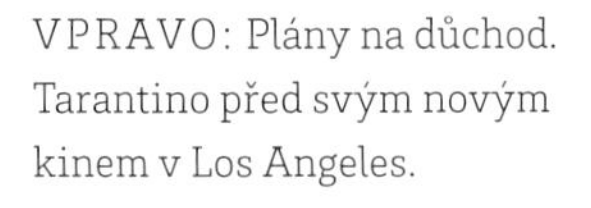

VPRAVO: Plány na důchod. Tarantino před svým novým kinem v Los Angeles.

Cinema
GRINDHOUSE FEST
BLACK SHAMPOO
& HUMAN TORNADO

FILMOGRAFIE

Data vydání / vysílání jsou určena pro Spojené státy, pokud není uvedeno jinak.

Love Birds in Bondage
Nedokončený krátký film, 1983
(Novacaine Films)
Režie & scénář: Quentin Tarantino, Scott Magill
Kamera: Scott Magill
Střih: Scott Magill
Herecké obsazení: Quentin Tarantino (přítel)

My Best Friend's Birthday
Nedokončený krátký film, 1987, 69 minut
Režie: Quentin Tarantino
Scénář: Quentin Tarantino, Craig Flamann
Kamera: Roger Avary, Scott Magill,
Roberto A. Quezada, Rand Vossler
Producenti: Quentin Tarantino, Craig Hamann,
Rand Vossler
Střih: Quentin Tarantino
Herecké obsazení: Quentin Tarantino (Clarence Pool), Craig Hamann (Mickey Burnett), Crystal Shaw Martell (Misty), Allen Garfield (Entertainment Magnate), Al Harrell (Clifford), Rich Turner (Oliver Brandon)

Vegetables
Krátký videofilm, 1989, 90 minut
Režie: Laura Lovelace
Herecké obsazení: Quentin Tarantino

Past Midnight
(Cinetel Films)
Poprvé uvedeno: říjen 1991 (Vancouver International Film Festival), 100 minut
Režie: Jan Eliasberg
Scénář: Frank Norwood
Kamera: Robert D. Yeoman
Producent: Lisa M. Hansen
Střih: Christopher Rouse
Pomocný producent: Quentin Tarantino
Herecké obsazení: Rutger Hauer (Ben Jordan), Natasha Richardson (Laura Mathews), Clancy Brown (Steve Lundy)

Gauneři (Reservoir Dogs)
(Live Entertainment/Dog Eat Dog Productions)
Poprvé uvedeno: 21. ledna 1992
(Sundance Film Festival)
Uvedeno: 23. října 1992 (omezené vydání), 99 minut
Režie: Quentin Tarantino
Scénář: Quentin Tarantino, Roger Avary
Kamera: Andrzej Sekula
Producent: Lawrence Bender
Střih: Sally Menke
Herecké obsazení: Quentin Tarantino (Mr. Brown), Harvey Keitel (Mr. White), Tim Roth (Mr. Orange), Michael Madsen (Mr. Blonde), Edward Bunker (Mr. Blue), Steve Buscemi (Mr. Pink), Chris Penn (Nice Guy Eddie Cabot), Lawrence Tierney (Joe Cabot)

Eddie Presley
Poprvé uvedeno: březen 1992
(South by Southwest Film Festival), 106 minut
Režie: Jeff Burr
Scénář: Duane Whitaker
Kamera: Thomas L. Callaway
Producenti: William Burr, Chuck Williams
Střih: Jay Woelfel
Herecké obsazení: Quentin Tarantino (dozorce), Duane Whitaker (Eddie Presley), Lawrence Tierney (Joe West)

Pravdivá romance (True Romance)
(Morgan Creek Productions/Davis-Films/August Entertainment/Sterling MacFadden)
Uvedeno: 10. září 1993,120 minut
Režie: Tony Scott
Scénář: Quentin Tarantino
Kamera: Jeffrey L. Kimball
Producenti: Gary Barber, Samuel Hadida,
Steve Perry, Bill Unger
Střih: Michael Tronick, Christian Wagner
Herecké obsazení: Christian Slater (Clarence Worley), Patricia Arquette (Alabama Whitman), Dennis Hopper (Clifford Worley), Val Kilmer (Mentor), Gary Oldman (Drexl Spivey), Brad Pitt (Floyd), Christopher Walken (Vincenzo Coccotti), Samuel L. Jackson (Big Don), Michael Rapaport (Dick Ritchie)

Zabít Zoe (Killing Zoe)
(Davis-Films/Live Entertainment/PFG Entertainment)
Poprvé uvedeno: říjen 1993 (Raindance Film Festival)
Uvedeno: září 1994, 96 minut
Režie a scénář: Roger Avary
Kamera: Tom Richmond
Producent: Samuel Hadida
Střih: Kathryn Himoff
Koproducenti: Quentin Tarantino, Lawrence Bender, Rebecca Boss
Herecké obsazení: Eric Stoltz (Zed), Julie Delpy (Zoe), Jean-Hugues Anglade (Eric), Gary Kemp (Oliver), Bruce Ramsay (Ricardo)

The Coriolis Effect
(Secondary Modern Motion Pictures/Vanguard International Cinema)
Poprvé uvedeno: 26. března 1994 (New York New Direct and New Films Festival), 33 minut
Režie & scénář: Louis Venosta
Kamera: Paul Holahan
Producent: Kathryn Arnold
Střih: Luis Colina
Herecké obsazení: Quentin Tarantino (hlas Panhandle Slim), Dana Ashbrook (Ray), Corrine Bohrer (Suzy), David Patch (Terry), Jennifer Rubin (Ruby), James Wilder (Stanley)

Pulp Fiction: Historky z podsvětí (Pulp Fiction)
(Miramax/A Band Apart/Jersey Films)
Poprvé uvedeno: 21. května 1994 (Cannes Film Festival)
Uvedeno: 14. října 1994, 154 minut
Režie: Quentin Tarantino
Scénář: Quentin Tarantino, Roger Avary
Kamera: Andrzej Sekula
Producent: Lawrence Bender
Střih: Sally Menke
Herecké obsazení: Quentin Tarantino (Jimmie), John Travolta (Vincent Vega), Uma Thurman (Mia Wallace), Samuel L. Jackson (Jules Winnfield), Bruce Willis (Butch Coolidge), Ving Rhames (Marsellus Wallace), Amanda Plummer (Honey Bunny), Tim Roth (Pumpkin), Harvey Keitel (The Wolf), Christopher Walken (Captain Koons), Eric Stoltz (Lance)

Takoví normální zabijáci (Natural Born Killers)
(Warner Bros./Regency Enterprises/Alcor Films/Ixtlan/New Regency Pictures/J D Productions)
Uvedeno: 26. srpna 1994, 118 minut
Režie: Oliver Stone
Příběh & scénář: Quentin Tarantino, David Veloz, Richard Rutowski, Oliver Stone
Kamera: Robert Richardson
Producenti: Jane Hamsher, Don Murphy, Clayton Townsend
Střih: Brian Berdan, Hank Corwin
Herecké obsazení: Woody Harrelson (Mickey Knox), Juliette Lewis (Mallory Knox), Tom Sizemore (Det. Jack Scagnetti), Robert Downey, Jr. (Wayne Gale), Tommy Lee Jones (Warden Dwight McClusky)

Sleep with Me
(August Entertainment/Castleberg Productions/Paribas Film Corporation)
Poprvé uvedeno: 10. září 1994 (Toronto International Film Festival), 86 minut
Režie: Rory Kelly
Scénář: Duane Dell'Amico, Roger Hedden, Neal Jimenez, Joe Keenan, Rory Kelly, Michael Steinberg
Kamera: Andrzej Sekula
Producenti: Roger Hedden, Michael Steinberg, Eric Stoltz
Střih: David Moritz
Herecké obsazení: Quentin Tarantino (Sid), Meg Tilly (Sarah),Eric Stoltz (Joseph), Craig Sheffer (Frank), Lewis Arquette (Minister), Todd Field (Duane)

Somebody to Love
(Cabin Fever Entertainment/Initial Productions/Lumiere Pictures)
Poprvé uvedeno: září 1994 (Venice Film Festival), Uvedeno: 27. září 1996,102 minut
Režie: Alexandre Rockwell
Scénář: Sergei Bodrov, Alexandre Rockwell
Kamera: Robert D. Yeoman
Producent: Lila Cazes
Střih: Elena Maganini
Herecké obsazení: Quentin Tarantino (Bartender), Rosie Perez (Mercedes), Harvey Keitel (Harry Harrelson), Anthony Quinn (Emillio), Michael DeLorenzo (Ernesto), Steve Buscemi (Mickey)

Johnny zapíná rádio
(Destiny Turns on the Radio)
(Rysher Entertainment/Savoy Pictures)
Uvedeno: 28. dubna 1995, 102 minut
Režie: Jack Baran
Scénář: Robert Ramsey, Matthew Stone
Kamera: James L. Carter
Producent: Gloria Zimmerman
Střih: Raul Davalos
Herecké obsazení: Quentin Tarantino (Johnny Destiny), Dylan McDermott (Julian Goddard), Nancy Travis (Lucille), James Le Gros (Thoreau), Jim Belushi (Tuerto)

Krvavý příliv (Crimson Tide)
(Hollywood Pictures/Don Simpson-Jerry Bruckheimer)
Uvedeno: 12. května 1995, 116 minut
Režie: Tony Scott
Scénář: Michael Schiffer, Richard P. Henrick, Quentin Tarantino (není uveden)
Kamera: Dariusz Wolski
Producenti: Jerry Bruckheimer, Don Simpson
Střih: Chris Lebenzon
Herecké obsazení: Denzel Washington (Hunter), Gene Hackman (Ramsey), Matt Craven (Zimmer), George Dzundza (Cob), Viggo Mortensen (Weps), James Gandolfini (Lt. Bobby Dougherty)

Desperado
(Columbia Pictures Corporation/Los Hooligans Productions)
Poprvé uvedeno: květen 1995 (Cannes Film Festival)
Uvedeno: 25. srpna 1995,104 minut
Režie & scénář: Robert Rodriguez
Kamera: Guillermo Navarro
Producenti: Bill Borden, Robert Rodriguez
Střih: Robert Rodriguez
Herecké obsazení: Quentin Tarantino (Pick-up Guy), AntonioBanderas (El Mariachi), Salma Hayek (Carolina), Joaquim de Almeida (Bucho), Steve Buscemi (Buscemi)

Čtyři pokoje (Four Rooms)
Povídkový film spolu s Allison Andersovou, Alexandrem Rockwellem a Robertem Rodriguezem
Tarantinův segment „Muž z Hollywoodu" (The Man from Hollywood) (Miramax/A Band Apart)
Poprvé uvedeno: 16. září 1995 (Toronto International Film Festival)
Uvedeno: 25. prosince 1995, 98 minut
Režie & scénář: Quentin Tarantino
Kamera: Andrzej Sekula
Producent: Lawrence Bender
Střih: Sally Menke
Herecké obsazení: Quentin Tarantino (Chester), Jennifer Beals (Angela), Paul Calderon (Norman), Bruce Willis (Leo – není uveden)

Hands Up
Poprvé uvedeno: 1995
Režie & scénář: Virginie Thevenet
Producenti: Kaz Kuzui, Fran Rubel Kuzui
Herecké obsazení: Quentin Tarantino, Charlotte Gainsbourg

Od soumraku do úsvitu (From Dusk Till Dawn)
(Dimension Films/A Band Apart/Los Hooligans Productions/Miramax)
Uvedeno: 19. ledna 1996,108 minut
Režie: Robert Rodriguez
Scénář: Quentin Tarantino, Robert Kurtzman
Kamera: Guillermo Navarro
Producenti: Gianni Nunnari, MeirTeper
Střih: Robert Rodriguez
Herecké obsazení: Quentin Tarantino (Richard Gecko), George Clooney (Seth Gecko), Harvey Keitel (Jacob Fuller), Juliette Lewis (Kate Fuller), Ernest Liu (Scott Fuller), Salma Hayek (Santanico Pandemonium)

Girl 6
(Fox Searchlight Pictures/40 Acres & A Mule Filmworks)
Uvedeno: 22 března 1996, 108 minut
Režie: Spike Lee
Scénář: Suzan-Lori Parks
Kamera: Malik Hassan Sayeed

Producent: Spike Lee
Střih: Samuel D. Pollard
Herecké obsazení: Quentin Tarantino (Režie #1), Theresa Randle (Girl 6), John Turturro (Murray)

Krvavá romance (Curdled)
(A Band Apart/Tinderbox Films)
Poprvé uvedeno: 6. září, 1996 (Toronto International Film Festival),
Uvedeno: 27. září 1996, 88 minut
Režie: Reb Braddock
Scénář: Quentin Tarantino (segment "Gecko Brothers News Report"), Reb Braddock, John Maass
Kamera: Steven Bernstein
Producenti: John Maass, Raul Puig
Výkonný producent: Quentin Tarantino
Střih: Mallory Gottlieb
Herecké obsazení: Quentin Tarantino (Richard Gecko), William Baldwin (Paul Guell), Angela Jones (Gabriela), Bruce Ramsay (Eduardo), Lois Chiles (Katrina Brandt)

Jackie Brownová (Jackie Brown)
(Miramax/A Band Apart/Lawrence Bender Productions/ Mighty Mighty Afrodite Productions)
Uvedeno: 25. prosince 1997, 154 minut
Režie & Scénář: Quentin Tarantino
Kamera: Guillermo Navarro
Producent: Lawrence Bender
Střih: Sally Menke
Herecké obsazení: Pam Grier (Jackie Brown), Samuel L. Jackson (Ordell Robbie), Robert Forster (Max Cherry),Bridget Fonda (Melanie Ralston), Michael Keaton (Ray Nicolette), Robert De Niro (Louis Gara), Chris Tucker (Beaumont Livingston)

God Said, 'Ha!'
(Oh, Brother Productions)
Poprvé uvedeno: 14. března 1998 (South by Southwest Film Festival), 85 minut
Režie & Scénář: Julia Sweeney
Kamera: John Hora
Střih: Fabienne Rawley
Producent: Rana Joy Glickman
Výkonný producent: Quentin Tarantino
Herecké obsazení: Quentin Tarantino (hraje sám sebe), Julia Sweeney (hraje sama sebe)

Od soumraku do úsvitu 2
(From Dusk Till Dawn 2: Texas Blood Money)
(A Band Apart/Dimension Films/Los Hooligans Productions)
Vyšlo na videokazetách 16. března 1999, 88 minut
Režie: Scott Spiegel
Scénář: Scott Spiegel, Duane Whitaker
Kamera: Philip Lee
Producenti: Michael S. Murphey, Gianni Nunnari, Meir Teper
Výkonní producenti: Quentin Tarantino, Lawrence Bender, Robert Rodriguez
Střih: Bob Murawski
Herecké obsazení: Robert Patrick (Buck), Bo Hopkins (Sheriff Otis Lawson), Duane Whitaker (Luther), Muse Watson (C. W. Niles), Brett Harrelson (Ray Bob)

Od soumraku do úsvitu 3
(From Dusk Till Dawn 3: The Hangman's Daughter)
A Band Apart/Dimension Films/Los Hooligans Productions)
Uvedeno: 19. ledna 2000, 94 minut
Režie: P. J. Pesce
Scénář: Alvaro Rodriguez
Kamera: Michael Bonvillain
Producenti: Michael S. Murphey, Gianni Nunnari, Meir Teper, H. Daniel Gross
Výkonní producenti: Quentin Tarantino, Lawrence Bender, Robert Rodriguez
Střih: Lawrence Maddox
Herecké obsazení: Marco Leonardi (Johnny Madrid), Michael Parks (Ambrose Bierce), Temuera Morrison (The Hangman), Rebecca Gayheart (Mary Newlie), Ara Celi (Esmeralda)

Little Nicky
(Avery Pix/Happy Madison Productions/New Line Cinema/RSC Media/Robert Simonds Productions)
Uvedeno: 10. listopadu 2000, 90 minut
Režie: Steven Brill
Scénář: Tim Herlihy, Adam Sandler, Steven Brill
Kamera: Theo van de Sande
Producenti: Jack Giarraputo, Robert Simonds
Střih: Jeff Gourson
Herecké obsazení: Quentin Tarantino (Deacon), Adam Sandler (Nicky), Patricia Arquette (Valerie Veran), Harvey Keitel (Dad), Rhys Ifans (Adrian), Tommy 'Tiny' Lister (Cassius)

Iron Monkey
Remake filmu Siu *nin Wong Fei Hung chi: Tit ma lau* z roku 1993
(Film Workshop/Golden Harvest Company/Long Shong Pictures/Paragon Films)
Uvedeno: 12. října 2001, 90 minut
Režie: Woo-Ping Yuen
Scénář: Tan Cheung, Tai-Mok Lau (Tai-Muk Lau), Elsa Tang (Pik-yin Tang), Hark Tsui, Richard Epcar
Kamera: Chi-Wai Tam, Arthur Wong
Producenti: Quentin Tarantino, Hark Tsui
Střih: Chi Wai Chan, Stephanie Johnson, Angie Lam, Marco Mak, John Zeitler
Herecké obsazení: Rongguang Yu (Dr. Yang/Iron Monkey), Donnie Yen (Wong Kei-Ying), Jean Wang (Miss Orchid), Sze-Man Tsang (Wong Fei-Hong)

Kill Bill 1 (Kill Bill: Volume 1)
(Miramax/A Band Apart/Super Cool ManChu)
Uvedeno: 10. října 2003,111 minut
Režie & scénář: Quentin Tarantino
Kamera: Robert Richardson
Producent: Lawrence Bender
Střih: Sally Menke
Herecké obsazení: Uma Thurman (The Bride), David Carradine (Bill), Lucy Liu (O-Ren Ishii), Vivica A. Fox (Vernita Green), Daryl Hannah (Elle Driver), Michael Madsen (Budd), Julie Dreyfus (Sofie Fatale)

Kill Bill 2 (Kill Bill: Volume 2)
(Miramax/A Band Apart/Super Cool ManChu)
Uvedeno: 16. dubna 2004, 137 minut
Režie & scénář: Quentin Tarantino
Kamera: Robert Richardson
Producent: Lawrence Bender
Střih: Sally Menke
Herecké obsazení: Uma Thurman (The Bride), David Carradine (Bill), Lucy Liu (O-Ren Ishii), Vivica A. Fox (Vernita Green), Daryl Hannah (Elle Driver), Michael Madsen (Budd)

Modesty: Dobrodružství Modesty Blaise
(My Name Is Modesty: A Modesty Blaise Adventure)
(Miramax)
Vyšlo na DVD 28. září 2004, 78 minut
Režie: Scott Spiegel
Scénář: Lee Batchler, Janet Scott Batchler
Kamera: Vivi Dragan Vasile
Producenti: Marcelo Anciano, Michael Berrow, Ted Nicolaou, Sook Yhun (není uveden)
Výkonní producenti: Quentin Tarantino (není uveden), Paul Berrow, Michelle Sy
Střih: Michelle Harrison
Herecké obsazení: Alexandra Staden (Modesty Blaise), Nikolaj Coster-Waldau (Miklos), Raymond Cruz (Raphael Garcia), Fred Pearson (Professor Lob)

Hostel
(Hostel/International Production Company/Next Entertainment/Raw Nerve)
Poprvé uvedeno: 17. září 2005 (Toronto International Film Festival)
Uvedeno: 6. ledna 2006, 94 minut
Režie & scénář: Eli Roth
Kamera: Milan Chadima
Producenti: Chris Briggs, Mike Fleiss, Eli Roth
Výkonní producenti: Quentin Tarantino, Scott Spiegel, Boaz Yakin
Střih: George Folsey Jr.
Herecké obsazení: Jay Hernandez (Paxton), Derek Richardson (Josh), Eythor Gudjonsson (Oli), Barbara Nedeljakova (Natalya)

Daltry Kelhůn (Daltry Calhoun)
(L. Driver Productions/Map Point Pictures/Miramax)
Uvedeno: 25. září 2005, 100 minut
Režie & scénář: Katrina Holden Bronson
Kamera: Matthew Irving
Producent: Danielle Renfrew
Výkonní producenti: Quentin Tarantino, Erica Steinberg
Střih: Daniel R. Padgett
Herecké obsazení: Elizabeth Banks (May), Johnny Knoxville (Daltry Calhoun), Beth Grant (Dee), Laura Cayouette (Wanda Banks)

Freedom's Fury
Dokumentární film
(WOLO Entertainment/Cinergi Pictures Entertainment/ Moving Picture Institute)
Uvedeno: 7. září 2006 (Maďarsko), 8. dubna 2008 (Wisconsin Film Festival), 90 minut
Režie: Colin K. Gray, Megan Raney
Scénář: Colin K. Gray Kamera: Megan Raney
Producent: Kristine Lacey
Výkonní producenti: Quentin Tarantino, Lucy Liu, Amy Sommer, Andrew G. Vajna
Střih: Michael Rogers

Auto zabiják (Death Proof)
Původně vyšlo jako součást dvojitého titulu *Grindhouse* v dubnu 2007 spolu s *Planetou Terror*
(The Weinstein Company/Dimension Films/ Troublemaker Studios/Rodriguez International Pictures)
Poprvé uvedeno: 22. května 2007 (Cannes Film Festival)
Uvedeno: 21. července 2007, 113 minut
Režie & scénář: Quentin Tarantino
Kamera: Quentin Tarantino
Producenti: Quentin Tarantino, Elizabeth Avellan, Robert Rodriguez, Erica Steinberg
Střih: Sally Menke
Herecké obsazení: Quentin Tarantino (Warren), Kurt Russell (Stuntman Mike), Zoe Bell (hraje sama sebe), Rosario Dawson (Abernathy), Vanessa Ferlito (Butterfly), Sydney Tamiia Poitier (Jungle Julia), Tracie Thoms (Kim), Rose McGowan (Pam), Jordan Ladd (Shanna)

Hostel: Part II
(Lionsgate/Screen Gems/Next Entertainment/Raw Nerve/International Production Company)
Uvedeno: 8. června, 2007, 94 minut
Režie & scénář: Eli Roth
Kamera: Milan Chadima
Producenti: Chris Briggs, Mike Fleiss, Eli Roth
Výkonní producenti: Quentin Tarantino, Leifur B. Dagfinnsson, Scott Spiegel, Boaz Yakin
Střih: George Folsey Jr.
Herecké obsazení: Lauren German (Beth), Roger Bart (Stuart), Heather Matarazzo (Lorna), Bijou Phillips (Whitney), Richard Burgi (Todd)

Deník mrtvých (Diary of the Dead)
(Artfire Films/Romero-Grunwald Productions)
Poprvé uvedeno: 8. září 8 2007 (Toronto International Film Festival)
Uvedeno: 22. února 2008, 95 minut
Režie & scénář: George A. Romero
Kamera: Adam Swica
Producenti: Sam Englebardt, Peter Grunwald, Ara Katz, Art Spigel
Střih: Michael Doherty
Herecké obsazení: Quentin Tarantino (televizní moderátor), Michelle Morgan (Debra Moynihan), Joshua Close (Jason Creed), Shawn Roberts (Tony Ravello), Amy Lalonde (Tracy Thurman)

Sukiyaki Western Django
(A-Team/Dentsu/Geneon Entertainment/Nagoya BroadcastingNetwork/Sedic International/ Shogakukan/ Sony Pictures Entertainment/Sukiyaki Western Django Film Partners/TV Asahi/Toei Company/Tokyu Recreation)
Uvedeno: 15. září 2007 (Japonsko), 121 minut
Režie: Takashi Miike
Scénář: Takashi Miike, Masa Nakamura
Kamera: Toyomichi Kurita
Producenti: Nobuyuki Tohya, Masao Owaki
Střih: Yasushi Shimamura
Herecké obsazení: Quentin Tarantino (Piringo), Koichi Sato (Taira no Kiyomori), Yusuke Iseya (Minamoto no Yoshitsune), Masanobu Ando (Yoichi), Kaori Momoi (Ruriko)

Grindhouse: Planeta teror (Planet Terror)
Původně vyšlo jako součást dvojitého titulu *Grindhouse* v dubnu 2007 spolu s *Autem zabiják*
(The Weinstein Company/Dimension Films/ Troublemaker Studios/Rodriguez International Pictures)
Poprvé uvedeno: 15. října 2007 (Screamfest Horror Film Festival), 105 minut
Režie & scénář: Robert Rodriguez
Kamera: Robert Rodriguez
Producenti: Quentin Tarantino, Robert Rodriguez, Elizabeth Avellan, Erica Steinberg
Střih: Ethan Maniquis, Robert Rodriguez
Herecké obsazení: Quentin Tarantino (násilník/ zombie), Rose McGowan (Cherry Darling), Freddy Rodriguez (Wray), Josh Brolin (Dr. William Block), Marley Shelton (Dr. Dakota Block)

Pekelná jízda (Hell Ride)
(Dimension Films)
Poprvé uvedeno: 21. ledna 2008 (Sundance Film Festival)
Uvedeno: 8. srpna 2008, 84 minut
Režie & Ssénář: Larry Bishop
Kamera: Scott Kevan
Producenti: Larry Bishop, Shana Stein, Michael Steinberg
Výkonní producenti: Quentin Tarantino, Bob Weinstein, Harvey Weinstein
Střih: Blake West, William Yeh
Herecké obsazení: Larry Bishop (Pistolero), Michael Madsen (The Gent), Eric Balfour (Comanche), Julia Jones (Cherokee Kisum), David Carradine (The Deuce), Vinnie Jones (Billy Wings), Leonor Varela (Nada), Dennis Hopper (Eddie)

Hanebný pancharti (Inglourious Basterds)
(The Weinstein Company/Universal Pictures/A Band Apart/Studio Babelsberg/Visiona Romantica)
Uvedeno: 21. srpna 2009, 153 minut
Režie & scénář: Quentin Tarantino
Kamera: Robert Richardson
Producent: Lawrence Bender
Střih: Sally Menke
Herecké obsazení: Quentin Tarantino (První skalpovaný nacista/American Soldier), Brad Pitt (Lt. Aldo Raine), Melanie Laurent (Shosanna), Christoph Waltz (Col. Hans Landa), Eli Roth (Sgt. Donny Donowitz), Michael Fassbender (Lt. Archie Hicox), Diane Kruger (Bridget von Hammersmark)

Kill Bill: The Whole Bloody Affair
Kombinace *Kill Bill: Volume 1* a *Kill Bill: Volume 2*; detaily najdete v individuálních položkách
(A Band Apart)
Uvedeno: 27. března 2011, 247 minut

Nespoutaný Django (Django Unchained)
(The Weinstein Company/Columbia Pictures)
Uvedeno: 25 prosince 2012,165 minut
Režie & scénář: Quentin Tarantino
Kamera: Robert Richardson
Producenti: Reginald Hudlin, Pilar Savone, Stacey Sher
Střih: Fred Raskin
Herecké obsazení: Quentin Tarantino (LeQuint Dickey Mining Co. Employee/Robert), Jamie Foxx (Django), Christoph Waltz (Dr. King Schultz), Leonardo DiCaprio (Calvin Candie), Kerry Washington (Broomhilda von Shaft), Samuel L. Jackson (Stephen), Walton Goggins (Billy Crash)

Je prostě báječná (She's Funny That Way)
(Lagniappe Films/Lailaps Pictures/Venture Forth)
Poprvé uvedeno: 29. srpen 2014 (Venice Film Festival),
Uvedeno: 21. srpen 2015, 93 minut
Režie: Peter Bogdanovich
Scénář: Peter Bogdanovich, Louise Stratten
Kamera: Yaron Orbach
Producenti: George Drakoulias, Logan Levy, Louise Stratten, Holly Wiersma
Střih: Nick Moore, Pax Wasserman
Herecké obsazení: Quentin Tarantino (hraje sám sebe), Imogen Poots (Isabella Patterson), Owen Wilson (Arnold Albertson), Jennifer Aniston (Jane Claremont), Kathryn Hahn (Delta Simmons), Will Forte (Joshua Fleet), Rhys Ifans (Seth Gilbert)

Osm hrozných (The Hateful Eight)
(Double Feature Films/FilmColony)
Uvedeno: 25. prosince 2015 (limitovaná 70mm verze)
Uvedeno: 30. prosince 2015 (standardní verze), 187 minut
Režie & scénář: Quentin Tarantino
Kamera: Robert Richardson
Producenti: Richard N. Gladstein, Shannon McIntosh, Stacey Sher
Střih: Fred Raskin
Herecké obsazení: Samuel L. Jackson (Major Marquis Warren), Kurt Russell (John Ruth), Jennifer Jason Leigh (Daisy Domergue), Walton Goggins (Sheriff Chris Mannix), Tim Roth (Oswaldo Mobray), Michael Madsen (Joe Gage), Bruce Dern (General Sandy Smithers), James Parks (O.B.), Channing Tatum (Jody)

Televize/Internet

The Golden Girls
Televizní seriál, jedna epizoda ("Sophia's Wedding: Part 1")
(Witt-Thomas-Harris Productions/Touchstone Television)
Poprvé vysíláno: 19. listopadu 1988, 30 minut
Režie: Terry Hughes
Scénář: Susan Harris, Barry Fanaro, Mort Nathan
Producenti: Paul Junger Witt, Tony Thomas
Herecké obsazení: Bea Arthur (Dorothy Zbornak), Betty White (Rose Nylund), Rue McClanahan (Blanche Devereaux), Estelle Getty (Sophia Petrillo), Jack Clifford (Max Weinstock), Quentin Tarantino (Elvis impersonator)

All-American Girl
Televizní seriál, jedna epizoda ("Pulp Sitcom")
(Sandollar Television/Heartfelt Productions/ Touchstone Television)
Poprvé vysíláno: 22. února 1995, 30 minut
Režie: Terry Hughes
Scénář: Tim Maile, Douglas Tuber
Kamera: Daniel Flannery
Producent: Bruce Johnson
Střih: Jimmy B. Frazier
Herecké obsazení: Margaret Cho (Margaret Kim), Jodi Long (Katherine Kim), Clyde Kusatsu (Benny Kim), Amy Hill (Yung-hee Kim), Quentin Tarantino (Desmond)

Pohotovost (ER)
Televizní seriál, jedna epizoda ("Motherhood")
(Constant c Productions/Amblin Television/Warner Bros. Television)
Poprvé vysíláno: 11. května 1995, 45 minut
Režie: Quentin Tarantino
Scénář: Lydia Woodward
Kamera: Richard Thorpe
Producent: Christopher Chulack, Paul Manning Střih: Jim Gross
Herecké obsazení: Anthony Edwards (Mark Greene), George Clooney (Doug Ross), Sherry Stringfield (Susan Lewis), Noah Wyle (John Carter), Julianna Margulies (Carol Hathaway), Eriq La Salle (Peter Benton)

Dance Me to the End of Love
Krátký film publikovaný na internetu (A-Acme Film Works)
Poprvé uvedeno: online 27. října 1995, 6 minut
Režie: Aaron A. Goffman
Scénář: Quentin Tarantino, Aaron A. Goffman
Kamera: Rand Vossler
Producent: Aaron A. Goffman
Herecké obsazení: Quentin Tarantino (Groom), Sylvia Binsfeld (Bride), Nick Rafter (Groom in Chains), Laura Bradley (Girl), Marc Anthony-Reynolds (Boy)

Saturday Night Live
Televizní seriál, jedna epizoda ("Quentin Tarantino/ Smashing Pumpkins")
(Broadway Video/NBC Productions)
Poprvé vysíláno: 11. listopadu 1995, 90 minut
Režie: Beth McCarthy-Miller
Scénář: Ross Abrash, Cindy Caponera, James Downey, Hugh Fink, Tom Gianas, Tim Herlihy, Steve Higgins, Norm Hiscock, Steve Koren, Erin Maroney, Adam McKay, Dennis McNicholas, Lome Michaels, Lori Nasso, Paula Pell, Colin Quinn, Frank Sebastiano, Andrew Steele, Fred Wolf
Umělecký vedoucí: Peter Baran
Producent: Lome Michaels
Střih: Ian Mackenzie
Herecké obsazení: Quentin Tarantino (host), Jim Breuer, Will Ferrell, Darrell Hammond, David Koechner, Norm MacDonald, Mark McKinney

Alias
Televizní seriál, čtyři epizody ("The Box: Part 1", "The Box: Part 2", "Full Disclosure", "After Six")
(Touchstone Television/Bad Robot)
Vysíláno mezi 20. lednem 2002 a 15. únorem 2004, každá epizoda má 45 minut
Režie: Jack Bender, Maryann Brandon, Lawrence Trilling
Scénář: J. J. Abrams, Jesse Alexander, John Eisendrath, Alison Schapker, Monica Breen
Kamera: Michael Bonvillain, Donald E. Thorin Jr.
Producenti: Jesse Alexander, Sarah Caplan, Jeff Pinkner, Chad Savage, Lawrence Trilling
Střih: Virginia Katz, Mandy Sherman, Fred Toye,Mary Jo Markey
Herecké obsazení: Quentin Tarantino (McKenas Cole), Jennifer Garner (Sydney Bristow), Ron Rifkin (Arvin Sloane), Michael Vartan (Michael Vaughn), Carl Lumbly (Marcus Dixon)

Kriminálka Las Vegas
(CSI: Crime Scene Investigation)
Televizní seriál, dvě epizody ("Grave Danger: Part 1" a "Grave Danger: Part 2")
(Jerry Bruckheimer Television/CBS Productions/ Alliance Atlantis Productions)
Poprvé vysíláno: 19. květen 2005, každá epizoda má 45 minut
Režie & příběh: Quentin Tarantino
Scénář: Naren Shankar, Anthony E. Zuiker, Carol Mendelsohn
Kamera: Michael Slovis
Producenti: Kenneth Fink, Richard J. Lewis, Louis Milito
Střih: Alec Smight
Herecké obsazení: William Petersen (Gil Grissom), Marg Helgenberger (Catherine Willows), Gary Dourdan (Warrick Brown), George Eads (Nick Stokes), Jorja Fox (Sara Sidle)

Kačer Dodgers (Duck Dodgers)
Televizní seriál ("Master & Disaster" a "All in the Crime Family")
(Warner Bros. Animation)
Poprvé vysíláno: 21. října, 2005, každá epizoda má 22 minut
Režie: Spike Brandt, Tony Cervone
Scénář: Kevin Seccia, Mark Banker
Umělecký vedoucí: Mark Whiting
Producent: Bobbie Page
Herecké obsazení: Quentin Tarantino (hlas – Master Moloch), Joe Alaskey (Duck Dodgers/Martian Commander X-2/ Rocky), Bob Bergen (The Eager Young Space Cadet/ Mummy)

The Muppets' Wizard of Oz
Televizní film
(Jim Henson Company/Fox Television Studios/ Touchstone Television/Muppets Holding Company/ Muppet Movie Productions)
Poprvé vysíláno: 20. května 2005,120 minut
Režie: Kirk R. Thatcher
Scénář: Debra Frank, Steve L. Hayes, Tom Martin, Adam F. Goldberg
Kamera: Tony Westman
Producenti: Martin G. Baker, Warren Carr
Střih: Gregg Featherman
Herecké obsazení: Quentin Tarantino (režisér), Ashanti (Dorothy Gale), Jeffrey Tambor (Wizard), David Alan Grier (Uncle Henry), Queen Latifah (Aunt Em), Steve Whitmire (hlas Kermit the Frog), Dave Goelz (hlas The Great Gonzo), Eric Jacobson (hlas Miss Piggy)

#15SecondStare
Televizní seriál, 14 epizod (Crypt TV)
Poprvé vysíláno: 17. ledna 2016, každá epizoda má 1 minutu
Herecké obsazení a štáb, který se podílel na více epizodách:
Režie: Wesley Alley, Steven Shea
Scénář: Wesley Alley
Producenti: Jack Davis, Eli Roth, Wesley Alley
Výkonní producenti: Quentin Tarantino, Jason Blum, Vanessa Hudgens, Katie Krentz, Gaspar Noe, Jordan Peele, Joel Zimmerman
Herecké obsazení: Brian C. Chenworth, Breeanna Judy, Ellen Smith

PROTĚJŠÍ STRANA: Portrét pořízený Nicolasem Guerinem, 2013.

„Když pracuju na filmu, nedělám nic jiného. Jediné, na čem záleží, je ten film. Nemám ženu ani dítě. Nic mi nestojí v cestě. Prozatím jsem se rozhodl jít touto cestou sám. Teď je pro mě ta správná doba, kdy točit filmy.“

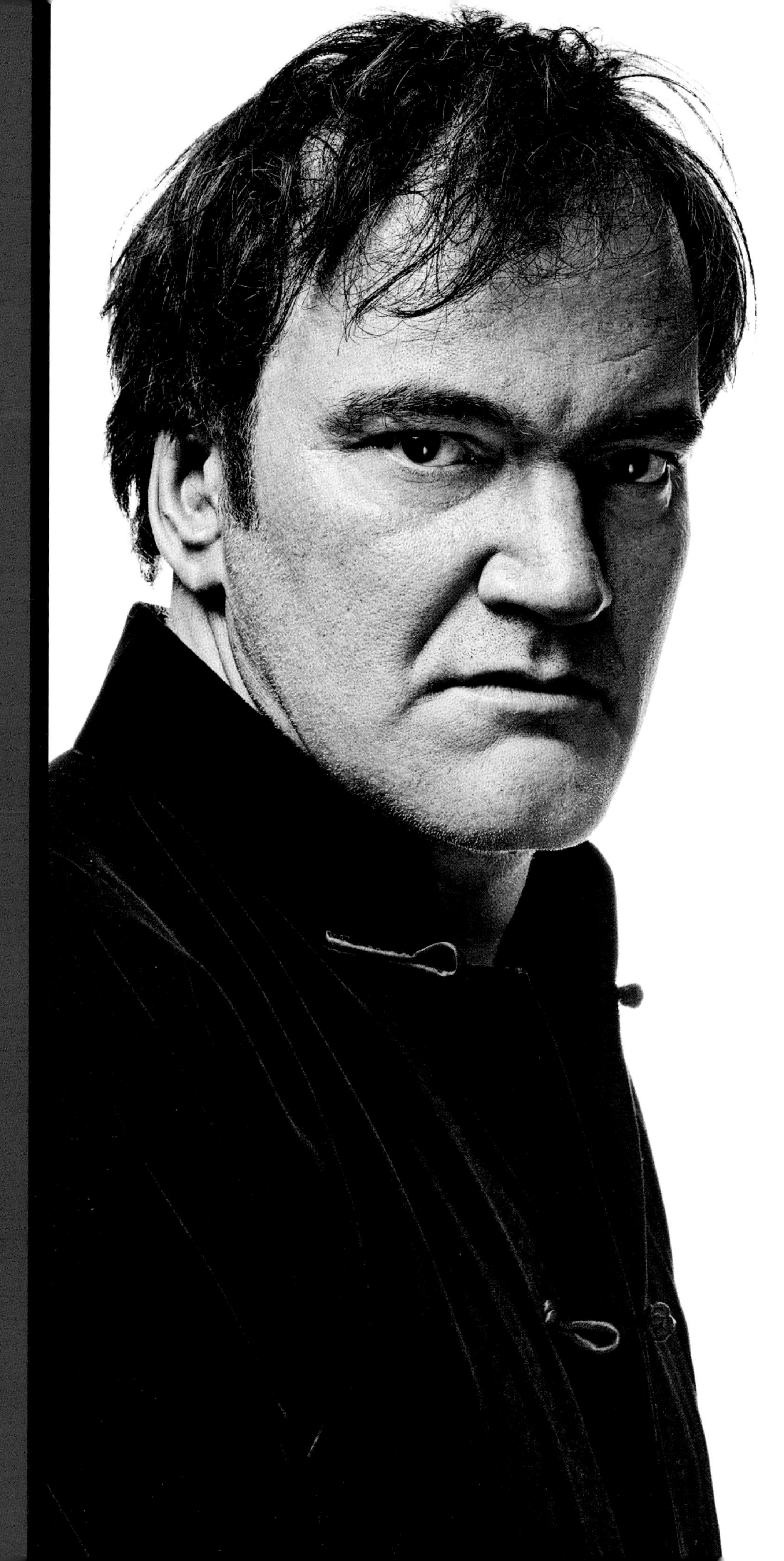

Vybraná literatura

Knihy

Bailey, Jason. *Pulp Fiction: The Complete Story of Quentin Tarantino's Masterpiece*. Minneapolis: Voyageur Press, 2013.

Bernard, Jami. *Quentin Tarantino: The Man and His Movies*. New York: HarperPerennial, 1996.

Biskind, Peter. *Down and Dirty Pictures: Miramax, Sundance and the Rise of Independent Film*. London: Bloomsbury, 2016.

Carradine, David. *The Kill Bill Diary: The Making of a Tarantino Classic as Seen Through the Eyes of a Screen Legend*. New York: Bloomsbury Methuen Drama, 2007.

Clarkson, Wensley. *Quentin Tarantino: The Man, the Myths and his Movies*. London: John Blake, 2007.

Dawson, Jeff. *Quentin Tarantino: The Cinema of Cool*. New York: Applause, 1995.

Grier, Pam and Andrea Cagan. *Foxy: My Life in Three Acts*. New York: Grand Central Publishing, 2010.

Mottram, James. *The Sundance Kids: How the Mavericks Took Back Hollywood*. London: Faber & Faber, 2011.

Peary, Gerald, ed. *Quentin Tarantino: Interviews*. Jackson: University Press of Mississippi, 2013.

Roston, Tom. *I Lost it at the Video Store: A Filmmakers' Oral History of a Vanished Era*. Jenkintown: The Critical Press, 2015.

Sherman, Dale. *Quentin Tarantino FAQ: Everything Left to Know about the Original Reservoir Dog*. Milwaukee, Hal Leonard, 2015.

Waxman, Sharon. *Rebels on the Backlot: Six Maverick Directors and How They Conquered the Hollywood Studio System*. New York: HarperCollins, 2005.

Death Proof: A Screenplay. New York: Weinstein Books, 2007.

Rozhovory

Amis, Martin. "The Writing Life: A Conversation Between Martin Amis and Elmore Leonard." *Los Angeles Times*, February 1, 1998.

Appelo, Tim. "*Django* to the Extreme: How Panic Attacks and DiCaprio's Real Blood Made a Slavery Epic Better." *Hollywood Reporter*, January 10, 2013.

Bailey, Jason. "Imagining the Quentin Tarantino-Directed *Natural Born Killers* That Could Have Been." *Flavorwire*, August 25, 2014.

Bailey, Jason. "Quentin Tarantino is a DJ." *The Atlantic*, October 14, 2014.

Baron, Zach. "Quentin Tarantino Explains the Link Between His *Hateful Eight* and #BlackLivesMatter." *GQ*, December 8, 2015.

Bauer, Erik. "Method Writing: Interview with Quentin Tarantino." *Creative Screenwriting*, January/February 1998.

Beaumont-Thomas, Ben. "Quentin Tarantino Says Next Film Will be Another Western." *Guardian*, November 27, 2013.

Becker, Josh. "Quentin Tarantino Interview: On the Set of *Reservoir Dogs*." www.beckerfilms.com, 1992.

Biskind, Peter. "Four x Four." *Premiere*, November 1995.

Biskind, Peter. "The Return of Quentin Tarantino." *Vanity Fair*, October 14, 2003.

Brody, Richard. "*Inglourious* in Europe." *New Yorker*, August 20, 2009.

Brown, Lane. "In Conversation: Quentin Tarantino." *Vulture*, August 23, 2015.

Buckmaster, Luke. "Quentin Tarantino: Australian Films had a Big Influence on my Career." *Guardian*, January 15, 2016.

Carroll, Kathleen. "*Reservoir Dogs* Overflows with Violence: 1992 Review." *New York Daily News*, October 23, 1992.

Carroll, Larry. "*Inglourious Basterds* Exclusive: Brad Pitt Says Movie 'Was a Gift.'" www.mtv.com, August 19, 2009.

Ciment, Michel and Hubert Niogret. "Interview with Quentin Tarantino." Translated by T. Jefferson Kline. *Positif*, November 1994.

Dargis, Manohla. "Tarantino Avengers in Nazi Movieland." *New York Times*, August 20, 2009.

Debby, David. "Americans in Paris." *New Yorker*, August 24, 2009.

Ebert, Roger. "Reviews: *Chungking Express*." rogerebert.com, March 15, 1996.

Fleming, Michael. "Playboy Interview: Quentin Tarantino." *Playboy*, November 2003.

Fleming, Michael. "Playboy Interview: Quentin Tarantino." *Playboy*, December 3, 2012.

Fleming Jr, Mike. "Quentin Tarantino on Retirement, Grand 70mm Intl Plans for *The Hateful Eight*." www.deadline.com, November 10, 2014.

Galloway, Stephen. "Director Roundtable: 6 Auteurs on Tantrums, Crazy Actors and Quitting While They're Ahead." *Hollywood Reporter*, November 28, 2012.

Garrat, Sheryl. "Quentin Tarantino: No U-turns." *Telegraph*, September 15, 2007.

Gerston, Jill. "Film; Finally, Bruce Willis Gets Invited to the Ball." *New York Times*, October 2, 1994.

Gettell, Oliver. "Quentin Tarantino and Robert Rodriguez Look Back on *From Dusk Till Dawn*." *Entertainment Weekly*, November 3, 2016.

Gilbey, Ryan. "*Inglourious Basterds*." *New Statesman*, August 20, 2009.

Gordon, Devin. "Q&A: Quentin Tarantino." *Newsweek*, April 4, 2007.

Grow, Kory. "Ennio Morricone Goes Inside *Hateful Eight* Soundtrack." *Rolling Stone*, January 11, 2016.

Guerrasio, Jason. "Samuel L. Jackson on Finding the Right Skin Tone for *Django Unchained* and Making Leonardo DiCaprio Become Comfortable with the N-word." *Vanity Fair*, December 20, 2012.

Haselbeck, Sebastian. "An Interview with Kurt Russell." The Quentin Tarantino Archives [www.wiki.tarantino.info].

Hirschberg, Lynn. "Quentin Tarantino, pre-*Pulp Fiction*." *Vanity Fair*, July 5, 1994.

Hirschberg, Lynn. "The Two Hollywoods; The Man Who Changed Everything." *New York Times*, November 16, 1997.

Hiscock, John. "Quentin Tarantino: I'm Proud of my Flop." *Telegraph*, April 27, 2007.

Hoberman, J. "Quentin Tarantino's *Inglourious Basterds* Makes Holocaust Revisionism Fun." *Village Voice*, August 18, 2009.

Horn, John. "Quentin Tarantino Looks Back: *Reservoir Dogs* a Father-Son Story." *Los Angeles Times*, February 12, 2013.

Jagernauth, Kevin. "Quentin Tarantino Says he Didn't Fall Out with Will Smith Over *Django Unchained* Plus New Pic from the Film." *IndieWire*, November 15, 2012.

Jakes, Susan. "Blood Sport." *Time*, September 30, 2002.

Kerr, Sarah. "Rain Man: *Pulp Fiction*–A Film by Quentin Tarantino." *New York Review of Books*, April 6, 1995.

Labrecque, Jeff. "Quentin Tarantino Discusses his Plan to Retire and the Idea of Having Children." *Entertainment Weekly*, December 22, 2015.

La Franco, Robert. "Robert Rodriguez." *Wired*, April 1, 2007.

Lane, Anthony. "Love Hurts." *New Yorker*, January 7, 2013.

Lewis, Andy. "Making of *Hateful Eight*: How Tarantino Braved Sub-Zero Weather and a Stolen Screener." *Hollywood Reporter*, January 7, 2016.

Lim, Dennis. "*Inglourious* Actor Tastes the Glory." *New York Times*, August 12, 2009.

Longworth, Karina. "Quentin Tarantino Emerges with his Most Daring Film Yet." *Village Voice*, December 19, 2012.

MacFarquhar, Larissa. "The Movie Lover." *New Yorker*, October 20, 2003.

McGrath, Charles. "Quentin's World." *New York Times*, December 19, 2012.

Morgan, Kim. "Basterds, Sam Fuller and Snoopy: Talking to Tarantino." *Huffington Post*, September 19, 2009.

Nashawaty, Chris. "*Jackie Brown* Blu-ray: Pam Grier talks Quentin Tarantino's Film." *Entertainment Weekly*, October 4, 2011.

Pappademas, Alex. "Triumph of His Will." *GQ*, June 30, 2009.

Pavlus, John. "A Bride Vows Revenge." *American Cinematographer*, October 2003.

Perez, Rodrigo. "What's Left? Quentin Tarantino Talks the Remaining Movies he Could Make Before Retirement." *IndieWire*, December 15, 2015.

Pride, Ray. "Interview Flashback: Quentin Tarantino Talks Jackie Brown and Quentin Tarantino." www.newcityfilm.com, December 29, 1997.

Rose, Charlie. "Quentin Tarantino on his Popular Film, *Pulp Fiction*." www.charlierose.com, October 14, 1994.

Rosenbaum, Jonathan. "Recommended Reading: Daniel Mendelsohn on the New Tarantino." www.jonathanrosenbaum.net, August 17, 2009.

Salisbury, Brian. "The Badass Interview: Robert Forster on *Jackie Brown*'s Latest Home Video Release." www.birthmoviesdeath.com, October 3, 2011.

Sancton, Julian. "Tarantino is One Basterd Who Knows How to Please Himself." *Vanity Fair*, August 20, 2009.

Scott, A. O. "The Black, the White and the Angry." *New York Times*, December 24, 2012.

Scott, A. O. "Review: Quentin Tarantino's *The Hateful Eight* Blends Verbiage and Violence." *New York Times*, December 24, 2015.

Scherstuhl, Alan. "Quentin Tarantino's *The Hateful Eight* Refuses to Play Nice." *LA Weekly*, December 15, 2015.

Sciretta, Peter. "Quentin Tarantino Talks Vega Brothers, the *Pulp Fiction* and *Reservoir Dogs* Sequel/Prequel." www.slashfilm.com, April 7, 2007.

Seal, Mark. "Cinema Tarantino: The Making of *Pulp Fiction*." *Vanity Fair*, February 13, 2013.

Secher, Benjamin. "Quentin Tarantino Interview: 'All my Movies are Achingly Personal.'" *Telegraph*, February 8, 2010.

Singer, Matt. "In Praise of *Death Proof*, One of Quentin Tarantino's Best Movies." *IndieWire*, December 28, 2012.

Soghomonian, Talia. "Tarantino Says Will Smith was First Choice for *Django Unchained* Lead." *NME*, January 28, 2013.
Solomons, Jason. "Interview with Sally Menke: 'Quentin Tarantino and I Clicked.'" *Guardian*, December 6, 2009.
Sordeau, Henri. "Quentin Tarantino Talks *Inglourious Basterds*." www.rottentomatoes.com, August 11, 2009.
Spitz, Marc. "*True Romance*: 15 Years Later." *Maxim*, April 25, 2008.
Stasukevich, Iain. "Once Upon a Time in the South." *American Cinematographer*, January 2013.
Tapley, Kristopher. "*The Hateful Eight*: How Ennio Morricone Wrote His First Western Score in 40 Years." *Variety*, December 11, 2015.
Taylor, Ella. "Quentin Tarantino: The *Inglourious Basterds* Interview." *Village Voice*, August 18, 2009.
Thomson, David. "*Django Unchained* is All Talk with Nothing to Say." *New Republic*, January 5, 2013.
Tyrangiel, Josh. "The Tao of Uma." *Time*, September 22, 2003.
Verini, Bob. "Tarantino: Man with Sure Hand on his Brand." *Variety*, November 7, 2012.
Walker, Tim. "Michael Madsen Interview: How *The Hateful Eight* Star Ducked and Dived his Way Through Hollywood." *Independent*, January 2, 2016.
Wise, Damon. "'Resist the Temptation to Ridicule This': Quentin Tarantino Talks *Grindhouse*." *Guardian*, May 4, 2007.
Wise, Damon. "*The Hateful Eight*: A Rocky Ride from Script to Screen." *Financial Times*, December 18, 2015.
Whitney, Erin. "Quentin Tarantino Wanted to Massively 'Subvert' James Bond with *Casino Royale*." *Huffington Post*, August 24, 2015.
Wooton, Adrian. "Quentin Tarantino Interview (I) with Pam Grier, Robert Forster and Lawrence Bender." *Guardian*, January 5, 1998.
Wright, Benjamin. "A Cut Above: An Interview with *Django Unchained* Editor Fred Raskin." *Slant*, January 15, 2013.
Yuan, Jada. "Tarantino's Leading Man." *Vulture*, August 25, 2015.
"*Death Proof*: Quentin Tarantino Interview." http://www.indielondon.co.uk/Film-Review/death-proof-quentin-tarantino-interview.
Interview on *The Rachel Maddow Show*. *NBC*, February 11, 2010 [http://www.nbcnews.com/id/35367550/ns/msnbc-rachel_maddow_show/print/1/displaymode/1098/].
"The Lost, Unmade and Possible Future Films of Quentin Tarantino." www.indiewire.com, March 27, 2013.
"Quentin Tarantino: 'It's a corrupted cinema.'" *The Talks*, October 28, 2013.
"Quentin Tarantino, 'Unchained' and Unruly." *NPR*, January 2, 2013 [http://www.npr.org/2013/01/02/168200139/quentin-tarantino-unchained-and-unruly].
Reservoir Dogs: Ten Years, directed by Quentin Tarantino. Artizan, 2002 [DVD].
"ZDF Quentin Tarantino Interview (*Kill Bill*)." https://www.youtube.com/watch?v=bIGhtVN2lrY.

Fotografie

Při přípravě knihy jsme vynaložili veškeré úsilí k dohledání a uvedení držitelů autorských práv. Předem se omlouváme za případné neúmyslné opomenutí, a pokud k němu došlo, rádi je napravíme a seznam držitelů autorských práv v příštím vydání knihy rozšíříme.

T: Nahoře; B: Dole; C: Střed; L: Vlevo; R: Vpravo

Alamy: 10 Travel images/Alamy Stock Photo **14, 62T, 83, 84L, 87T, 88T, 90-1, 97, 98T, 118, 173, 182, 188L, 211, 231T, 239B** Collection Christophel/Alamy Stock Photo **16, 20, 29B, 39, 41, 45, 56-7, 72, 78-9, 108, 113T, 116-117, 120-1, 122, 128, 129, 134B, 135, 140, 141, 142-3, 144, 147, 148L, 149, 150T, 151T, 151CL, 151R, 152-3, 156-7, 158, 159B, 163B, 167, 168-9, 191, 196, 198-9, 200BL, 210, 221T, 222B, 223L, 224B** AF archive / Alamy Stock Photo **21B, 36BL, 36R, 59BL, 130, 170T, 171, 184, 188R, 190, 192R, 193T, 206-7, 230T, 232, 233T, 236L, 238** Everett Collection, Inc./Alamy Stock Photo **22-3** WENN Ltd/Alamy Stock Photo **24** ScreenProd/Photononstop/Alamy Stock Photo **26** Francis Specker/Alamy Stock Photo **30** trekandshoot/Alamy Stock Photo **34-5** Alan Wylie/Alamy Stock Photo **36BC** Lifestyle pictures/Alamy Stock Photo **49, 92B, 139R, 176, 183** United Archives GmbH/Alamy Stock Photo **51** Trinity Mirror/Mirrorpix/Alamy Stock Photo **65, 67, 81, 93T, 104B, 133T, 151BL, 154, 212, 218-9, 225T, 225B** Moviestore collection Ltd/Alamy Stock Photo **71, 76-7T, 123T, 170B** Pictorial Press Ltd/Alamy Stock Photo **82B, 98B, 101, 131, 144-5, 155B, 159T, 161, 172TL, 177L, 186, 187T, 187B, 189, 194-5, 197, 200T, 200BR, 202-3, 204, 216B, 226-7, 231B, 237** Photo 12/Alamy Stock Photo **89B, 150B, 160, 192L, 193B, 205** Entertainment Picture/Alamy Stock Photo **123** Delacorte Press **179T** REUTERS/Alamy Stock Photo **228, 234-5** Atlaspix/Alamy Stock Photo **Getty: 2, 54-5** Levon Biss/Contour by Getty Images **6** Ted Thai/The LIFE Picture Collection/Getty Images **7, 8-9** Patrick Fraser Contour by Getty Images **11T, 95** Martyn Goodacre/Getty Images **11B, 15T** Kevin Winter/Getty Images **12** KMazur/WireImage **13BL, 114TL** Jeff Kravitz/FilmMagic/Getty **13BR** Ron Galella, Ltd./WireImage/Getty **17** Spencer Weiner/Los Angeles Times via Getty Images **19, 246-7** Robert Gauthier/Los Angeles Times via Getty Images **27T** CBS Photo Archive/Getty Images **27B** Mondadori Portfolio by Getty Images **28** Silver Screen Collection/Getty Images **32** Frazer Harrison/Getty Images **33** David Herman/Hulton Archive/Getty Images **37** DON EMMERT/AFP/Getty Images **42T** Christian SIMONPIETRI/Sygma via Getty Images **43** Warner Bros. Pictures/Sunset Boulevard/Corbis via Getty Image **94L** Pool BENAINOUS/DUCLOS/Gamma-Rapho via Getty Images **94R** Stephane Cardinale/Sygma via Getty Images **112** Andreas Rentz/Getty Images **119** Michael Birt/Contour by Getty Images **124** Michael Ochs Archives/Getty Images **179B** Jeff Vespa/WireImage for The Weinstein Company **229** Amanda Edwards/WireImage **230** Kevin Mazur/Getty Images for Universal Music **245** Jeffrey Mayer/WireImage **242** William Callan/Contour by Getty Images **253, 256** Nicolas Guerin/Contour by Getty Images **Mary Evans Picture Library: 89T** Courtesy Everett Collection/Mary Evans **96B** Ronald Grant Archive/Mary Evans **Photofest: 64R** Miramax Films/Photofest **75** Live Entertainment/Photofest **180T** Andrew Cooper/Dimension Films/Photofest **Rex Features: 13T** Michael Buckner/Variety/REX/Shutterstock **21T** Spelling/REX/Shutterstock **31, 50, 114R, 126-7, 133B, 134T, 138, 174-5, 177R, 201, 222T, 224T** Moviestore/REX/Shutterstock **36TL** Films Du Carrosse/Sedif/REX/Shutterstock **36TC** Anouchka/Orsay/REX/Shutterstock **36BC** Columbia/REX/Shutterstock **38, 40, 42TL, 46-7** Davis Films/REX/Shutterstock **42BL, 47, 48, 188C** Warner Bros/REX/Shutterstock **44L, 44R** Ron Phillips/Morgan Creek/Davis Films/REX/Shutterstock **53, 80, 82T, 84R, 85, 86, 87B, 88B, 92T, 93B, 99, 100, 102-3, 104T, 105** Miramax/Buena Vista/REX/Shutterstock **59BR** Monogram/REX/Shutterstock **60, 61, 62B, 63, 64L, 68-9, 70B, 70T, 73, 74, 76B** Live Entertainment/REX/Shutterstock **106-7, 115T** Los Hooligans/A Band Apart/REX/Shutterstock **109, 110T** Miramax/REX/Shutterstock **110B, 115B** L Driver Prods/REX/Shutterstock **113B** Jet Tone/REX/Shutterstock **132, 136-7, 148R, 155T** Miramax/A Band Apart/REX/Shutterstock **139L, 172BL, 172R, 178, 181, 214-5, 220** Snap Stills/REX/Shutterstock **166** Soeren Stache/Epa/REX/Shutterstock **208L, 209, 213, 221B, 223R** Columbia Pictures/The Weinstein Company/REX/Shutterstock **208R** Brc/Tesica/REX/Shutterstock **216T** Prod Eur Assoc/Gonzalez/Constantin/REX/Shutterstock **217, 236R, 239T, 240-1** Andrew Cooper/Columbia Pictures/The Weinstein Company/REX/Shutterstock **The Ronald Grant Archive: 66, 162, 163T, 164-5** Miramax/RGA **Sandria Miller: 59T** Sandria Miller Sundance Institute **244** William Morrow Paperbacks

STRANA 256: Portrét pořízený Nicolasem Guerinem, 2008.

„Ještě dva filmy. Ani o chlup víc. Jako když zpěvák odhodí mikrofon. Bum! Tak, a teď moje dílo zkuste překonat!“

reservoir
dogs

ROBERT RODRIGUEZ

¡Estas 8 mujeres
van a conocer
a 1 hombre muy diabólico!

KURT RUSSELL
en
QUENTIN TARANTINO
DEATH
PROO

DIMENSION FILMS PRESENTA

THE NEW FILM BY
QUENTIN TARANTINO
DJANGO
UNCHAINED

UMA THURMAN

ROBERT
FORSTER
BRIDGET
FONDA
MICHAEL
KEATON
AND
ROBERT
DE NIRO

Jackie
Brow

THE 8TH FILM BY
QUENTIN TARANTINO